公務員試験

現職人事が書いた「自己PR・志望動機・提出書類」の本

大賀英徳 著

実務教育出版

はじめに

みなさん、こんにちは！　人事課で職員の採用と人事全般を担当してきた大賀と申します。

受験者のみなさんと接してきて、先輩職員として、みなさんにぜひぜひ、伝えておきたいな！ということがたくさん出てきました。そんなわけで、これまで、「公務員の世界って、こんなにおもしろいんだゾ！だから、一緒に働こうよ！」でも、「生半可な気持ちじゃあ、面接試験・官庁訪問はパスできないゾ！しっかり準備してきてね！」ということを紹介したくて、『公務員になりたい人への本』『面接試験・官庁訪問の本』を書いてきました。

おかげさまで、最近の面接では、「もしかして、私の本を読んでくれたのでは？」という受験者もいます。著者としては、本当に本当にありがたく、うれしい限りではあるんですが、実は、そう感じさせてはダメ！　消化しきって、自分のものにしておかないといけないのですよ。

それに、もう一つの傾向として、面接試験の前段階の申込みや、提出された面接カードの中身の段階から「オイオイ、この子、常識ないんじゃないの!?」「文章になってないジャン！」「何をしたいの？いいたいの？」という受験者が増えてきています。どうやら、これは公務員受験界だけではなく、民間企業の就職の場でも広がってきている深刻な現象のようです。

そこで、今回は、自己ＰＲや志望動機の練り方、さらに、もう一度初心に立ち返って、書類や文章の書き方、提出のしかたということから見直してみたいと思います。公務員試験の受験者だけではなく、民間企業への就職をめざしているみなさんにもきっとお役に立てるはずです。

では、みなさんの明るい将来が開けますように（祈）　レッツ、ゴー!!

大賀英徳

公務員試験

現職人事が書いた「自己PR・志望動機・提出書類」の本 ▼目次

100-XXXX
千代田区霞ヶ関
0-0-0
○×省
人事課
WANT YOU

第4章 合否を分けるポイント!

序章

ちゃんと筆記試験「以外」にも目を向けてぇ！

公務員試験なんて、筆記試験対策だけやってりゃあいいんでしょ？ってナメてませんか？ちょっとした書類じゃん！聞かれたことに答えればいいんだろ？なんて軽く考えていたら、いつまでたっても内定はもらえませんよ！

実はトンデモないことになっているっ!!

公務員も「厳選採用」の時代に突入

公務員試験を受験しようとしているみなさん。

あなたは筆記試験が終わってからこの本を手に取りましたか？　そんな方は「このたびは　ぬさもとりあへず　手向山」です。今すぐこの本を読んで、ギリギリまで可能な限り時間をかけて提出書類を作り上げてください！

これから試験を受けようかな？って考え始めた段階でこの本を手にしたあなた。それは幸運です！　筆記試験の勉強と併せて、じっくりこの本を読み込んで、自己ＰＲや志望動機を固めていってください！

みなさんもすでにご存じかと思いますが、ここのところ、経済状況の如何にかかわらず、年々雇用情勢は厳しくなってきていますよね。昔だったら絶対採用されていたような優秀な学生ですら、なかなか採用されなくなってきています。これは、採用側が「雇ってから育てる」から**「最初から使える」に方針転換**しているからです。

このような「厳選採用」の波は公務員試験にも押し寄せています。さらに、公務員をめぐる環境には厳しさが増してきており、財源カット、採用抑制が深刻なものとなりつつあります。公務員をめざしているみなさんはこのキビシイ壁を乗り越えなければなりません！でも、ちゃんと対策を練れば、乗り越えられない壁なんてありませんよ！

●このたびは

小倉百人一首の「このたびは　ぬさもとりあへず　手向山　もみぢの錦　神のまにまに」菅家（＝菅原道真）

〈訳〉今度の旅は神にささげるのにふさわしい幣（ぬさ）を用意できませんでした。とりあえずこの手向山の紅葉の錦を幣とさせていただきますので、神の御心のままにお受けください。

道真さんが、どうして御幣を用意できないほどの慌ただしさだったのかはわかりません。が、この度の受験勉強で忙しいみなさんも、思い立ったら「とりあえず」「早速」に行動してくださいね。

●政権交代と公務員

「政権交代すると、公務員も何か変わったりするの?」ってよく聞かれますが、基本的な仕事のあり方は変わりません。政官のかかわり、つまり、国会議

筆記試験より前！がトレンド

受験者のみなさんは、ついつい筆記試験の勉強にとらわれがち！　受験予備校の指導もこちらに偏りがちですよね。でも、最近の厳選採用（人物重視採用）では、**受験申込みの段階から自己ＰＲや志望動機など、いろいろ書かなければならない**オソロシイ現実が！　そう、どんなに筆記試験の勉強を頑張っても、これにパスしなければ筆記試験さえ受けられない！あるいは採点されない！トンデモない事態が生じているのです。

たとえば、ある県では、一部の採用試験で第１次試験の前に書類選考があります。受験申込書と同時に提出されたアピールシートによって行われるもので、この段階でかなりの数の絞り込みが行われるようになっています。また、ある市では、第１次試験はエントリーシートの記入のみとなっています。これ以外の自治体でも受験申込書と同時にエントリーシートの提出を求めているところ、受験申込書に自己ＰＲや志望動機を書き込む欄を大きくとっているところが増えてきました。さらに、第１次試験は録画面接とウェブ適性検査だけが行われるというところも出てきました。

筆記試験の勉強ばかりしていてはダメだ！ってことがわかったでしょ？　さらに従来どおりの筆記試験後の面接においても、民間企業並みに数ページにもわたるシートの事前提出を求めたり、プレゼンテーション試験を導入して事前にレジュメの提出を求めたりってことが増えています。提出書類の書き方をトレーニングしておき、事前準備を万端にしておくことの重要性がみなさんの想像以上に高まってきているのです！

員と官僚のかかわり、仕事や役割の分担は当然変わってきています（実際に！）が、それは、一部の国家公務員の話で、大部分の公務員にとっては、毎日の仕事がガラリと変わってしまうようなことはありません。

ただ、政策の方針転換によって、今までなかったような仕事をすることになったり、同じ仕事でもやり方が変わったり、ということはあります。

いずれにしても、政権交代が直接に公務員試験の内容を左右するということはありません。受験者のみなさんは、とにかく合格、採用に向けて走るしかありません。

●人事は受験申込書を読み込んでいる！

みなさんは、「受験申込書なんか、必要事項がちゃんと記載できていればイイ」と思っているでしょうが、あとでも何度も何度も繰り返しいうことになりますが、人事は受験申込書から読み込んでいるのです。ゆめゆめ軽く考えないように！

ちゃんと筆記試験「以外」にも目を向けてぇ！

茅ヶ崎市の「エントリーシート記入上のポイント」

これは神奈川県茅ケ崎市の例です。

公務員志望者ならだれが読んでもとても参考になることが書いてありますので、まずは読んでみてください。

エントリーシート記入上のポイント

【エントリーシートや面接のために努力し、結果を出すこと】＝【やる気】として選考します。

よって、次の内容をふまえて、どれだけ主体的に調べ、考え、アピールする努力をしたのかを評価します。

なぜ地方公務員なのか
なぜ茅ヶ崎市なのか
茅ヶ崎市の仕事内容
他の自治体も含め、市区町村で行われていること
具体的にどこの課で何をしたいのか
これまでどんな経験（社会経験、仕事、学業、アルバイト、サークルなど）をしてきたか、またそこから何を学び、今後どう活かせるのか

これらが直接質問されるとは限りませんが、出題される項目の内容によって、これらを盛り込んだ回答を期待します。

エントリーシート出題内容

エントリーシートでは次の問題を中心にお伺いします。

> 茅ヶ崎市では「これからも進化する茅ヶ崎」を目指して、「あらゆる世代の人たちが、自分らしい生活を送ることができる地域」を市民の皆さんと創出するために、様々な事業を行っています。
> こうした状況の中、受験している職種で採用されたと考え、あなたは茅ヶ崎市をどのようなまちにしていきたいですか。また、その実現に向けて取り組んでいきたいことを、市の状況や特性を踏まえた上で具体的に教えてください。

（注）エントリーシートではこれ以外の項目も出題されます。また、試験中は持ち込んだ資料等の閲覧をすることはできません。

（注）エントリーシートの準備のための電話や窓口での各課へのお問い合わせはご遠慮ください。

（注）エントリーシートとは出題された項目について紙面で答えるものです。企業の採用選考に使用されるものと同じ形式だと考えていただいてかまいません。

※過去の茅ヶ崎市ホームページより

茅ヶ崎市の「採用試験のポイント」は、ほかの試験でも大変参考になるものです。本を読み進めていく際に、この「ポイント」を常に意識するとよいでしょう。

コレ、第1次試験のときに書くんですよ！　相当準備してかからないといけないですよね。「記念受験」「意外と受かるかも受験」なんて甘い気持ちじゃ、到底太刀打ちできません！早い段階からの周到な準備が必要だということが身に染みますよね。

受験申込書の例

弘前市の場合

受験申込書の段階で志望動機などを書かせるものの例として、過去に実施された弘前市の書類を見てみることにしましょう。

弘前市の場合は受験申込書に志望動機を記入する欄が設けられています。

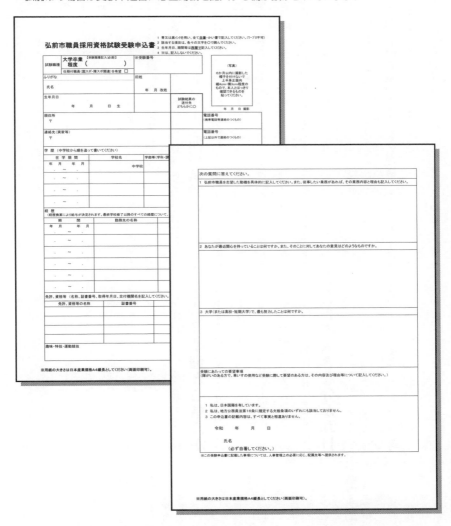

弘前市職員採用資格試験受験申込書

1 青又は黒インクを用い、全て自筆・かい書で記入してください。(ワープロ不可)
2 該当する項目は、各々の文字を○で囲んでください。
3 生年月日、期間等は西暦で記入してください。
4 ※は、記入しないでください。

試験職種	大学卒業程度 【受験職種記入(必須)】 (　　　)	※受験番号
	任期付職員(国スポ・障スポ関連)を希望 □	

（写真）
6か月以内に撮影した帽子を付けないで上半身正面向縦4cm・横3cm程度のもので、本人とはっきり確認できるものを貼ってください。
年　月　日 撮影

ふりがな 氏名	旧姓 年　月 改姓	
生年月日 年　月　日 生		試験結果の送付先 どちらかに○
現住所 〒		電話番号 (携帯電話等連絡のつくもの)
連絡先(実家等) 〒		電話番号 (上記以外で連絡のつくもの)

学 歴 (中学校から順を追って書いてください)

在学期間	学校名	学部等(学科・課
年　月　年　月 . ～ .	中学校	
. ～ .		
. ～ .		
. ～ .		

経 歴
(経歴換算により給与が決定されます。最終学校修了以降のすべての経歴について、

期間	勤務先の名称	
年　月　年　月 . ～ .		
. ～ .		
. ～ .		
. ～ .		
. ～ .		
. ～ .		

免許、資格等 (名称、証書番号、取得年月日、交付機関名を記入してください。

免許、資格等の名称	証書番号	

趣味・特技・運動競技

※用紙の大きさは日本産業規格A4縦長としてください(両面印刷可)。

次の質問に答えてください。

1 弘前市職員を志望した動機を具体的に記入してください。また、従事したい業務があれば、その業務内容と理由も記入してください。

2 あなたが最近関心を持っていることは何ですか。また、そのことに対してあなたの意見はどのようなものですか。

3 大学(または高校・短期大学)で、最も努力したことは何ですか。

受験にあたっての要望事項
(障がいのある方で、車いすの使用など受験に際して要望のある方は、その内容及び理由等について記入してください。)

1 私は、日本国籍を有しています。
2 私は、地方公務員法第16条に規定する欠格条項のいずれにも該当しておりません。
3 この申込書の記載内容は、すべて事実と相違ありません。

令和　年　月　日

氏名
(必ず自署してください。)

※この受験申込書に記載した事項については、人事管理上の必要に応じ、配属先等へ提供されます。

※用紙の大きさは日本産業規格A4縦長としてください(両面印刷可)。

ね？申し込みの段階からけっこう書かなきゃならないでしょ？　しかも、ココで（安易に）書いてしまったことが、面接試験で聞かれることになってしまうんです！（160ページを参照）よ～く練ってから書かないと、後で後悔しますよ！

最初の質問については本書の志望動機の項目（第２章）を、次の質問については自己ＰＲ（第１章）を参考にして、かつ、書き方（第３章）に注意すれば、バッチリ！です。

な〜んにも考えてないんじゃない？

なのになのに！受験者のみなさんの無策ぶり、無軌道ぶりは目に余る状況です！

受験申込書も面接カードも、提出のしかたは適当だわ、中身はスカスカだわ、どこかで見たような内容だわ、書き方も殴り書きだわ……。さらに、実際の面接試験でも、質問されたことに関係なく丸暗記してきたことだけをしゃべりまくるわ、準備不足でトンチンカンな答えはするわ……。もう、目と耳を覆いたくなります。

とにかく、受験者のみなさんの意識は筆記試験だけに行きがち。気が付いている受験者でも面接試験の本番対策がせいぜいです。**面接試験の「前」**に、これだけ**準備と心構えが必要**なうえに理解し体得するのが難しくて、なおかつ面接官や人事が注目している分野があるということには、ほとんどの受験者のみなさんが思い至っていないようです。

公務員試験の受験指導のギョーカイ（予備校やマニュアル本）でも、マーケットが小さい（最終の面接試験まで到達する受験者の数は全体の一部でしかない＝すなわちお金にならない）この分野については、あえて触れようとしてきませんでした。そこに、今回は大胆に切り込んでいこうと思っています。学校では教えてくれないここの部分が、実は**合否の大きな分かれ目**なんです！

もう一度いいます。

どんなに筆記試験の成績がよくても、合格できない人は合格できないんですよ！　あらゆる場面でちゃんと自分をアピールしなければ!!

ですから、この本をお読みいただいて、ぜひその方法・コツをつかんでください。

●事前提出書類はAIでOK!?

生成AIを活用して自己PRや志望動機を作成する受験者もいると思います。そのこと自体を否定するものではありませんが、その後の面接試験でそれと矛盾する発言をしてしまうとアウト。こういうことがあるからこそ、実際に面接試験をやって、面接官があの手この手で聞いてくるのです。せっかくの文明の利器ですから、うまく活用するようにしましょう。

なお、AIを使わせないように、面接試験会場に入ってから提出シートを書かせるところも出ています。AIに頼りすぎないように、いついかなるときも自分の意見を自分自身の力でまとめることができるように訓練しておくことが大切です。

●ウェブ申し込みの注意点

ウェブ申し込みなら、字が汚い・薄い、乱雑だ、なんていわれないですよね。でも、だからこその注意点もあります。まず、漢字などの変換ミス。それから、句読点の間違い・付け忘

～私は見た！トンデモ書類の実態！～

自己PR
私はていねいな仕事をモットーとしており、地味な事務仕事でもよい手順をみつけて着実にこなしていく自信があります。

●キタナイ！
書類は汚したり変に折り目を付けたりしないこと。こういうところに仕事に臨む姿勢が出るものです。

●乱雑に書きすぎ！
下手でもいいんです。丁寧に書いてあれば。乱雑な字は手抜きの証拠と思われてしまいます。

●薄くて読めない！
面接カードや受験申込書は何人もの面接官にコピーされます。コピーで読めないような字では審査の対象にもなりません。

●内容が小学生レベル！
公務員の仕事で書類作成は基本のキ。面接カードでは、事実を知りたいというだけではなくて、その文章力も審査されています。

●写真がふざけすぎ！
何をアピールしたいのか……。写真は単なる照合のためにあるのではありません。面接の際にも使われますし、採用されれば退職するまで人事課に保管されるんですよ。

●言葉だけならなんとでもいえる！
熱意は大事ですが、言葉が空回りしてしまっては、相手の心に届きません。ラブレターと同じで、キメの言葉一発で仕留めてください。

れやフォント・ポイントの不統一。こういったところから、しっかり読み返さない不注意な人だな、と思われてしまいます。
また、字の形状など見た目に注意しなくていい分、面接官の関心は文章の中身に集中します。口語調の文章や幼稚な言い回しがより目につきやすくなりますので、注意が肝心です。

●SPIの導入で面接試験の重要性が高まっている！
自治体の採用試験では、教養試験をSPI試験に変えるところが増えています。SPIの性格検査は、行動的側面・意欲的側面・情緒的側面・社会関係的側面から、どのような職種に適用しやすいか、ストレス耐性はあるかなどの測定を行い、そのデータが示されます。面接官のほうでは、その結果を踏まえて面接試験でより深く突っ込んで質問しようという流れができています。受験者にとっては、教養試験用の勉強をしなくてすむので若干ラクになったと思えるでしょうが、実は、より厳しい現状が待っているのです！

明らかに準備が足りないっ！

「素顔」の表現には時間とテクニックが必要

面接官や人事だって、冷たく突き放して受験者を見ているわけではありません。「この子の長所はどこだろう?」「この子は何ができるのかな?」って、なるべくその受験者の**いいところを引き出そう**としているんです。そのうえで、その受験者がこの職務を遂行する能力を持っているかどうか、ウチの職場にマッチしているかどうかということを判断したいと思っています（ですから、面接官や人事になるにはかなりの熟練が必要なんですよ。それ専門の研修もたくさん受けているんです！）。

でも、ほとんどの受験者からは、こっちが引っ張り出そう引っ張り出そうと一生懸命努力しても、な〜んにも出てこないんです。これは、われわれ面接官や人事の能力というよりも、そもそも、引き出しに何も入れてこなかった受験者のみなさんのほうに問題があるんじゃないでしょうか。

実際の面接試験の場になって「学生時代に力を入れたことは?」「それで、どんな経験からそう思ったの?」って問われて、「……えーっと、えーっと……」なんていっているようじゃ、採点のしようがないじゃありませんか!? それに、受験先の官公庁のことをな〜んにも調べもせず、どんな仕事をしているか、どんな職務内容なのかすらわかってないような受験者に、何を聞けっていうんでしょう!?

で、どんな経験からそう思ったの？
具体的に話して！
またフリーズしちゃったよー
これで何人目だろう。

面接試験では「素」が大事。「素顔」を表せばいい。『面接試験・官庁訪問の本』の中で私はこういいました。これはこれで真実です。でも、**事前にシッカリ準備して、答える内容を練り上げておかなければ、その「素顔」だって表現できない**と思いませんか？

突然質問されても、それを説明するのに的確な経験やエピソードって、なかなか思い当たらないものですよね。自分を表現する一言っていわれたって、かなり考えちゃう。まして、実際の仕事の中身も知らないで、リアルな志望動機なんていえっこありません。

そもそも、筆記試験で振り分けられて面接試験までたどり着いた受験者はだれも彼も粒ぞろい。そのなかで面接官や人事を「おおっ！」と思わせないと採用には結びつかないんですから、大変です。そのためには、時間がかかっても、ココロの準備をし、必要なテクニックを覚え、答えを練り上げることが必要なんです。どれだけ準備してきたか、習得してきたかが肝心カナメですよ。

あら、スッキリ！　書き方次第でこんなにも変わる!?

面接カードなどの書類を作成する場合でも、ただ単純に自分のいいたいことを書き連ねればいいというものではありません。受験者のみなさんの面接カードを見ていると、訴えたいことはなんとなくわかるんだけどね……という状態のものばかり。ん～非常にモッタイナイ！

「原石は磨いてナンボ」。ちょっとの変化で面接官の印象はだいぶ違ってきますので、ちょっと先輩の自己PRを例にして磨きをかけていきましょう。同じ面接カードでも書き方次第でこんなにも印象が変わります！

●白鳥は優雅に泳いでいるけれど……実は

「自分のいいところなんてちゃんとわかってるよ！」「面接なんてチョロいもんさ！」「その場になりゃあ、なんとかなるよ！」と思っているキミっ！

じゃあ、今すぐ、1分間でキミのいいところを説明してみて！　失敗経験とその経験から何を学んだか、答えられる？

……、ね？　満足のいく答え、できました？　できないでしょ!?

アタマの中でできそうと感じるものでも、実際に口に出して話を組み立てようとすると、出てこないもんですよね。

ご心配なく、キミだけじゃあありませんから。でも直す努力は必要です。

努力はカッコわるいし、カッタルイ、なんていっているようじゃ、痛い目に遭います。答えを練る、書類をキッチリ書くという、人に見えない部分でどれだけ努力するか、汗をかくかが合否の分かれ目です。

とにかく、あなたのよさが伝わらない＝不合格！　ですからね。心しておいてください。

添削前の自己PR例

○印象深かったこれまでの体験
（学校生活、ボランティア活動、アルバイトなどの体験を通じて）

私は大学時代は●●●ベーカリーの駅中店舗で販売スタッフ（アルバイト）として勤務しておりました。そして、大学3年次の4月からは、販売スタッフのリーダーにさせていただいたこともあって、それまで以上に一生懸命に頑張って働きました。私はこの経験から、継続力・忍耐力、また指導力が身についたと思っております。仕事は大変でしたが、そのおかげかほかのスタッフとも仲良くなり、私が辞める時には職場のみんなから寄せ書きと花束をもらったことが、とても印象に残っています。

まずは、添削する前のものを見てみてください。

少ない欄に不要な情報を入れてしまっては、必要なことが書けなくなりますから、まずは冒頭の「私は～」以下の文の不要な情報をバッサリ落とします。どうせ面接官が「いつ頃の話？」「どんな仕事だったの？」って聞くでしょうから、こういった部分は削除してしまったほうがいいんです。むしろ、受験者としても、面接ではこの程度の当たり障りのないところから質問してもらったほうがラクですよね。よって、**面接カードでは、最低限のエッセンスを記す**だけにとどめましょう。

また、「継続力・忍耐力・指導力」といった言葉は、受験者にありがちな、よく見るアピールですが、こういった言葉を面接カードに書くのはかなりマイナスです。このような言葉を受験者自身が使ってはいけません。いろいろ体験談を語って、その結果、「あ～、彼には継続力・忍耐力や指導力があるんだな～」と**面接官に感じさせる**ことが必要なんです。

この設問は「印象深かったこれまでの体験」からあなたが何を得たかということを質問するための典型的な「コンピテンシー型質問」のためのものですから、それに見合った回答に作り替えていきましょう。

それから、いくらなんでも、人に見てもらう文章としては乱雑すぎませんか？　文字のバランスも悪いし、殴り書きっぽいし。これから何度もお話しすることになると思いますが、提出書類では、中身だけではなく、「見た目」も大切なんです。面接官はこういったところで、誠意をもって、丁寧に仕事

添削後の自己PR例

◯印象深かったこれまでの体験
（学校生活、ボランティア活動、アルバイトなどの体験を通じて）

　駅の売店でアルバイトを3年間やり続けましたが、その働きを認めてもらい、2年目からはリーダーに抜擢されました。リーダーとして、通常業務のほか、新人アルバイトの面倒を見、次のリーダーとなれるよう、育成・指導することに力を入れました。

　アルバイトを辞める際に、指導をしてきた後輩のみんなからもらった寄せ書きと花束は忘れられない心の勲章です。仕事においては、個々人の能力だけではなく、それが十分に発揮できるような環境と職場の人間関係を作り上げることが重要であると実感しました。

ができるか、ということを注意深く観察しているのです。

そして、上にあるのが添削後の自己PRです。

「3年間やり続け」で忍耐力、継続力をアピールします。また、「働きを認めてもらい」「抜擢」で、単にトコロテン式にリーダーになったのではなく、自分の努力の成果であることもさりげなくアピールします。

「面倒を見」「育成・指導」で面接官から「じゃ、具体的にどのようなことをしたの？」という質問をさせるように誘い込みましょう。その答えは準備しておきましょうね。たとえば、「始業前には今日の目標、やるべき仕事について確認し、終業後には互いに反省点を述べ合うなど、1日2回のミーティングを必ず行い、意思の疎通を図るようにしました。これによって仕事のミスも少なくなり、より効率的に進められるようになりました。また、後輩の誕生月には必ずパーティーを開くなど、仕事以外での人間関係、結びつきも大切にし、アルバイトを辞めた今でも、後輩たちと飲みに行ったりしています」などと答えれば、周りとコミュニケーションを図りつつ、リーダーシップもとれる人間だな、と思わせることができます。

このように、単に面接カードの文面だけを考えるのではなく、**面接官の質問を意識し、準備した答えを聞いてもらう**ことによってさらにポイントアップをめざすという高度なテクニックが必要なのです。

「寄せ書きと花束」は他人（後輩）のあなたに対する評価ですから、この部分は是非とも残しておきたいものです。面接官は、短時間で受験者を評価しなければならないわけですから、それ以外の「他人から見たあなた」という情報があればなんでも、これを参考にして「あなた」の人物像を評価しようと考えるのです。

エピソードが大事といっても、それだけでは不十分。あなたが**その体験から何を学んだのか**を明らかにしなければ、あなたのコンピテンシーはわかりません。そこで、最後に「仕事においては……」という1文を入れることにしましょう。これによって、あなたがチームワークの重要性に気が付いたこと、今後の公務員生活でもこの経験をもとに行動できるとアピールすることができます。実は、これが、この質問に対する回答のキモになります。

みなさんは、添削前と添削後を見比べてみて、何がそんなに違うの？あんまり変わらないジャン！と思ったかもしれませんが、面接官からすると、断然添削後のほうが要点が整理されていて質問しやすいんです。

陰キャなんてぶっ飛ばせ！

この間、控室での受験者どうしの雑談を聞いていたら、「オレなんて、陰キャだから、経験談とか、打ち込んできたこととかって聞かれたって、何もしゃべることないんだよね。どーせ」って言っている受験者がいました。調べてみたら、社交的で人気者、現実の生活でいろいろな経験を積んでいる人を「陽キャ」といって、それとは逆の人を「陰キャ」っていうんですってね。

で、なんとか格好のいい経験談をしゃべらなきゃ！って思って、**作りごとをしゃべってしまう**……。

実はこれって**最悪**です。最近はやりのコンピテンシー面接では、「それで？」「どうして？」ってドンドン突っ込んで聞いてきますので、ウソや作りごとはすぐにバレてしまいます。

●情報の取捨選択が命

どの情報を棄て、どの情報を膨らませるか。相手（＝今回の場合は面接官）がどの情報を欲しているのかを見極めること。いっていることはほとんど変わらなくても、ご覧のとおり面接官の印象はスゴク違ってくるものです。実は、これは仕事・ビジネスの上での「コツ」でもあるんです。それが身についているかどうか、そういうところも採点対象なんです。

●生成AIを有効活用！

エントリーシートの作成にChat GPTなどの生成AIを使うべきかどうかという議論もありますよね。使ったことが相手方にバレたときに不利にならないか不安ということで避ける受験者もいるようですが、そんなこと気にする必要はありません。どうせ面接で実際に話していく間に、本当の話か、エントリーシート用にウソの話をでっち上げたかはわかってしまいます。

むしろ、エントリーシート作成段階においては、どんな表現話に現実性と具体性がないといけないのです。

まさに「陰キャ」であった私自身の体験からすると、自分自身を「陰キャ」だからといって、面接に当たってテキトーな答えしか準備しないのは、「逃げ」でしかありません！あなたの過去はあなたしか経験できなかった過去です。ゲームをしてても、ボーっと授業に出てても、趣味に没頭してても。その時、あなたは何を考えて、どうしてそういう選択をしたのですか？

そこを突っ込んで、自分自身を見つめ直してください！「逃げ」ずに。時間をかけて。そこから、自分の特性ややりたいこと、そして**あなたにしか語れない体験談**がはっきりしてくるはずです。ちょうどみなさんの年頃に、こういうことをやっておくのは、単に受験のためだけでなく、人生にとってとても貴重な経験になるはずです。

本書のめざすこと

というわけで、本書では、今まで受験者のみなさんが見逃してきた部分、すなわち面接試験を受ける前の段階でのココロの整理と、その整理に基づいて自分を効果的にアピールする方法を取り上げたいと思っています。

とりわけ、面接本番の前の段階から、いかにいい第一印象を築いていくかということに注意していきたいと思います。「こんなもん、ササッと書いちゃえばいいさ！」と受験者のみなさんが提出した受験申込書や面接カード。実は、面接官や人事にとってはこれがあなたとのファーストコンタクト。ここで重要な第一印象はすでに形成されてしまっているんです！実際の面接試験会場でお会いする前に！

そこでまず、面接本番はもちろん、面接カードや訪問カードなどの提出書類でも必ずといって

とすべきかウンウン考えるよりもAIにまとめてもらったものを参考にすることで効率化を図ることができますし、AIを使えば24時間いつでも添削してもらえ添削待ちの時間も削減できます。また、一緒に想定問題を考えてもらえば、自分では思いつかなかった角度からの質問も考えてくれ、いいことづくめです。

ただし、生成AIが出した情報が100％正しいとは限りません。相手先官庁のHPなどの1次情報にアクセスして確認することが求められます。また、生成AIが書いた文章はすでにほかの誰かが書いた文章である可能性もありますので、自分らしい表現となっているか見直すことも大切です。また、肝心なのは、面接本番で「その先」つまり「それで、どうなったの」「どうしたの」といかに自分が体験し感じたのかを質問されますので、それに矛盾なく答えることができるかが問われます。それに対応できるなら、生成AIを使うことによって省力化しても、まったく問題ありません。

いいほど問われる、自己ＰＲと志望動機の練り方・考え方について検討していきたいと思います。

　本書では、特に、どうやって自分を見つめ直し、自分の将来を考えていくか、というちょっと哲学的な部分（とはいっても決して難しいことではないので、ご安心を！）と、われわれ**面接官や人事が実際には何をどう考えているか、どういう点に着目しているか**ということを柱にして、「だから受験者はこういうふうに回答を組み立てるべき」ということをお話ししてみたいと思います。

　次に、受験者のみなさんの意外に盲点となっている受験申込書、面接カード、訪問カードなど提出書類の「書き方」の部分、文書作成のノウハウをおさらいしてみたいと思います。こういった無意識でスルーしがちなところで、実は大きなマイナスポイントを食らい、不合格になっているケースも受験者のみなさんの予想以上にたくさんあるのです！　文書作成能力と表現力はオヤクニンの基本中の基本。その能力とオトナのジョーシキが審査されているのです。

　本書には「え〜、そんなこともぉ〜」「こんなことまでできないよ！」というような部分もあるかもしれません。でも、ちょっとだけ、ちょっとだけでも頑張ってみましょう。ドングリの背比べの中では、その**ちょっとの努力が大きな結果の違いにつながる**のです！

書いてあることの一端でも理解し実践できれば、まさに鬼に金棒！　さあ始めましょう！

●意外に「以外」と書いちゃう

本文中に「意外に盲点……」という部分がありましたが、この「意外」は、意（自分の思っていること、考えていること）の外（そと）だから「意外」なんですよね。そういう言葉の意味がわかっていたら、「以外に」と書き間違えたりしないはず。なのに、この書き間違い、「意外に」多いんです！

　本書では、こういう細かいところも評価されているんだっ！というところにも触れていこうと思っています。

第1章 書類と面接のキモ！ 自己PRとは？

自己ＰＲはすべての質問の基礎中の
基礎！　簡単に答えられそうだけど、
実はメチャメチャ奥が深いんです！

センパイの実例を拝見！　自己PR編

素顔の「キミ」を表現できているか！

受験者のみなさんが実際に各官公庁に提出した面接カードの例を集めてみました。まずはこれからご覧になってみてください！

いろんな受験者の実例があったほうが比較対照になるでしょうから、紙数の許す限りできるだけたくさん載せておきます。しかも、玉石混淆（ぎょくせきこんこう）。いや石石混淆かも（笑）。

なお、本来は、それぞれの面接カードのすべての質問項目を網羅して掲載するのがいいのでしょうが、そんなことをしてしまうととんでもない分量になってしまいますし、パクりやすい実例をダラダラ並べる安易な作りの参考書はほかにもたくさんありますから、ここでは、**どこの面接カードにも書かされる、どこの面接試験でも聞かれる**「自己PR」に絞って掲載しておくことにしましょう。なお、「志望動機」編は第2章の冒頭に付けておきますので、お楽しみに！

実際に受験者のみなさんが作成した「渾身（こんしん）の力作」ぞろいですから、みなさんもご自身が実際に面接官や人事になったつもりで、真剣に「採点」してみることをお勧めします。実際に私たち**面接官や人事がしているのとまったく同じ方法で、チェック**してみてください。きっと、あなたにも面接官の気持ちがわかりますよ！　ポイントは、

● まず、蛍光ペンなどを持って、「おもしろい」と思ったこと、「質問してみたい」と思った部

●センパイたちの実例集

公務員には守秘義務がありますし、面接カードなどの提出書類も個人情報ですから、わが官

分に（限って）マークしてみること。

●1つの回答から少なくとも3つ以上の質問項目を考えてみること（これは欄外に書きとめておく）。

●その回答を見て、どんな人物か想像してみること。具体的には、その人の顔、姿カタチだけでなく、性格や人となりまでも思い描けるかどうか。その人が自分の部下として働いている姿が思い描けるかどうか（もっと高度なことをいうと、「笑顔で」「イキイキと」「ハリキって」仕事をしている姿が想像できるかというところまで）。そして、受けた印象を一言でもいいから、書きとめておくこと。

●誤字・脱字はそのままにせず、自分でもあやふやになったら辞書を引いてみる。間違っていたら、内容いかんにかかわらず、1か所につきそれぞれマイナス1ポイント（以上）とする。

●「すべての回答」に対して、イイ順にA～Eの5段階で評価を「迷わず」「必ず」付けること。

ということです（なお、ここでは内容に絞って見ていきたいので、あえて全部活字にしておきましたが、実際の採点の際には、面接官や人事は、受験者の書いた字や書き方・欄の埋め方についてまでも厳しく見て採点しています！　この話については第3章をご覧になってください）。

脇のほうに私の講評を付けておきましたけれども、まずは、それを見ないで、センパイの実例のほうだけをザザッと読んで採点してみましょう。あなたなりにひととおり採点し終わってから、次に、私のコメントを読んで見比べてみてくださいね！

では、いいですか？

庁に提出された書類をそのままここで使うことはできません。

というわけで、実務教育出版に情報として提供された面接カードなどの提出書類をお借りして、掲載させていただくことにしました。いろいろな官公庁に提出されたものがごちゃ混ぜですが、よしあしのばらつきも、ちょうどわが官庁に提出されたものと同じ程度って感じです。ま、これが受験者の平均レベルということですね（嘆かわしい限りですが……）。

●実例の講評の見方

講評というよりも感想かな（笑）。評価の基準はわが官庁「準拠」ですが、かなり甘めのアドバイスを付してあります。ただ、お読みいただければ、面接官や人事が実際にどんなことを考えながら書類を見ているかってことがわかると思います。

また、大卒（上級）か高卒（初級）か、事務かそれ以外の職務かで、判定の基準が異なっていることも、おわかりいただけるでしょう。

自己PRとしてそこそこ評価できる例

まずは「これなら合格点をあげてもいいかな？」「期待できるかな？」と思える自己PRの例の紹介です。

講評には、人事の目に好印象に映るポイントを挙げておきましたので、参考にしてください。ただし、ここに挙げた実例は「模範回答」というわけではありませんので、くれぐれも丸パクリしたりしないように！

国家一般職［大卒］志望のS.S.さん

私は学生時代に経験した幼児教室での非常勤講師のアルバイトを通して人間として一回り大きく成長できたと感じています。

学生としてではなく、先生・一社会人としての言動や信用が求められる中で、時には重圧に押し潰されそうになることもありました。しかし、人に認められたい一心で、仕事に対しても、人に対しても人一倍真摯な姿勢で接するように努めました。

そうした中で培ってきた誠実さ、人当たりの良さを公務員の仕事に活かしていきたいと思います。

地方上級（都道府県）志望のH.M.さん

「難しい状況にも正面から向き合い、最善を尽くすこと」を心掛けています。

- 病院でのボランティア活動で、手足の自由が利かない患者さんのお世話を担当した際、当初、患者さんが何に不便を感じておられるかを汲み取れず、患者さんにご負担をかけてしまいました。どうすれば状況を改善できるかを考えたところ、手足の自由が利かないことによる不便について、十分に理解していないことが原因だと気付きました。
- そこで、患者さんとのコミュニケーションを増やしたり、先輩のボランティアのアドバイスを受けるなど、取り組み方を改善していきました。1カ月程経った頃、患者さんから、「安心して任せられる」とのお言葉を頂きました。
- 課題に直面したとき、どのように取り組めば今よりも状況を良くできるかを考え、できることを実行することで、課題を乗り越えられることを学びました。公務員として仕事に臨む際も、市民の方々のニーズや抱えておられる課題に真摯に向き合い、最善を尽くす姿勢を大切にしたいと思います。

S.S.さんの講評

「幼児教室でのアルバイト」という単品のエピソードしかなく、しかも「具体的なこういう事例」というものを示しているわけでもありません。ですが、「この子は頑張ったんだな。成長したんだろうな」とそこそこ感じさせてくれます。

どこがポイントになっていたかというと、2文目。これが好印象につながっています。もしこの文を除いて読んだとしたら、そこまで高評価にはならなかったと思います。面接官のほうで、勝手に自分の経験を思い出して、「自分にもそういうこともあったよな、この子はそれをどうやって乗り越えてきたのか、聞いてみよう」ってなるのでしょう。

H.M.さんの講評

でき過ぎですね。まず、バーンと自己PRの内容を1行にまとめてあるところ、次に分かち書きにしてあるところ。さらに、失敗談→気付きと工夫→他人の意見を聞く→他者の評価と、憎いほどツボを押さえています。ダメ押しで「公務員になっても」的に書かれたら、評価が上がらないわけがないじゃないですか。ただし、長過ぎかな。

地方上級（政令市）志望のT.J.さん

前向きに取り組む、行動力

大学入学時よりアルバイトをしている個別指導塾で職場改善に取り組みました。それぞれの生徒に合ったサポートを行うため、講師間の連携を呼びかけました。具体的な取り組み内容は、連絡帳の設置、「生徒管理簿」の充実などが挙げられます。苦労もありましたが、記入例を作成する、少しずつ協力者を増やし根気よく呼びかけることで、全体に定着していきました。今では書面での情報交換にとどまらず、会話も増え、講師同士助け合える雰囲気になってきました。今後も問題意識を常に持ち、人と働く場において、口だけでなく具体的な行動を伴わせ相手に伝えること、協力の輪を広げることで大きな力にしていくことを意識し、あらゆる取り組みに、主体的・前向きに行動、挑戦していきます。

市役所上級志望のM.M.さん

私は仲間とともにチームで何かをやり遂げることにやりがいを感じる人間です。先頭に立って引っ張るリーダータイプではありませんが、メンバーの中で一人ひとりと丁寧に関わって調整するような役割を担うことが多いです。

この力を一番発揮できたのは、大学周辺地域の活性化を目指す学生主体の活動においてです。私は、そこで地域コラボ商品の開発を行いました。この団体では、各自が自由に動けるようにと役職を設定していなかったため、話し合いができず、活動が滞ってしまう時がありました。この流れを変えるべく、個人個人に声をかけ、話し合いを提案していきました。すると、みんなからコラボ商品に対する意見が出るようになり、活動をスムーズに行えるきっかけを作りました。さらには、チームに貢献できることはないか考え、ほかのメンバーの穴を埋めることも積極的に行いました。先生には「あなたがいるとスムーズに進むね」と言っていただけました。地味な活動も見て下さっていたことがうれしく、さらに頑張ろうという気持ちになりました。

地方上級（特別区）志望のI.A.さん

私は自分を生き物でたとえると「アリ」だと思っています。コツコツと着実に積み重ねていく力や、仲間と協力して運ぶ力があるからです。この2つの力により、アルバイト先では、接客調査で店舗初の100点満点を取り、職場でのミス削減やシフト欠員をゼロにすることができました。

T.J.さんの講評

塾での職場改善エピソードって、意外と多いんですよね。大体、内容・結論も同じ。そういう意味ではつまらないとも言えます。でも、これぐらい書けていれば、無難に合格点にはなります。

M.M.さんの講評

人事としては、先頭に立ってグイグイ進めるリーダータイプだけを採用したいと思っているわけではありません。この受験者のようなタイプも重要かつ貴重な人材です。このことがわかるように書かれているこの自己PRは高評価です。きっと優秀な職員になると思います。

I.A.さんの講評

コンパクトにうまくまとまっています。「私を○○にたとえると」というのは面接でもよく聞かれる表現なので、準備をしておくとよいでしょう。この問いの回答のポイントは、そのたとえた対象が持っている一般的なイメージも言外からくみ取れるということです。たとえば「アリ」ならば、受験者が書いているようなコツコツ、仲間と協力というイメージもあれば、1匹だと非力、かまれると意外に痛いといったイメージも浮かぶでしょう。そういう受験者自身が言わなかったことも含めて「ああ、そういうイメージの人なんだ」と受け取れるわけです。だからうまく受け取ってくれると非常にプラスになりますが、マイナスイメージを抱かせてしまうことにもなるので非常に危険。諸刃の剣です。また、特別区ならば「アリ」もOKですが、たとえば国家総合職のときはどうでしょう？　そういうことも考えて選択する必要はあると思います。

 国家一般職［大卒］志望のY.M.さん

初対面の人でも10分もかからないうちに親しくなれます。ボランティア活動や、様々な学習会に足を運ぶことにより身に付けることができた力です。

 国家総合職志望のI.S.さん

私が学生時代に最も力を入れて取り組んだことは、社会福祉の勉強である。大学2年時に、○○市子ども家庭支援センターでの6週間のインターンシップに参加した。そこで、障害を持つ方の実生活や、児童福祉、地域福祉の現状を知る機会を持ったことで、社会福祉への興味が高まった。大学3年時には、日本とは異なる福祉社会を見てみたいという強い想いから、スウェーデンへ交換留学をした。留学中は、授業だけではなく、スウェーデンの実情を自分の目で確かめるべく、障害のある方や、高齢の方のためのデイケアセンターやグループホームなどを訪問する機会を積極的に持った。1年間の留学生活を通して、“障害”という分野にとどまらず、女または男であること、難民であることなど、なんらかの点で“異なる”人々の多様性を相互に認め合い、あらゆる人々に対して、徹底的に人権を保障しようとするスウェーデン社会の姿勢に深い感銘を受けた。帰国後は、身体障害がある方の在宅介護のボランティアを続けている。このボランティアでは、援助を受ける相手の気持ちを汲み取り行動すること、相手の言葉に素直に耳を傾け、自分が持ち得なかった視点や考え方を吸収すること、を心がけている。

 警察官［高卒］志望のS.Y.さん

私の強みは、何事も始めたら最後までやり通すということです。

私は小さい頃から水泳と野球をしていて、水泳は3歳から、野球は小学生から続けてきました。今では水泳はスイミングのインストラクターをやっており、野球は草野球という形で続けております。長年培ってきたので警察官に必要な体力面には自信があります。また、インストラクターは人に教えることが仕事であり、コミュニケーション能力が非常に問われます。老若男女の大勢の人を相手にしてきたことで、相手の立場になって考えて話すといったコミュニケーション能力がついたと自負しています。

私の中で水泳と野球を通して常に向上心を持ちながらやり通す事を学び、私の強みとなっています。

 Y.M.さんの講評

短い欄の場合には、このぐらいが適切でしょう。いろいろ盛り込まず、1つに絞って、最初に結論、次に理由を端的に指摘しているのがよいところです。

 I.S.さんの講評

ご優秀で。おおかたの面接官は合格点をつけるでしょう。

でも、×の付けようはないのだけど、なんとなしにスキクナイんですよね…。なんというのかな～、決して本人も意識してそう思っているわけではないのでしょうけど、すべてが「自分」の「勉強」のためで、相手（「障害のある方や高齢の方」）はその自分の実験・研究の対象にしかすぎない、という感じを受けてしまうのです。「温かみ」がないというか、相手と同じ目線でないというか……。

もし「そうじゃないのっ！ワタシの気持ち、わかって！」というなら、相手との「共感」を表すエピソードか何かを＋αするといいでしょう。 また、「である」調を「です」調に変えるだけでも、柔らかみが加わります。それに、もう少し段落分けをしてください。

 S.Y.さんの講評

言いたいことが素直に伝わってきますので、OKです。ただし、これは高卒程度の試験の場合。大卒程度の試験の場合には、要求の程度が上がりますので、注意が必要です。

大卒程度の試験であれば、水泳の話と野球の話は分けるとか、コミュニケーション能力の具体例を少しでも加えるなど、もう少し内容を整理しないと上位には食い込めません。

消防官［大卒］志望のS.R.さん

私は中学、高校は陸上競技（長距離）、大学ではトライアスロン部に所属していました。特に高校は県で一番強い学校だったので練習はもちろんのこと私生活も大変厳しく、先生や先輩に会ったら必ず挨拶をする。先生や先輩の言ったことは絶対に服従でした。しかし、それは社会に出たら、当たり前のことであり、特に消防は縦割り社会だと思いますので、この経験からきちんとこなしていく自信があります。

また、大学時代に行っていたトライアスロンのレースでは2時間～3時間、動いていたため体力や精神力を養うことができました。消防も火災の現場では長時間に及ぶこともあると思うので勤務においても十分に戦力になると思っています。

S.R.さんの講評

文章というか言葉の使い方が幼いので、事務職であれば評価は低いのですが、消防官としては合格ラインでしょう。

警察官や消防官の場合、この例のように体力・運動能力や忍耐力をアピールする話を持ってきたほうが、評価が高くなる傾向があります。

地方初級（都道府県）志望のE.I.さん

私は中学のときに、生徒会長の仕事を１年間やり遂げた。大勢の人の中心となって企画を行うのは初めてで、失敗をしたり、仲間に迷惑をかけたことが何度もあった。そのために嫌がらせを受けることもあったが、友人の支えもあり、最後まで頑張り抜くことができた。そのとき学んだことは、失敗はそのままにせず、そこで得たものを生かすこと、そして何事も投げ出さずに最後まで取り組むことだ。この経験を、これからの仕事にも生かしていきたい。

E.I.さんの講評

イイ。生徒会長という具体例から、「どんなことを学んだか」という話まで発展させています。人とかかわり、人を動かすという経験であることもプラスです。さらに、「友人の支え」などオヤジ泣かせの表現もちりばめられているところもニクイです。

ただし、面接時にはここから「どんな失敗をしたの？」「どんなことで仲間との間に溝ができて、その原因はなんで、どのように克服したの？」などと質問が飛んでくることは覚悟しておきましょう。

外務省専門職員志望のO.N.さん

私は「もっと効率のいい方法があるはずだ」「こうしたらもっといいものになるのでは？」と常に考えています。

社会調査のゼミナールでは、地道な改良を重ねてアンケートの発送・回収を工夫し、コストと回収率の改善に成功しました。

雑用にも手を抜かない私を、人は「鬼！」と呼びます。

O.N.さんの講評

小さな欄にもかかわらず、自分の考えを具体例を示しつつコンパクトに書いてあるので、なかなかグッド！

欄が大きいときには具体例の中身を詳しく語ることで膨らましましょう。

自己PRとして改善の余地のある例

次に、受験者からすると一見どこが悪いのかわからないかもしれませんが、面接官の評価が上がらない例、面接官の印象に残らない今一つの例を紹介します。

講評をよく読んで、何が足りなくてどこを改善すればいいのか、ポイントを押さえてください。

国家一般職［大卒］志望のK.Y.さん

私の強みは「行動力」だと考えています。元々、旅行が好きで、行きたい場所があれば一人でも行ってしまう性格です。これは日々の大学における学びとも繋がっており、貧困と教育の関係について問題意識を持った以上行動せずにはいられないと思い、学習支援のボランティアにも参加するようになりました。行動していく中で、問題にぶつかり、悩むこともありますが、その際は周囲からの意見を積極的に取り入れ、自分のステップアップの機会だと考えています。

市役所上級志望のM.C.さん

私の長所はどんな相手にも臆することなく接する親しみやすさです。大学で所属していた地域連携団体の活動やボランティア活動などを通して、小学生からお年寄りまでたくさんの方と接してきました。異なる年代の方々と接する中で、笑顔を引き出したり、意見を言い合えることは新鮮で楽しかったです。

また高校・大学別の友人から「一家に一人ほしい」と同じことを言われたことがありとても驚きました。この親しみやすさを活かして、市の職員として多くの市民の方々と接していきたいです。

国税専門官志望のT.E.さん

私は様々なことに興味を持ち、積極的に取り組んでいくことができるところが強みです。公務員の仕事に興味を持ったのも、大学で受けた授業がきっかけです。現在は、大学と○○新聞社様の共同プログラムである○○連携講座を受講しており、日本経済の動向や、企業の商品開発などについて勉強させてもらっています。

K.Y.さんの講評

そう悪くはないのですが、今一歩といったところです。まず、旅行の話はいりません。こんな人はほかにもたくさんいます。それよりも、ボランティアの中で、あなたの魅力、行動力がわかるようなエピソードを何か1つでも加えましょう。そうすれば、頭1つ抜きん出るものとなるでしょう。

M.C.さんの講評

言わんとしているところは悪くはないのですが、文の構成がよくありません。1文目の次に最後の5文目を入れ、ここで改行しましょう。まず、最初にアピールポイントを明らかにしておくのです。その後、第2段落で地域連携団体の例、第3段落で友人の発言の例と、例を2つ提示するのです。3文目のような感想が急に入ってくるのは意味不明です。ここは、あなたの「親しみやすさ」をアピールできるエピソードと入れ替えましょう。また、「高校・大学別の友人から」は「高校・大学それぞれ別の友人から」ですよね。

T.E.さんの講評

どこが自己PRになっているのですか？　あなたの個性が発揮されているところがありますか？　たとえば、その講座の受講をきっかけに、自分はこんなことも調べるようになったとか、これをきっかけにある企業の商品開発プロジェクトに参加してこんな体験をした、などということを語ってくれないと、評価のしようがありません。

国家一般職［大卒］志望のK.S.さん

真面目で負けず嫌いな部分を向上の底力にしています。

私の弱点は新しい事に戸惑い気弱になりがちな所です。しかしそれをカバーするようにその後は必ず失敗をバネに成長します。就職活動が上手くいかなかった私は、社会経験を積むため半年ほど、医療事務の仕事をしました。そこでたくさん失敗させてもらったからこそ、社会人は年齢や経験が浅くとも責任を負うチームの一員であるという大事な教訓を得ました。失敗をしてしまった時、何とかしようとする真面目さと負けず嫌いな部分こそが這い上がる底力になっています。

K.S.さんの講評

見出しもつけているし、例を出して失敗から得られた教訓も語っているし、どこがよくないんだろう？と思うかもしれませんが、明らかに構成ミスとエピソード選択ミスです。読んでいる面接官の気持ちはこうなっちゃいます。「弱点があるんだ。就職活動がうまくいかなかったの、なんか理由があるんだろうな。えっ！たった半年？たくさん失敗って、それが原因で辞めることになったんじゃないの？ん〜……」弱点から入ってしまうと、相手の頭にドンとそれだけが入ってしまいます。短い欄ではリカバリー困難ですから、弱点を言う必要はありません。また、就活や受験の失敗談は、面接官ウケが非常に悪い話題です。また、前職が短期の場合、次々転職している場合には、何かその人にも原因があるのではないかと疑われてしまいます。書く必要がなければ、他のエピソードにしておいたほうが無難です。

地方上級（特別区）志望のO.M.さん

私は、物事を達成する為に小さな努力を続けていく事ができます。これは、高校から始めた弓道から学んだ事ですが、物事の結果は、そこに至るまでに積み上げてきた努力の質や量により左右されます。私は弓道を続ける中で、よりよい射形よりよい的中率を獲得する為に、試行錯誤を繰り返し、様々な努力を続けました。失敗も多々ありましたが、それを乗り越えて、自身が、満足できる結果に至る事ができたときの充実感は忘れられません。

O.M.さんの講評

このエピソードは研究者ならOKかもしれませんが、事務職公務員としてはイマイチです。弓道は、基本個人競技ですが、これをチョイスするのであれば、このような個人だけの努力の話ではなく、たとえば、団体戦のときのチームワークのエピソードとか、個人種目だからこそアクの強いメンバーのそろっている部活をどうまとめていったかという話をしたほうが効果的です。

国家一般職［大卒］志望のM.K.さん

チャレンジ精神とそれを結果へと結びつける粘り強さが私の長所です。大学入学して間もなく、早く実験・研究したいと思い、通常より１年早く研究室で実験が行える特別演習に参加しようと考えました。そのために必要な成積上位10%を目指して、講議中に取ったノートを書き直すなどの復習を欠かさず行うようにした。特別演習で学んだものは後の卒業研究・大学院での研究まで繋がる大きな糧となりました。このチャレンジする姿勢を忘れず、自分を鍛え、それを国民の方々へと還元できるようにしたいです。

M.K.さんの講評

これも研究者向きPRです。そんな内容以前の問題で、基本的な漢字の間違いが致命的です。

同じ大卒程度の試験の受験者の中で、最終的に誰を選ぶのか、ということになったとき、院卒だから、年齢が高いから、プラスとかマイナスとかいうことはありません。そんなことより、仕事ができるかどうか、という目で見ているのです。日本語の読み書きは当然できていてほしいことですから、これができなければ、高学歴でも採用されません。

地方上級（都道府県）志望のH.T.さん

私は負けず嫌いなところがあり、負けないように努力できるという意味でこれを長所だと思っています。大学受験のときには、それまで一緒に勉強してきた高校の友達に負けたくないと思い頑張ることができました。大学時代のボウリングでも、同じ大学・連盟に所属する同期に負けたくないという一心で練習に打ち込みました。地方公務員の職場で、日々優秀な上司・同僚に刺激を受けながら、そして自分成長させながら働きたいと思っています。よろしくお願いします。

H.T.さんの講評

何か微妙。いつも他人との比較でしか物事を考えらない人だ、と受け取られてしまう懸念があります。他人がどうあれ、自分でコツコツ高めていく努力っていうのも必要なのでは？特に、大学受験なんてそう。なので、大学受験の話はカットし、ボウリングでどんな練習・努力をしたかというエピソードを加えましょう。

国家一般職［大卒］志望のN.A.さん

リーダーを補佐していく役割と逆にリーダーとして集団をまとめていくことを柔軟に行うことができます。大学時代にサークルの副代表を務めた経験によって、集団内の意思疎通を図ることやコミュニケーションの強化に力を入れました。職場のチームワーク醸成に活かすことができると思います。

N.A.さんの講評

「その先」の「どうやって」というところこそが、あなたなりの工夫点のはずです。そこが真のアピールポイントなのです。そこまで深掘りして書いてください。

地方上級（都道府県）志望のF.N.さん

私は自分の行動力に自信があります。大学時代はバイクに乗り日本中をツーリングしたり、漫才の大会に出場するなど、学業以外のことにも積極的に取り組みました。これらに経験では初対面の人と接する機会が多く、対話力が身につきました。このような力はこれから仕事をしていく上でも活かせると思います。

F.N.さんの講評

ツーリングや漫才の大会だけではエピソードになりません。ツーリングの際に出会った農家のおじさんと仲よくなって、作業を手伝ったら晩御飯をご馳走になった、などといった「その先」の話を具体的に、さらに、その際あなたはどう考え、どう行動し、相手はそれをどう思ったかという部分を書かないと、アピールにならないのです。せっかくのエピソードを掘り下げ、その中で自分の魅力を語るという一手間が肝心なのです。

地方上級（都道府県・社会人）志望のS.I.さん

私の真価は向上心です。苦手としたコミュニケーションの能力を向上するために営業を志望し、伝えたい事をうまく話すのではなく、相手の求める事を徹底して聞く姿勢を示したことで、社内・社外から信頼を得て最年少で課長に抜擢されるまでになった。向上心と培ったコミュニケーションスキルを、構成市町村・企業・県民と共同して創る環境総合基本計画の策定や環境教育の推進に活かして、住みよいまちづくりや次世代のそのまた次の世代にまで豊かな環境がつながっていく仕組みづくりに貢献したい。

S.I.さんの講評

社会人経験があるのですから「です」と「なった」「したい」の混在はいただけません。また、2文目は「志望動機？」と思って読み進めると前職の話だったりと、読み手のことを考えていない独りよがりな文章構成になっているので、訴えたいはずのコミュニケーションスキルそのものに疑問符が付いてしまいます。

ここは素直に、当初は「いかに伝えるか」ということばかり工夫していて、営業成績が上がらず悩んでいたが、ある日、こんな出来事があって、以後「相手の求めることを徹底して聴くことが大事なんだ」と悟ったら、……とエピソードを交えて話を膨らませていけば、これだけで立派な自己PRに変身するはずです。

警察官［大卒］志望のK.A.さん

私はやりたいと思ったことはできるだけ実現しようと努力します。高校時代まで６種目のスポーツを経験し、大学に入ってからも新しいことに挑戦していきたいと思い友人と共にスノーボードを始めました。誰かに教えてもらうのではなく、自ら行動し学んだことから得た達成感は想像以上のものでした。私は自発的に行動して得た経験を通して自分の可能性を広げていける人間です。

K.A.さんの講評

公務員の仕事って、与えられた１つの任務をコツコツとやり抜くものです。また、上司や先輩など周りの人に教えてもらいながら、習得していくものです。これが面接官が実体験から得たことなわけです。そういう視点からこの自己PRを読んでみると……、ね？

地方上級（都道府県）志望のT.N.さん

自分の特技を伸ばすことを通じて、自己の能力向上に取り組みました。私は中学・高校で陸上競技を経験しました。大学でも陸上サークルに所属し、練習及び市民大会に積極的に参加しました。

最近では、フルマラソン完走を目標に掲げ、○○で行われた××大会に出場しました。××大会は毎年１月に行われており、コースの高低差が大きいため、厳しいレースとして知られています。フルマラソン大会ほどの長距離を走り切れるのか不安がありましたが、決意して、マラソン大会への出場を決めました。昨年の夏から練習メニューを自分で考え、マラソンに向けての練習を始めました。

アルバイトもしているため、家に帰るのは夜の10時以降になります。そこから１時間程度の練習を行いました。練習量は時間の関係で増やせないため、食事などの生活習慣を工夫することで練習不足を補うようにしました。

大会当日は雨が降っており、風も強く、最悪のコンディションでした。過酷な環境でのレースとなりましたが、沿道の方々の応援、サークルの仲間や周りの同じ選手との励まし合いによって、完走することができました。

陸上競技を通じて、身体能力の向上だけでなく、人とのつながりの大切さを意識するようになりました。仲間と練習から生まれた信頼関係は私にとって最も大切にするものとなっています。

T.N.さんの講評

状況が手に取るようにわかるし、何がいけないの？と思うかもしれません。確かに、小学校の作文なら高評価を得られるかもしれません。ですが、採用試験の自己PRとしては「？」なのです。

面接官が知りたいのは、「あなたが仕事を任せられる人なのか」という１点だけです。状況説明はほどほどにして、「自分の何が欠けているから、どう工夫したのか」（＝自己認識ができていることと、その改善努力をしていること）や「仲間との練習でのエピソード」（＝みんなで共同して何かをやっていく姿勢）を書かないと、評価にならないのです。ここが受験者の皆さんが陥る大きな落とし穴なのです。

みなさんもご用心！ご用心!!

市役所上級（社会人）志望のA.T.さん

私は目標に対して、達成するにはどのような方法をとるべきかを考えて計画を立て、着実に実行してゆくことができます。

学生時代にサッカーで培った忍耐力と、社会人になってから小売店で得た他者との協調性で、目標達成のため、チームに貢献することできるよう、常に努力してゆきます。

A.T.さんの講評

訴えたいポイントが、計画性なのか、忍耐力なのか、協調性なのか、ぼやけてしまっています。短い欄なのですから、ポイントを１つに絞ったうえで、サッカーか社会人経験かのいずれかの中から、それに沿ったエピソードを加えてください。

センパイたちの自己PR実例

市役所上級志望のO.H.さん

私は旅行を趣味としています。特に北海道の自然の雄大さには、訪れる度に感動を覚えます。また、旅先での人々の生活の様子を見ることや、宿泊先の主人との会話から、様々な人々が、様々な背景の中で、遠い土地にも暮らしていることを実感させられ、視野が広げられるように感じます。そして、リフレッシュした状態で、再び日常の生活や仕事に意欲的に取り組むことができます。

O.H.さんの講評

このどこが自己PRになっているのですか？　ふ〜ん、それで？ってなっちゃいます。自己PRというのは、単に趣味を聞いているのではないのです。「その特技、特性を、この○○という仕事にどう生かすことができますか？」ということに答えなければならないのです。それに、そもそも関東地方の○○市志望とのこと。なんで唐突に北海道の話が出てくるの？　こういう意味不明な話をしてはいけません。

地方上級（特別区）志望のT.T.さん

私の長所は何に対しても真面目に努力することです。中学生の時、部活で野球部に所属していて、中学３年間ずっと走り込みを欠かすことはありませんでした。さらに、中学の時は合唱コンクールのリーダーや学級委員、高校では応援団の団長を任され、そこでの仕事は大変でしたが、そのおかげで私は忍耐力にも自信があります。

T.T.さんの講評

そもそも大卒なのに、なんで中学・高校のエピソードだけなの？　それに、野球、合唱、応援団と項目だけ並べられてもエピソードにはなりません。そのうちの１つに絞って、掘り下げることが必要です。「真面目に努力」「忍耐力」があなたのアピールポイントなのだとしたら、ずっと走り込みだけでなく、夏休みは毎日千本ノックの猛特訓に耐えたというような補強エピソードを加えるとか、チームプレーの確認のため、みんなでこんな工夫をしたという周りの人を巻き込んだエピソードを加え、エピソード自体を羅列するのではなく、エピソードの中であなたの魅力を語るようにしましょう。

国家一般職［大卒］志望のW.G.さん

根気よく物事に取り組むことができます。

大学に入学した当初、私はサークル活動だけでなく勉学にも力を入れようという目標を立てました。そこで、講義がある日は毎日１時限前から登校して、空き時間には自習をするようにしました。その結果、２年連続して成績優秀賞を頂くことができました。

W.G.さんの講評

これも研究者向きのPRです。対人エピソードに変えましょう。

警察官［大卒］志望のY.F.さん

何事にも前向きで、常に明るくいることを心がけています。また、忍耐強く、これと決めたことは最後まで粘り強く努力をします。

人と関わることが好きで、誰とでもわけへだてなく接することが出来ます。

人々が安心して暮らせる社会を作るため、何事にも屈せず、強さと優しさを兼ね備えた警察官になりたいです。

Y.F.さんの講評

４文目のような内容を最後に書き加える受験者がかなりますが（これって、筆記試験の作文のときにも多くいますよね）、正直言って不要です。そんなことより、それより前に挙げてあるいくつかのポイントについて、具体的エピソードをちょっとでも書いておきましょう。

地方上級（政令市）志望のI.K.さん

何事にも真摯に取り組み、向上できる人間です。スーパーの品出しのアルバイトにおいて、できるだけ効率的かつ効果的に仕事をすることを目指して努力しました。作業の効率化を目指して作業手順を工夫して作業時間を短縮しています。その時間で同僚や上司を手伝ったり、在庫の問題を解決したりして周囲から評価を得ることができました。そのことで信頼され、今では私だけの仕事をいくつか任せてもらえています。

地方上級（都道府県）志望のM.R.さん

私は、人のために働くということが好きな人間です。

特に、困っている人を見ると、何とかして力になりたいと思います。

また、頼りにされていると感じると、期待されている以上のものを提供したいと思うようになり、どのように説明すればわかりやすいのかと考えます。それがどんなに小さな事であっても、私の活力になります。

○○県の職員になると、どんな形であれ、県民の皆様に期待される場面がたくさんあると思います。その期待に応え、県民が住みやすいと感じる県にしたいです。

裁判所一般職［大卒］志望のA.K.さん

几帳面なので予定を立て、その予定通りに行動することが多いので、与えられた仕事はきちんとこなせると思います。

また、友人から相談事をよく受けるので、傾聴力があると思います。

そして、自分では認識していませんが、協調性があると言われるので、協調性があると思います。

市役所上級志望のS.N.さん

私の長所は何事にも締めずに挑戦して努力を続けることです。大学生活中にやっていた塾でのバイトでも一番最初はお知らせの紙の作り方や何百枚もの印刷の仕方わからなかったのですが、メモ帳に書き残し、本を買ってきて自宅で読んだりし勉強した。この長所は働いてからも生かしていきたいと思います。短所は新しい事に挑戦する事が苦手ですが、大学生活やインターシップで行った企業で新しい事に挑戦していくことは大切な事だと学んだので、これからは仕事や興味でも新しい事に挑戦していきたいです。

I.K.さんの講評

具体的なエピソードがあり、周囲の評価も書いてあるのに、何が悪いんだ！と思われるかもしれません。しかし、「それって、一人でやる仕事ですよね？」というところがよくないのです。研究者志望ならこれでよいのかもしれませんが、公務員の仕事は常に人を相手にするものですから、対人エピソードから選択しないと評価が低くなってしまうのです。同じ品出しのアルバイトでも、何人かのチームで仕事をした→効率的に仕事を進めるために、事前にチームで打ち合わせをしようとみんなに持ちかけ、こんな提案をした→自分の提案が採用され作業時間の大幅な短縮となり感謝された、と話を持っていけば、評価が上がります。こういうちょっとした工夫が大切なのです。

M.R.さんの講評

やっぱり、エピソードがないと、説得力に欠けると思いませんか？　困ってる人を見ると助けたい→こんなこともありました→やっぱ、期待されるともっと頑張っちゃおうと思って、こんなこともしました→みんなに喜ばれて、それが自分の活力にもなるんです、みたいな。抽象的な言葉だけで長々と書かれるより、情景が思い浮かぶような具体例を書いたほうが、訴求力が高くなります。

A.K.さんの講評

「思います」「思います」「思います」ではアピールになりません。どういうところから、周りからそう言われるのか、もっと自己分析をし、それを書かないと、訴える文章にならないのです。

S.N.さんの講評

日本語がかなり乱れています。ここまでひどいと評価の対象外になってしまうかもしれませんよ。

 国家一般職［大卒］志望のO.E.さん

私は周りの人から外見だけの印象だと真面目そうだけれど、話してみるとても人懐っこいと言われます。また、私自身世間話をするのが好きなので、バイト先や学校でも年齢・立場関係なく世間話をしていました。仕事においても、初対面の人であっても心から打ち解けあわ無ければ、良質な意見交換ができないと思います。多くの人とかかわるこの仕事において、人と打ち解けやすい私の性格は十分に活きると考えています。

 国税専門官志望のT.K.さん

私は物事に根気よく取り組むことができる人間です。

私は大学では新しいことを勉強したいと考え会計を専攻し、少しでも勉強の足掛かりにするために、日商簿記検定の取得を目指しました。勉強は独学では不安があるため、大学の講義とは別に講座を毎日3時間受講し、復習も平日は2時間、休日は3時間欠かさずやるようにしました。他にも授業の合間や通学の時間を利用し、小さなことからこつこつ取り組み、3級・2級と続けて取得することができました。このように目の前の小さなことから少しずつ取り組むことで結果は出せるということを学びました。「為せば成る」という信念をもとに、何事にも粘り強く取り組む姿勢で社会に貢献したいと思います。

 市役所上級志望のY.C.さん

私は「行動力」があります。第一印象では大人しい人に見られることが多いのですが、実際には何事にも興味を持ち、積極的に行動することをモットーにしています。大学2年生の夏休みに、京都へ一人旅をしたときは、帰りの新幹線の時間に間に合うよう、1日中レンタルサイクルで京都市内を満喫しました。チャレンジすることに対して不安はありましたが、その後にはきっと自分は以前よりも成長していることを想像することで、不安を乗り越えることができました。

様々な業務に関わる機会のある公務員の仕事は、私にとって大変魅力的な仕事であり、常に向上心を持って取り組みたいと思っています。

国家総合職志望のN.N.さん

私は新しい価値感に触れ、吸収することが好きな人間です。米国○○大学への留学以来、新しい文化や自分と異なる価値感に触れる機会を求め、国際学生会議や6種類のアルバイト、ベンチャー企業でのインターンなどを経験しました。このような経験から、培った柔難に物事を吸収する姿勢は必ずや業務で活かせると思います。

 O.E.さんの講評

言葉一つで大きくダメージを受けています。「世間話」は仕事をサボって無駄話をしていると受け取られてしまいます。「会話」に変えただけも少し印象が変わります。あとは、文章全体に幼さが感じられます。「バイト」は「アルバイト」に、「あわ無ければ」は「合わなければ」にしましょう。

 T.K.さんの講評

国税のプロである面接官から見れば、会計を専攻していて、かつ国税志望で、結果簿記2級では「?」となってしまいます。完全にアピールポイントを間違えています。それに資格取得のための勉強が大変なことは誰でも知っていますので、その苦労話なんてしても意味がありません。たとえば、サークルやアルバイトといった人とかかわる話の中で、根気強く何かを頑張ったエピソードに変えましょう。

 Y.C.さんの講評

明らかにエピソードの選択ミスです。新幹線に間に合うように旅行計画を立てるなんて、誰でもすることでしょう？　その程度でドキドキを感じたり、大きな仕事を乗り越えたと感じたりするのでは、ちょっとスケール感が「えっ？」ていう感じです。 前後の文はそのままにして、たとえば、一人旅の最中に、ツアーからはぐれてしまった中国人と出会い、一緒にツアー客を探し回ったが見つからなかった。言葉は通じなかったけれど、筆談と身振り手振りで何とかコミュニケーションを取り、あちこち聞き回った末に宿泊先のホテルとツアー会社を探し当て、無事に合流させることができた。以来、友達になり文通が続いている。というような内容に変えれば、「行動力」を示すものになります。

 N.N.さんの講評

華々しい経歴が生かせず、非常に残念な結果に終わってしまっている例です。まず、日本語の習得から始めましょう…。

国家一般職［大卒］志望のU.E.さん

コミュニケーション能力を生かして、信頼関係を築き上げます。前職では、法人内外問わず、積極的にコミュニケーションを図り、たくさんの方々と信頼関係を築くことに成功いたしました。共に解決方法を模索し、実行した結果、数年に及ぶ問題さえも解決することができました。

U.E.さんの講評

３文目については、実際の面接で中身を聞いてほしいということなのでしょうが、これでは中身がまったくわからないので、自己PRとしての評価は下がってしまいます。面接官はあなたのものだけではない、大量の面接カードを事前に読んでいるのですから、その段階で「ここ、もうちょっと聞いてみよう」と気にとめてもらわなければ、意味がないのです。そういう意味で、トラップのかけ方に失敗しています。２文目は１文目と同内容なので削除して、その空いたスペースで、具体的にどういう問題だったか、あなたはその時具体的にどう努力・行動したのか、書き加えてみてください。

国家総合職志望のS.A.さん

私は学業においても資格取得においても、理解し納得できるまで決してあきらめない努力家です。コツをつかむまで多少の時間はかかりますが、完遂能力は人一増です。

それが私の最大の性格・特徴です。

S.A.さんの講評

この方、確か別の欄に法科大学院進学って書いてあったんですよねえ。司法試験のほうはあきらめちゃったんですか？ 完遂能力はどうなっちゃったのでしょう？ このように、面接カードのあっちとこっちとで矛盾する内容を記すとマイナスです。残念ながら、アピールポイントを変えなければいけないでしょう。それに「人一倍」です。

消防官［大卒］志望のE.D.さん

私は、何事にも諦めず、地道に　根気強く　挑戦し続けることが出来ます。

以前、「短期大学の学業」と「資格検定の対策」を体調管理や計画等を重視し時に、周囲の友人等に支えられながら、両立させ、大学に編入しました。現在でも、最終目標を把握し、余裕を持って　計画的に　行動するように心がけています。

そこで、「消防業務」において、日々、「向上心」や「使命感」を持ち、「協調性」を大切することで　自分自身を磨き、市民から信頼される「消防士」になりたいです。

E.D.さんの講評

最初に「諦めない」をアピールポイントにし、次に、その例として大学編入を持ってきたのに、その締めに「余裕を持って計画的に」という新たなアピールポイントを持ってきてしまうと、焦点がぼけてしまいます。

３文目は、削除したほうがスッキリします。また、それまでの話と第３段落目は話がつながっていないのに、「そこで」は変です。さらに、この最後の文で、あなたは、消防士に必要とされる性格だと思って「向上心」「使命感」「協調性」という言葉を使っているのでしょうから、まさにそのような中身のエピソードを加えて、「自分にはそういう性格があるんだ」と訴えてもらわないと、評価につながらないのです。（なお、文の所どころにスペースや脱字と思われる箇所があるのはなぜ？）

警察官［大卒］志望のY.S.さん

私の趣味は読書です。同時に多くのことを行うよりも一つの物事に集中し、深く追究することが得意です。性格は温厚で周囲との協調を重んじます。こういった自分の個性や特技が何に活かすことが出来るのか、私にはわかりませんが、警察官という職を通じて社会貢献できれば、とても嬉しく思います。頑張りますのでよろしくお願いします。

Y.S.さんの講評

「自己PR」と「自己紹介」は違います！　「自己PR」は自分の趣味や性格の紹介の場ではありません。あなたのよさをアピールする話題を書かなければ意味がないのです。

読書が趣味の割には、日本語がおかしいところが何点かありますよね。４文目、５文目は不要です。

警察官や消防官を志望するのであれば、もっと体を使ったスポーツの話などにしましょう。

衆議院事務局一般職［大卒］志望のW.D.さん

私は三つの「気」をモットーにしています。

一つ目は「元気」。毎日明るくエネルギッシュに仕事をしたいと思っています。

二つ目は「やる気」。どんな仕事でもモチベーションを上げて一生懸命頑張る覚悟です。

そして三つ目が「根気」。縁の下の力持ち的存在として何事も地道にねばり強く取り組んでいきたいです。

W.D.さんの講評

意気込みはわかるけれど、実はなんにも自分のことを語っていません。自分のことを語るには、やはり何か具体例･エピソードがないとダメ。加えて「三つの『気』」は、どこかで聞いたような話ですよね。

それにしても公務員試験の受験者は「縁の下の力持ち」って言葉が好きですよねぇ…。

国家一般職［大卒］志望のB.T.さん

私は、外見よりも心身ともにタフさがあると自負しております。また、私自身を２文字にたとえると、「継続」です。一見、先の見えそうもない課題も、自分を見失うことなく着実にこなしていく底力が私にはあります。「継続は力なり」という言葉が私にとって座右の銘です。

B.T.さんの講評

「私は○○です」って表現も多いんですよね。でも、タフさ、「継続」の具体例・エピソードがぜーんぜんないので、説得力がまるでないんです。

こういうときには、１つだけでもキチッと「なるほど！」という例を示さなくちゃ、納得してもらえません。

地方上級（都道府県）志望のF.T.さん

私の好きな言葉に「百聞は一見に如かず」というものがあります。私は何事も自分で調べ、自分の足を運び、自分自身で経験することを心がけています。今までに、バイクで日本一周をしたり、東南アジアを周遊したり、災害現場にボランティアとして参加したりして、多くの人と話をして、いろいろな経験をして、感じ、学んできました。このように様々な経験をしてきたこと、また積極的な行動力、これが私のセールスポイントです。

F.T.さんの講評

バイクで日本一周うんぬんという事実は、それ自体で評価が上がるようなことではありません。そんな学生はゴマンといるんです。その経験から何を「感じ、学んできた」のか、そこを書かないとあなたの個性はわからないのです。

こういう目立つ経験を書かないと「自分らしさ」が出ないと勘違いしている受験者が多いのですが、そんなことはありません。日常の、ありふれた、些細な経験でもいいのです。そこから「自分なりの何か」を「発見し」、「学んだ」ということのほうを面接官は評価するのです。

センパイたちの 自己PR実例

地方上級（政令市）志望のN.R.さん

私は、塾講師のアルバイトを３年続けています。ただマニュアルに従って教えるだけではなく、自分なりの教材を作ったりして、楽しい授業を心掛けています。そのせいか、私の授業は子供達からも人気があるようです。教材作りは毎週大変なのですが、子供たちの人なつっこい笑顔、好奇心にあふれた目を見てしまうと、やめるにやめられなくなってしまいました。仕事においても、市民のみなさんの笑顔を１つでも多く増やせるように、一生懸命頑張りたいです。

N.R.さんの講評

一見「よさげ」です。でも、いかにもどっかのマニュアル本からパクってきたような……。

もし実話なら、わかりやすい教材作りのコツとか子供たちを授業に引き付けるための工夫を具体的に説明するなどといった突っ込んだ話を書いてほしいところです。

警察官［大卒］志望のM.J.さん

私は何事にも忍耐強く取り組むことができます。中学・高校とバスケットボールに所属し、厳しい練習にも耐えました。また、大学時代に様々なアルバイトをしました。その中でスーパーマーケットのアルバイトをしましたが、仕事は多くとても大変でした。しかし、仕事を早く覚えるようにし、粘り強く続けた結果、夕方からの仕事はほとんど任されるようになりました。

M.J.さんの講評

本当によくあるパターンです。このままではほかと差が付きません。

差を付けるには、自分なりの工夫、どこに他人との違いがあったのかをアピールしなければなりません。ほかにもスーパーマーケットの従業員が何人もいたにもかかわらず、どうしてあなた（だけ）に「夕方の仕事はほとんど任される」ようになったのか、そこにはきっとあなたなりの工夫・努力があったはずですよね。それが知りたいのです。それこそがアピールポイントなのです。

地方上級（都道府県）志望のH.K.さん

一度始めたことは最後までやり通す粘り強さを持っています。 大学時代は予備校の進学アドバイザーのバイトを４年間、合気道のサークルを３年間、それぞれ継続して続けてきました。特に合気道は、運動音痴を克服するため最初は軽い気持ちで入ったのですが、週５日、日曜は連続で５時間というハードな内容で何度も挫折しそうになりましたが、気合と根性で最後まで乗り切りました。

H.K.さんの講評

「何か経験談、具体例を」というと、こういう感じのものが多いんです。確かに、主張したい「粘り強さ」という点を具体例で示しているのは評価できます。でも、面接官が本当に知りたいのは、そこからどんな成果を出したのかということと、そこからどんな教訓を得たのかということなのです。この文章では、「気合と根性」しか感じられません。確かに「気合と根性」はないよりはあったほうがいいのですが、幹部候補としては、アチャラカの（間違った）方向で気合と根性を使われてしまっては困るんです。また、成果を出せずに（あるいは、成果の出し方を知らないで）ただただ気合と根性だけで仕事を続けられるのも困りものです。そうじゃない！ということを示すように語ってほしいものです。

もっとちゃんとアピールしなきゃダメダメ！

ドングリの背比べ

どうでしたか？　しっかり全部読みましたか？

「みんなすごいな〜！優秀だな〜！」「コレ、いただきっ！」って思いました？　なかには、「正直つまんねーなー」「なんかみんな同じ感じだなー」「これで何をどうチェックすんのよ？」とか思いつつ、途中で飽きちゃって全部はしっかり読んでないっていう人もいたんじゃないでしょうか？

そう、実際に試験の際にお目にかかる面接カードでは、ここに掲載した以上の比率で「はぁ〜……!?」系のものが連続！　受験者のみなさん個々人は、「渾身の力作」を書いたつもり、精一杯のアピールをしたつもりなのかもしれませんが、面接官や人事の側から見てみると、みなさんはせっかくのアピールの場で何もアピールしていないのと同じ、ちっとも**心に響く、印象に残るものがない**んです。

いちどきに何十通、何百通も続けざまに読まなければならない面接官や人事にとっては、「も〜ど〜しよ〜。この子に何を聞けばいいのよ〜。ハァ」「ちょろっと考えてササッと作ったやつ、どっかからパクってきたやつなんて、キミらが思ってるほど魅力なし！」「またこのパターンかぁ。ふぅ〜」ってものばかり。

さらにさらに、合格判定会議では、各面接官・人事から「なんだかみんな同じなんだよなぁ。

●丁寧に！きれいに！

ここに挙げた実例はすべて活字に打ち直しておきましたが、本物の面接カードでは、メチャメチャ汚い字だったり、読めないような薄い字だったり、思いっきり小さい字だったりして、実際はもっともっと読みづらいものです。それをやっとこ解読して、こんな内容なんだなぁと判明したのが、みなさんにお見せしたものだったわけです。

こんな感じの読みづらくてなおかつ内容のない、同じような面接カードを何百と読まないといけないんですよ……われわれ面接官や人事の苦労もわかってくださいね……。

せめて、せめて読みやすいように丁寧に書いてください！（この辺の技術については、第3章でお話しします。ぜひともご熟読を！）

差の付けようがないよ。しかも低レベルで……。キラリ！と個性が光るアピールができているものなんて、ないんだよねぇ」「おおっ！・ほほ～なんて思うものは、一握りもなし。みんな不合格のところにゴロゴロ団子になってるんだよなぁ。コレでどうやって10人『も』採用すればいいのよ！」などなど、ボヤキばかり。

たまにある「自己PR・志望動機の書き方」なんていう予備校の講座やマニュアル本では、「よさげ」な例を羅列して「さあ、マネしなさい！」的な指導をしているものや、チョチョっと書き方や表現を変えれば「ホラ！こんなによくなりました！」的ビフォー・アフターものが横行していますよね。

でも、みなさんも面接官役をやってみて、そんな小手先の修正ばかりをしていたのでは面接官や人事のココロをヒットできないことは、もうおわかりになったのではないでしょうか。みなさんの作った面接カードは、アピールの方向性が根本的に間違っているものが多いんです。それを表面的なごまかしのテクニックで「リフォーム」したって解決にはなりません。やはり全面的な、（公務員がよく使う言葉で）**抜本的な「建て直し」が必要**なんです！

その「建て直し」をするためにはどうすればいいか、ということですが、そのためには、やはりまず基礎から作り直すべきだと思います。土台を固めて、基礎作りをしておかないと、しっかりした家は建てられません。この土台・基礎となるのが、まず自分自身を知ること、すなわち自己分析です。この自己分析をシッカリ行ったうえに、「自己PR」という縦の柱を建て、「志望動機」という梁（横の柱）を渡すのです。どれもがバラバラでは家が建たないのと同じように、この3点を互いに密接に結びつけて考えなければいけません。

●アピールが苦手で不器用？な公務員志望者

民間の就職活動をしている学生たちは、まずエントリーシート書きから就活がスタートするので、自己分析から始まって書類対策・面接対策と抜かりなく準備をしていくという感じですよね。

なのに、公務員志望者は筆記試験から始まるからか「筆記の勉強だけすればいいや！」ってなっちゃってます。でも、公務員試験でも民間の就活と同じで、やっぱり最大のヤマは面接試験なんですよ！

面接（やその前段階の面接カード書き）では、自分をいかにアピールするかということが大事。思ったことをそのまま書いてOKというものではなく、そこには相当に習得しなければならないテクニックが必要なのです！

公務員志望のみなさんも、世渡り上手になれとはいいませんけれど、実直なだけじゃダメだということをお忘れなく！

そもそも自己PRとは？

自己紹介と自己PRは違う！

みなさん「自己PRなんて、テキトーに自己紹介できりゃ、いいっしょ？」「サークルに入会したときや合コンとかで自己紹介やり慣れてるし」などと勘違いしていませんか？　でも、この「自己紹介」と「自己PR」は根本的に違うんです。

確かに、どちらも「自分を知ってもらう」という点では共通していますよね。でも、面接試験の「自己PR」では、ただ単にあなたが「どんな人？」ということを伝えればいいだけではありません。どんな人かをシッカリ伝えたうえで、さらに、**具体的な「この仕事」をしていくうえで「こんな能力がある」という部分をアピールする必要**があるのです。

ですから、面接カードや面接試験の「自己PR」では、アピールする内容（部分）も「自己紹介」とは大きく変えるべきですし、アピールの方法にも工夫が必要になってきます。「自己紹介」のように血液型や星座、趣味、好きなこと嫌いなことなどといった個人情報をダラダラ書き連ねても×なのです。

「自己PR」では、自分の中の「何を」「どうやって」知ってもらえばいいのかが課題になります。だからこそ、面接官や人事があなたのどういうところを知りたがっているかということをよくわきまえたうえで、十分に対策を練っておく必要があるのです。

●PRの語源

PRというのはpublic relationsの略で、もともとの意味は、官公庁や会社が、広く公衆に、事業（営業）内容などをわかってもらえるように宣伝すること、ということです。

ですから、「自己PR」っていうことは、自分の能力や資質を採用側に「わかってもらえるように」自分で売り込んだり「宣伝したり」することになるんです。

「わかってもらえるように」「宣伝すること」この2つがとても大事です。

「採用される人」にはパターンがあった!

というわけで、自己PRというものを考えるに当たって、まず、かつての合格者(つまり、今は一緒に働いているカワイイ後輩たち)の顔を思い浮かべつつ、面接官や人事にとって「採用される人」というのは、以下のような条件を兼ねそろえているんじゃないかと思います。**「面接試験で知りたいこと」**とは何?というところに立ち戻って考えてみました。

1 人柄(パーソナリティ)、一般常識、基礎学力

『公務員になりたい人への本』や『面接試験・官庁訪問の本』でも繰り返しお話ししてきたことですが、「採用される人」に必ず共通しているのは、なんといってもまずコレです。

キチンとあいさつができ、「会話」ができ(どんな人ともコミュニケーションが取れる力を有していて)、さらに基礎的な学力、社会通念・常識があるという点です。最近ではここまでできかなり高いハードルのようですが、そのうえさらに、人柄がいい・品性があるというのが「採用したい人」の王道です。

基礎学力は筆記試験で見ていますよね。それ以外の部分は、どこで見ているかというと、実際の面接はもちろん、受験申込書や面接カードでもわかるんです。面接カードなどの書類で何をどのように書いてきたか、書類の端々で感じられる教養、知性、礼儀正しさ、誠実さ、信頼感といったところで判断していきます。ビジネスマナーと品性・品格というものは、文章の内容だけでなく、書き方、レイアウトなど書類全体に表れます。

つまり、書類提出の段階からすでに**「常識と教養のある『社会人』として当然の資質、センスを持っていること」**が最低条件なのです。

2「仕事力」とコンピテンシー

面接試験では、「コンピテンシー」評価型面接の導入が進んできました。この「コンピテンシー」とは、「**行動に表れる能力、特性**」とか「結果や成果と結びつく能力、特性」ということです。こういった能力や特性を、実際の仕事の上でも生かしてくれるんじゃないかな？と感じさせてくれる受験者が合格するということなのです。

いい換えれば、「仕事力」といったものでしょうか。仕事を組み立て、実行し、成果を上げていくための資質、能力、センスが実際の仕事では必要とされます。問題点を整理して解決の糸口を見つける力、チームを動かしていく力、目的達成に向けて粘り強く努力する力なども重要です。「くじけない」精神力などというのも、最近では注目されている点です。

確かに、公務員か民間か、どんな職種か、どこの官公庁かによって、求められる能力は異なってくるでしょう。しかし、ここでお話ししているような「仕事力」は、どんな仕事にも共通するコアの部分だと思います。ですから、どんな官公庁に行っても、この部分は必ず要求されていると思ってください。さらに、面接試験では、このようなコアの「仕事力」だけではなく、それに加えて、それぞれの職種・それぞれの官公庁に特に（独自に）必要とされるさまざまな能力も、同時に判断、評価されます。

こういった部分も、提出書類に如実に表れるものなのです。書かれた中身からは、どんな経験・体験をしてきたか、どんな能力があるかということがわかります。また、どのように書類をまとめてきたか、構成してきたかというのも一つの「仕事力」ですから、こういうところも重要な判定要素になっています。

●見られていないと思ったら大間違い！

面接試験は、試験会場の場だけが評価の対象ではありません。出頭時刻にちゃんと来ていたか、控室での態度、書かせた書類の出来具合……とにかくすべての面でチェックされています。

●コンピテンシーの評価

「コンピテンシー（competency）」とは、「高業績者（できるヤツ）の行動特性」という意味です。「コンピテンシー評価型面接」とは、受験者に過去の経験やエピソードを語らせることによって、その人物が「行動に表れる能力、特性」や「結果や成果と結びつく能力、特性」

❸熱意（高いモチベーション）

志望の根拠が不明確な人は、まだまだ学生気分が抜けきらないので、実際に社会の荒波に投げ込まれると対応できない可能性があります。その官公庁に対する志望動機が強くない人は、実際に仕事をさせてみても前向きに仕事に取り組もうとはしないでしょう。

面接官や人事は経験則上、これを知っています。ですから、受験者のあなたから、その官公庁を選んだ、その**「思い」の強さ**が伝わってこなければ、採用したがりません。それに、そもそも「提出書類を書く」という与えられた「仕事」にどう取り組んできたかという結果を見れば、その受験者がどれだけ誠実に、一生懸命に、熱意を持って仕事ができるかという、仕事に対する心構えというものもわかります。

こうやって改めて「採用される人」のパターンを考えつつ、今年の試験ではどんな面接カードにしようか、実際の面接で何を質問しようか？と考えてみると、やっぱり、自己ＰＲと志望動機の２つは絶対に外すことができないんですよね。だって、主に❶と❷の部分を自己ＰＲの質問で、❸の部分を志望動機の質問で判定できますから。

というわけで、面接官や人事は、ただただ興味本位で質問をしているわけではないんです。**自己ＰＲと志望動機の質問が、最もハッキリ受験者の資質を判定しやすい**ということを知ってやっているんです。だからこそ、いつの時代も、どんな官公庁（企業）でも、自己ＰＲと志望動機が二大質問として君臨しているのでしょう。やっぱり、定番メニューには、ちゃーんとワケがあったのです。

を兼ね備えているかどうかを判定する面接試験の手法です。
平成18年度から国家Ⅰ種（現在の国家総合職）の人物試験で「コンピテンシー評価型面接」が導入され、東京都や特別区なども採り入れるようになり、その他の職種や地方自治体などの試験にも広がっています。

ファーストステップ 自己分析のしかた

自分は何者？

あの手この手、手を替え品を替え、いろんな質問のしかた・パターンで、面接官や人事は「自己ＰＲ」を聞いてきます（92ページ参照）。しかし、すべての質問に共通するポイント、そして、面接官や人事が最も知りたいポイントは、「己（おのれ）（の能力）を知っているか」すなわち「**自分自身（の能力）を客観的に分析できているか**」ということ、そして「それを的確に表現することができるか」ということです。面接試験で次々と繰り出される質問は、この１点を、いろんな方面から聞いているだけなのです。

そこで、面接試験対策や面接カード作成において、最初にしなければならないのが基礎中の基礎「私はどんな人？アピールポイントは何？」という自分探し・自己分析なのです。これは時間がかかりますが、どこを受けるかを決めていない段階でもできることです。ですから、本当は、直前になってからというよりも、その前、筆記試験の勉強を始めたばかりの頃からじっくりやっておいたほうがいいことなのですが、「今さらそんなことはいっていられない！今すぐやらなくっちゃ！」と焦っている受験者のみなさんにもカンタンにできる方法を考えてみましょう。

それではまず、筆記用具と紙——ペンよりは、書いたり消したりできる鉛筆（シャープペンシル）のほうがいいですし、ノートよりもＡ４もしくはＢ４の紙を何枚か——をご用意ください。

●かなり面倒だけど大事なこと

「自分探し？自己分析？なんでこんなメンドクサイことしないといけないの？　だいたい公務員なんて事務仕事なんだからどこも同じだし、ワザワザ自己分析なんてやらなくても自分の長所くらいわかってるよ！」っていっているキミ！

そんなんだから、なんの特徴もない自己ＰＲ・志望動機ができあがっちゃうんですよ！　ちゃんと自分のアドバンテージを把握して、過去の行動特性に基づいて自己ＰＲ・志望動機を展開していけば、「破壊力」は全然違うんです！

スポーツと同じで、基礎練習をおろそかにしてテクニックだけでしのごうっていう人は、一流とはいえませんし、プロになんかなれません。

自分探しの旅へ出発！

さあ、自分探しの旅へ出発です！　まずは自分一人で自分自身の性格分析をしてみましょう。自分自身の何がいい点なのか、どこが悪い点かを、冷静に見つめ直すのです。

第1段階は、**自分史作り**です。

用意した紙の真ん中に縦線を引きます。これが時系列になります。一番上を0歳として、だんだん下に行くほど年齢が加わるように作ります。今の時点からさかのぼって書いていくという方法もあります。ご自身のやりやすいほう、思い出しやすいほうでやってみてください。いずれにしても、最低限1歳当たり5センチ程度の間隔を開けておきましょう。

そして、これにあなたが生まれてから今までの人生での思い出に残っていることを順々に書き出していくのです。縦軸の左側にはよかったことやうれしかったこと、右側には欠点や失敗したことを歴年で列記してみましょう。

とにかく、思い出せる限り、経験、体験、エピソード重視で書き出してみてください。その経験・体験という事実よりも、**そのとき自分がどう感じたか、何を思っていたかというところが大事**ですので、その部分まで細かく書き出しましょう。「家族と旅行に行った」だけではダメ。「おもしろかった」というだけでもダメです。「○○に感動した。それ以来、○○が好きになって、いろいろ集めたり調べたりするようになった」とか「今考えてみると、このとき経験した△△ということから、自分の粘り強さが出てきたのではないかと思う」ということまで、そのことが今の自分にどういう影響を及ぼしているかというところまで掘り下げて書いておきましょう。

●自己分析はじっくりやらないと無意味

本書を読んでくれているみなさんでも、実際のところ、この自己分析をきっちりやってみようという人は少ないのではないでしょうか？

読むだけか、せいぜいサササーッと終わらせて「だからなんだったんだ?」「やっぱりやってもやんなくても変わんないんじゃない?」っていうことになることが容易に想像されます。

ほぼそうなることが目に見えていて、なぜ人事の私がこれほどクドクドいうかといいますと、やっぱり、同じ能力の人でも時間をかけて練ってきた受験者と、付け焼き刃の受験者とでは、断然見栄えが違ってしまうからです。

自己分析は、感覚的に終わらせたのでは意味がありません。こんなんじゃ頑張ってみたところで「自己満足」PRと「思い込み」志望動機のセットになってしまうのがオチです。でも、正直いって、受験者の8割がコレなのですから、ちょっとでも違えることができたら、アタマ

……書くこと何もない……フッー……

「確かに、あまりほかの人がしていない経験なら、100%『キラリと光る』アピールになるかもねぇ……ん〜。そうはいってもぉ……そんな経験は何もないんだよねー。幼稚園?行ってたけどさぁ。特に思い出といっても……。小学校?フツー。特になし。」

こんな感じで鉛筆が進まない人、実はこういう人のほうが多いのではないでしょうか?こういう人は、運動会で1番になった、合唱コンクールで入賞したとか、中学生なのに英検で2級を取ったとか、そういう、何か人より優れた賞とか実績がないと「経験」にならないと思い込んでいるのではないでしょうか?

いいえ。そんなことはありません。特に「賞」や「資格」を取っていなくても、取り立てて誇れるような経験や実績がなくても、**アピールできるものは必ずある**ものです。

たとえば、あなたの一番古い記憶ってなんでしょう?……思い出しました?　こうやって、アタマの中の古い倉庫から、映像を引きずり出してみましょう。そして、まずは事実だけでもいいので、書き出してみましょう。

では、どうして、それを覚えているのでしょう?その頃、自分は何に熱中していました?好物は?好きだった人は?……とにかく思いつくまま書き出してみてください。幼稚園のときの苦手だったことは?お絵かき?鉄棒?ニンジン?ピーマン?こんなことでもいいんです。ともかく、アタマの中の倉庫にある記憶を一切合切書き出してみましょう。なんの脈絡がなくてもいいんです。とにかく思いつく限り!

自分の生い立ち、家族構成みたいなところからも見直してみましょう。複雑な家庭に育った、

1つ抜け出すことができ、アタマ1つ抜け出せることができたら、面接試験での評価はほかの受験者よりグッとよくなります!

●短絡的なアピールは逆効果!

「リーダーだったから責任感・リーダーシップがある」「部活を長く続けたから忍耐力がある・体力に自信がある」「接客のアルバイトだったからコミュニケーション能力がある」「勉強をおろそかにしなかったからマジメだ」……。

果たして本当にそうなんですか?証拠を見せて(説明して)もらわないと、面接官や人事はにわかには信じられません。また、せっかく説明してもらった証拠(具体的なエピソード)がショボイものだったとしたら、「コイツ何もわかってないな」と思われて終わりです。

ですから、ここではジックリとエピソードを抽出していきましょう(肉づけ方法については後ほどお話ししていきます)。

だから多少の苦労にはへこたれないということもあるでしょうし、１つ年上の兄がライバルだった、地元のサッカークラブでもどちらがレギュラーを取るか競争したということもあるでしょう。

引っ越しをして転校したとか、志望校に落っこちちゃったとか、告白できずに終わった初恋などなど……人生の転機となるような何かはありませんでしたか？　そのこと、その経験が、今の生き方、これからの生き方にどんな影響を与えているのか、考え直してみましょう。

ね？こうやって考えてみると、みなさんが「ありきたりのこと」「どうでもいいこと」と思って見過ごしていたことが、実はアピールになるような気がしてきませんか？

「誇れる実績」なんてなくてもかまわないんです。落ち込む必要はありません。あなたから見れば、ありきたりに思える経験かもしれませんが、それでもあなただけの経験であることに違いありません。あなたと**まったく同じ人生を歩んでいる人なんて世界中にだれ一人いない**んです！　どんな些細（ささい）な事柄でも、いかに自信を持って、自分なりの工夫をして、その経験を伝える努力をするか、ということによって、面接官や人事の心に響いてくるエピソードに変わってくるのです。

そもそも、世の中のどんな仕事だって、テレビのドラマや映画のように見栄えのする出来事が毎日次から次と起こってくるようなものではありません。日常のコツコツとした、平々凡々とした積み上げの中で工夫を重ねることができる人こそが、どんな社会でも成功していくものです。

もし、書くことが何もない年があっても、詰めて書いてはいけません。そのときは空欄にしておきます。また、たくさん思い出が残っている年はもっと幅を取ってください。特に最近の４～５年については、書くことが多いでしょうから１年分で紙１枚として、月ごとにリストアップしてもいいでしょう。なお、次の項目との間は詰めずに２～３センチ空けておいてくださいね。紙

は何枚になってもかまいません。

こんな感じで、生まれたときから今の今の時点までリストアップしてみてください。

ネガティブ・エピソードこそオイシイ！

人生、だれにだって「やっちゃった！」体験ってありますよね。思い出しても恥ずかしいことや失敗。さらには、隠しておきたいことや触れたくないこともあるものです。

でも、この自己分析シートの作成のときには、そんな「あ〜あ」な体験、おちゃめな失敗談、「黙っておこうかナァ〜」的事件など、とりあえずなんでもかんでも、包み隠さずさらけ出してみてください。とにかく全部、自分自身というものを吐き出してみちゃいましょう。だって、これはだれに見せるものでもない、自分だけの紙ですもの（終わったら、燃やしたって、破り捨てちゃったっていいんですから！）。

実は、いいこと、他人に誇りたい、見せびらかしたいような出来事より、このようなネガティブなこと、マイナスの出来事のほうから大きく影響を受けていたり、マイナスの出来事が人格形成のきっかけとなっていたりすることがあるものです。このような出来事から、自分のどんな性格・人格が形成されてきたのか、そこからどんなことを学んだのか、その経験を今後の人生にどのように生かしていけるかということを冷静に見つめ直してみてください。

面接官や人事としても、鼻につくような自慢話より、**失敗からなんらかの教訓を学んだ**とか、失敗をバネに頑張ったというような感動話のほうに「おおっ！」とくるものです。「何をやってもダメな僕なのよ……」という方は、逆にそのダメダメから学んだ「何か」をピックアップしてみましょう。

●大事なのは結果じゃない！

たとえば「全国大会で優勝しました！」といわれても、それだけではあまりアピールにはなりません。

大事なのは「結果」ではないのです！　準優勝でも1回戦負けでも別にかまいません。面接官や人事は、「それまでの過程でどんな努力をしたか」というところを聞きたいんです。

というわけで、発想を転換すれば、こういうネガティブ・エピソードこそ、実は絶好のアピールチャンスになるんです。ここは一つ冷静に、自分自身をすべてさらけ出し、客観的な目で観察してみてください。

身近な人の意見を聞く

どうですか？ これだけでも、けっこう、時間がかかりますよね。

さて、次は、あなたは事件記者にならなくてはなりません。先ほど作成したシートとは別の紙を持って関係者のところに取材に行ってください。まずは、あなたにとって最も身近な人、ご両親、ご兄弟などのご家族から開始です。

まずは、どんな些細なことでもいいですから、あなたに関する思い出、エピソードと、それについての感想を思いつく限りリストアップしてもらいましょう。このときの感想も、単に「おもしろかったね」だけではなく、そのときにあなたが何をしていたか、**その人がそれを見ていてどう感じたか、そのときの何が今につながっていると思うか**ということを中心に語ってもらうようにします。この語ってもらった内容は、すべてメモしておいてくださいね。

次に、今度は、先ほど自分で作成したシートに従って、そこに自分が書き出したエピソード、体験、自分自身の感想について、どういう意見を持ったかを一つ一つ聞いていきましょう（もちろん、どうしても触れたくないところは伏せておくしかないでしょうが）。

このとき、自分の意見と相手の意見が食い違っている場合のほう（こそ）が重要です。自分が「こうだ」と思い込んでいる自分と、他人が見ている（評価している）自分の違いがはっきりす

アワワ‥

あらっ？
何よこの
「授業には全然
出席せずパチンコ
に没頭」って？
アンタって
子はも～

るからです。でも、こういうときって、往々にして、腹が立ちますよね。「違うよ！」とか「そんなことないってば！」って言いたくなっちゃいます。でもグッとこらえて。言いづらいことを言ってくれるというのが実は真の愛情なんです。感謝しなくっちゃ！

そして最後に、あなたをどういう人だと思うか、どういう性格だと感じているかという点についても取材します。

このような取材を、自分のご家族から始めて、現在の友人、できれば中学校、小学校時代の友人や先生などにもどんどん広げていきましょう。他人の意見が多ければ多いほど、自分自身を多角的に見ることができるようになります。他人の視点も参考にしながら自分を見つめ直すということが、自分再発見の中で重要なポイントなのです。

そして、最後にまとめとして、最初に自分がまとめたシートに取材結果を書き入れていきます（ですから、最初の自分自身でのまとめの際には、必ず多めに空白を作っておくべきなのです）。この際、文末に「父談」「○○くん談」などと書き入れておくといいと思います。さらに、だれの感想かをはっきりさせるために、色鉛筆（ペン）を使って、人によって色別に書き分けてみるのもよいでしょう。ぜひここまでは一気にやってください。

さまざまな経験に共通する思いや価値観を探る

さて、自分で作った自己分析シートを読み直してみてください。新たな気持ちで見直してみると、「へぇ」とか「そうだったんだぁ」と思うところ、同じエピソードについて人によってまったく違った感想や意見を持っていることなどがはっきりしてきます。このとき思った「へぇ」は必ずすべて書きとめておきましょう。

●アタマをいったんクリアに

もし時間があるようでしたら、ここで一息入れましょう。いったん休憩して、頭の中からこの自己分析についてすっかり忘れ去ってみるのです。多肢選択式試験や論文試験の勉強をしなければならないのであれば、それをするのもいいでしょう。でも、たまにはパッとスポーツをしに行ったり、映画を見たり、美術館に行ったりなどして、気分転換してみることをお勧めします。

こうして、1日、2日、できればもう少しこの問題から離れてみるのです。こういう思考・考察を要するもの、発想ものというのは、いってみれば、漬物と同じです。少し寝かし付けたほうがいい味になります。そして、何日か後に、新たな気分で読み直してみましょう。

●書いて終わりじゃない！

自己分析は過去の自分のことをタダタダ列記して終わりって思っていませんか？　でも、それだけじゃ無意味！　ここまで何度も何度もシートを見返しているうちに、**さまざまな経験やエピソード（の根底）に共通するあなたの思いとか、価値観**というのが徐々に浮かんでくるのではないかと思います。ここの部分を抽出するのが肝心なのです。

できるだけ客観的に、（たとえば）「自分　大賀英徳」とはどういう人間なのか、どんなところが長所で、どんなところが短所か、どんなことに熱くなり感動を覚える人間なのかということを、そのシートの最下段か別の紙に書き出してみてください。

このときの注意点は、必ず、どの体験、エピソードからそう感じたのか・思ったのかをはっきりさせておくことです。シート上に線でエピソードと結びつけておくなど、後から読んでもわかるようにしておきましょう。ここのところをじっくりやっておいてくださいね。

さらに、もう1つ作業をしておきましょう。それは、シート全体を見渡して、**自分を表現するのに最もふさわしい言葉、**単語、フレーズというものを**最低10個**見つけ出しておくということです。

よく面接官や人事の間で、「似たような話ばかり」と批判されるのは、この自分の性格分析をキッチリせずに、「コミュニケーション能力」「粘り強さ」「責任感」「積極性」「協調性」「堅実」「緻密（ちみつ）」などという面接官や人事が好きそうな単語・フレーズを安易に使うからなのです。くれぐれもそうならないように、「自分に最もふさわしいフレーズ」というものを見つけておきましょう。

は材料の洗い出しをしたにすぎません！

この材料をもとにして自己PRに転換していく作業こそが大事なんです（この部分は、次の節でお話しします）。また、この自己分析で得られた素材は、後でエピソードを探したりするときにも威力を発揮します！

よく「自己分析なんて無駄無駄！」なんていっている受験者がいますが、過去のことを列記しただけの浅～い分析で終わっていて、論点を抽出できないうちに「意味ないじゃん！」って放り出しちゃっているんですよね。ここであきらめずにジックリやることが肝心なんです。

セカンドステップ 自己ＰＲへの転換

やりたい仕事との結びつけ

さて、自己分析は終わりましたが、これだけでは自己ＰＲにはなりません。ＰＲというからには、相手方である面接官や人事にアピールするようにいい換えなければならないのです。

そこで、その詳細なテクニックはサードステップで紹介することとして、その前にどうしてもやっておかなければならないことをココでしちゃいましょう。それは、ファーストステップで分析した自分と自分のやりたい仕事との結びつけです。これは志望動機の作成の際にもかかわってくることですので、第２章の志望動機のところとも密接にリンクしてきます。**自己ＰＲと志望動機は切っても切り離せないもの**なのです。ここのところはよく注意しておいてくださいね。

さて、新たにもう１つシートを作りましょう。そして、これには自分が公務員になってやりたいことを書き出していきます。具体的な官公庁、職種が固まっていれば望ましいのですが、この部分が未確定であれば、それはそれで致し方ありませんので、「もし公務員になったら」という漠然としたものでもいいですから、それを前提に、ご自分のやってみたい仕事を、とにかくすべて書き出してみてください。

おおかたの公務員受験者の実体は、「公務員の仕事っていっても何をやるんだかわからない」「ともかくデスクワークでまったりしたい」などというお気楽組か、「民間で、客とか取引先とか

●**迷宮入り**

たくさんの受験者の自己ＰＲを読んで感じるのは、こちら（採用側＝官公庁側）の価値体系に従った自己ＰＲができる人が実に少ないということです。

たいていの人は「自分探し」の迷宮（ラビリンス）に迷い込んで抜け出せなくなり、自分の願望だけを思いつくままに書いています。

「自分探し」はもちろん必要ですが、行うべきことは、客観的に価値のある自己ＰＲのほうなのです。ですから、ぜひとも「やりたい仕事との結びつけ」を行ってください。

●**「公務員の仕事っていっても何をやるんだかわからない！」という人へ**

「じゃあ、なんで公務員になりたいのよ?」ってツッコミはさておき、こんな受験者の方は、市町村や都道府県、中央省

に頭下げるなんて考えられない」「とにかく国を動かしてデッカイことをしたい」などという勘違い妄想組が多いですよね。でも、こういう受験者は、（一時期まではそこそこそういう人も採用されていましたが）現在の面接評定においては採用されません。

ということで、自分は公務員になって何をしたいのか、どういう方面で貢献できるのかを具体的にイメージしてみましょう。「ごみのエネルギー化事業をやりたい」「○○県の△△5か年計画の実現に向けて、□□事業の推進に携わりたい」「××地域の犯罪率を低下させ、地域住民の安全かつ平和な生活を守りたい」など、できるだけ詳細に、かつ思いつく限りたくさん考えてみてください。

この時点では、志望先を絞るわけではありませんから、これ1つだけ、これしかしたくない、と思い詰めるのは得策ではありません。官公庁や業種にこだわらずに、こんな仕事、あんな仕事と、とにかくやってみたいことをアトランダムに書き出してみるのです。

もし志望官公庁がもう定まっているのでしたら、さらに、

①その官公庁の仕事の何に魅力を感じているか
②その官公庁で自分に何ができると思うのか・したいのか
③その官公庁を受験しているほかの受験者と違う有利な点・不利な点はないか

というところを箇条書きしておくとよいでしょう。

そして、このやりたい仕事シートと自己分析シートを2つ並べて見比べてみましょう。どことどこが**結びつき**ますか？ 「やりたいこと」にあなたのいい面が、具体的にはどのように貢献できると思いますか？ あなたの欠点は、公務においてデメリットになっていませんか？なっているとするならば、どう克服していけばよいのでしょう……。

庁のウェブサイトの中に子供向けにわかりやすく書かれた仕事紹介なんかもありますので、とりあえず見てみてください。

私の書いた『公務員になりたい人への本』にもいろいろな職種の公務員について載せてありますので、ご参考まで。

こうやって一つ一つジックリ点検してみてください。あなたが、今後、やりたい仕事やなりたい大人像に対して、どれだけ深く考えているか、ということがにじみ出るような自己PRにすることが理想なのですから。

まとめシートで結びつけ

さて、最後に、まとめシートに点検結果をまとめます。その際、シートを3分割して、

①自分にはこういう**アピールポイント**がある
②それを**裏づける経験・エピソード**はコレである
③このアピールポイントは、○○という官公庁の△△という職務を行ううえで、**こういうふうに役立つ**と思う

という整理をしてみてください。

志望官公庁・志望動機が固まっていないと、③のところが書きづらいですよね。でもそここそがポイントなんです。ココが定まっていないから、「だれでも同じ」「どこでも同じ」自己PRになってしまうのです。面接官や人事は、こんなところに敏感に反応しているのです！ね？　だから、自己PRって使い回しできないんですよ！　1つ作ったら、大筋は変えないでA省でもB県でも使えます、っていう受験指導をしている予備校やマニュアル本がたくさんあるようですが、実は違います‼　③があるからこそ、あなたの自己PRが光ってくるのです。

もしかすると、というか、おそらく、ここが実際に面接官や人事になったことのない指導者や著者の最も気づいていない点ではないでしょうか？　多くの受験者にあまねく教える・指導するときには、個別具体的な受験者の事情や「思い」まではいちいち考えに入れられませんものね。

●面接カード全体にストーリー性を持たせよう

本文のように指導すると、自己PR欄に単純にこの①②③をそのまま並べて「私は□□というアピールポイントがあります↓××の経験を通じてその力を得ました↓□□の能力は△△という業務には欠かせないと思います」ってアピールをしちゃう人、うんざりするほど多いんですよね。

だけど、これは書類や面接など「全体を通して」アピールすべきものなんです。小さな欄になんでもかんでもムリヤリ押し込もうとすると空中分解してしまいます。

たとえば、面接カードを例にとっていうと、それぞれの欄が小さい場合には、「自己PR」の欄で①を、「学業以外で力を注いだ事柄」で②を、「志望動機」で③を、というふうに分散させて、全体（トータル）で表現できれば、それはそれでいいんです。

逆にいうと、それぞれの質問に単発で答えてしまうと、一貫性のない、アピールできる部分そこで、ものすごく一般的な話になっちゃうのでしょう。

でも、面接官や人事としては、一般的ないい人かどうかということではなく、「こいつと仕事したいか?」「彼(彼女)はウチの職場で働いていけるのか?」「能力があるのか?」という視点から見ているのです。その面接官や人事の視点にストレートに球を返してあげる、そういう答えをすることが面接試験では求められているのです。

そもそも、受験者の段階にすぎず、実際にそこで勤務しているわけではないのですから、その職場の実態を知るはずもありません。間違って思い込んでいることや、誤った情報、ガセネタを信じ込んでいることもあるでしょう。その官公庁の職務のとらえ方・考え方が受験者と面接官や人事とで微妙に違うというのは、よくあることです。

それでも、「こういうふうに考えたから、彼(彼女)はココを志望し、コレをアピールしているんだな」「いろいろ真剣に情報を集めて、自分なりに分析したんだな」というのがわかれば、面接官や人事は好印象を抱くのです。そういう受験者に対しては、職務の実体についての受験者の考えが間違っていても、面接官のほうから「そうはいうけどね。実は、こういうこともあるんだけれど、そのときキミはどう考える?」と助け船を出したくなるんです。
③の部分がなく、紋切り型に「ボクは○○人間です」「私は△△が得意です」といわれるのが面接官や人事にとっては最も苦手。「あ〜そう。それじゃあ、ウチにはマッチしないから、ほかの官公庁に行ってね」って面接官や人事は冷たく考えてしまうんです。
ここのところをくれぐれもお忘れなく!

のまったくない面接カードになってしまいます。面接カード全体で一つのストーリーを完成させるように、それぞれの質問に注意深く回答していくことが肝心なのです。

●フツーのことを大げさにアピールしないで!

「TOEIC®で500点を取りました!」「アメリカに短期留学(2週間)しました!」「ボランティアをしてました!(数回行っただけ)」「映画を毎月3本見ました!」「アルバイトを2年続けています!」「読書が大好き!」「スポーツやってます!」……みなさん、アピールというとこんなことばかり挙げますよね。

でも、面接官や人事からすれば、正直いって、「だから何?」って感じです。

それがどう「やりたい仕事」に結びつくのかってところを十分に考えてからアピールしてください。

サードステップ　アピール方法に工夫をする

オイシく見せる工夫

以上で、自己PRの素材はそろいました。でも、これで完成！というわけではありません。いろいろやったとしても、だいたいの受験者はここで終わっちゃいます。この結果をもとに、「自分は□□な性格です」って安易にいい切ってしまいます。しかし、それだけでは足りません！　ここから先が真の腕のミセドコロなんです！

話は変わりますが、私、けっこう外で食事をするのが好きで、あちこちのレストランや料理屋さんに行くのですが、同じ食材でも、どう調理するか、どう盛りつけるか、によっておいしく感じたり、まずかったりするものです。「へぇ～！こんな食べ方もあるんだぁ！」「こういう合わせ方もイイよね！」というオドロキが楽しいんです。いつ行ってもこういう感激を与えてくれるシェフって、すばらしいですよね！

これって、実際の面接や面接カードなどの書類で自分自身をアピールするときと同じではないですか！　素材は同じあなた自身であっても、「どう調理するか」「どう見せるか」によって、相手方（面接官や人事）の興味を一層かき立てることもできるわけですし、幻滅させちゃうことだってあるんです。

この自分自身をオイシく見せる工夫、これをキッチリするかしないかで、実は面接官や人事が受ける**あなたの印象が大きく変わってしまう**のです。

いくら
素材が
よくても
そのままの
状態じゃ
食べられませんよ…

「伝えたい自己PR」と「面接官が知りたいこと」は違う！

どんなに料理が上手なシェフでも、また、オイシそうに見える料理でも、実際に口に入れてみると、「ちょっとコレは口に合わないなぁ」「ん～いただけませんっ！」ってこともありますよね。そんなときでも、「これはオイシいはずだから、食え！」とシェフがお客に命令することなんてできません。お客があってレストランは成り立つのですから、シェフの独りよがりなんて許されないんです。シェフは、自分がしたいように調理するのではなく、お客が喜ぶように、お客の口に合うように、素材を調理しなければならないのです。

面接試験だってこれと同じですよね。どんなに自分では「伝えたいのはコレ！」「これが絶対いいエピソードだ」と思っていても、それが**面接官や人事の期待していること、知りたいことと重なっていなければ、まったく評価してくれない**のです。こういう独りよがりの自己PR＝自己「満足」PR、みなさんが思っている以上に多いんです。

シェフであるみなさんは、官公庁や企業側がどういった食材（人材）を求めているかを十分に研究したうえで、食材（自分）をどう調理（アピール）したら魅力的な料理に見えるのか、味つけになるのかを考えるべきだと思います。ここがほかのほとんどの受験者との「違い」を出す「差」を付けるキーポイントです。

せっかくいい食材（人材）なのに、味つけや見栄えが悪いために口を付けさえもしてくれなかった（最終面接に呼ぼうという気にならなかった）という食材（受験者）が毎年無数に存在します。どの受験者のみなさんも、十数年、あるいは二十数年生きてきたわけですから、もっともっとこれまでの自分の経験や価値観に自信を持って、オリジナリティを語ってください！食材

●的を射た自己PRを

狭い道でもスイスイ走れて、燃費もよくて、価格も安いから軽自動車が欲しい！と思っているお客様に、燃費はさておきモノスゴイ加速感が得られる高級スポーツカーのよさをいくら説明しても無駄ですよね。

いくらイイモノでも、お客様のニーズに合わなければ買ってはもらえません。やはり「お客様（面接官や人事）が欲している能力を、この商品（私）は兼ね備えていますよー」というアピールでないと意味がないんです！　お客様が求めている商品の情報を的確に提供しないといけません。お客様は神様です！

●商品PRの応用

友人のある営業の人に聞いたところによると、商品PRでは、
①セールスポイント（「売り」）の抽出
②「売り」を効果的に表現する技
③「売り」の部分の価値を高く維持し続ける技術
が必要だそうです。これは自己PRにも応用できますよね！

（人材）のよさをアピールしてください！

しかも、その食材を、面接官や人事がオイシく感じるように調理してください！　いくら個々の能力が高くても、それが採用する側の求めているものと違っていたら意味がない、採用には結びつかないことも事実なんです。

シェフである受験者のみなさんは、この「就職」レストランの実態を十分に把握してくださいね。レストランのお客であるわれわれ面接官や人事は、単に「人柄のいい人」「人格的に優れている人」を選ぼうと思っているわけではありません。あくまでも、

①仕事のできる人（できそうな人）

②当該職務、当該官公庁に最も適合する人

そういう人材を得ることに主眼があるのです。

ですから、官公庁側にとっていい人材であるか、すなわち、**仕事ができて、職務適合性があり、かつ協調性があるということを訴えないと、自己ＰＲにはならない**のです。自分の持っている能力や志望意欲を、的確かつ十分に相手側（面接官）に印象づける技術こそが「勝てる自己ＰＲ術」というわけ。ここを履き違えると、どんなに時間をかけて練ったものであっても「自己ＰＲ」がいつの間にか「自己満足ＰＲ」にすり替わってしまって、面接官の心に届かなくなってしまうのです。

ということで、これからが本番です！　今まで時間をかけて作成してきた自己分析シートを土台に、自己ＰＲを考えていきましょう。

●優秀すぎて内定できないこともある

本文のように①仕事のできる人、②当該職務、当該官公庁に最も適合する人という視点でチェックしているわけですから、優秀だからイイってもんでもないんです。

たとえば、超有名大学を卒業していて、語学にも堪能で、本当に能力もありそうで、仕事もできそうな人が現業系の職種を受けにきたりすると、「明らかに役不足で使いこなせないや」「結局は仕事に不満を持っちゃうんじゃないの？」ということで不合格になっちゃうことがあります。

ここが難しいところ。「軽自動車で十分なのにＦ１のレースカーが来ても……」みたいなことがあるんです。志望先が自分（の能力）とマッチングしているかということも非常に大事なところです。この辺の詳細については、第２章の「志望動機」のところで詳しくお話しすることにします。

民間の欲しがる人材と、公務員の場合の違い

「そうはいっても、①仕事のできる人、②当該職務、当該官公庁に最も適合する人、なんてどっちも抽象的でわからないジャン」

といわれそうですね。確かに、民間と公務員では、その求められている人材には違いがあります。民間の場合には、やはりどうしても利益至上主義のところがあるので、利益の上げられない人、バイタリティ、発想力、企画力のない人は求められていません。ゼロからお金を生み出すぐらいの工夫のある人、生き馬の目を抜くぐらいの行動力があって、起業精神に富んでいるような人材が喜ばれます。

一方、それに比べれば、公務員の場合は、おっとりしているというのかな？ ビジネスパーソンの枠バッチリというよりは、それからちょっと外れている人、よくいえば器が大きい、悪くいえばちょっとボーッとした人のほうが割と受けがいいかも？ っていう感じがします。ただし、**仕事をキッチリこなす能力**や**コンプライアンス（法令遵守）力**は重視されます。それらが備わったうえでの企画力・発想力であり、実行力なのです。

ただし、一部の幹部職員、すなわち総合職や上級職という職種で採用される人たちには、民間の場合と同じような能力も最近ではかなり要求されるようになってきています。

まあ、だいたいこんな感じです。観念論とか、あるべき論としては、いろいろいうこともできるでしょう。でも、現実問題としては、面接官や人事のほうでも、こんな抽象的なところでは多くの受験者を判定することなんてできません。そこで、面接官や人事としては、面接カードや実際の面接試験において、先ほど説明した

●民間でも公務員でも共通するビジネス能力

われわれの先輩面接官の言葉や歴代資料、人事院やその他の官公庁などの資料などから拾ってきたものですが、アトランダムに挙げておきましょう。でも、くれぐれも、これらの言葉に引きずり回されないようにしてくださいね。

- 指導力
- 行動力
- 実行力
- 企画力
- 分析力
- 構想力
- 発想力
- 統率力
- リーダーシップ
- 調整力
- 説得力
- 文章力
- 問題解決力
- 情報収集力
- 意思決定力
- 他者理解力
- 論理的思考力
- 調査遂行能力
- 教育指導能力
- 段取り力

①自分にはこういうアピールポイントがある
②それを裏づける経験・エピソードはコレである
③このアピールポイントは、○○という官公庁の△△という職務を行ううえで、こういうふうに役立つと思う

という点を、受験者の側が、キッチリ整理できているか、そういうところで判定するのです。

「エ〜!そんなことというなら、個々の官公庁の求めている人物像を具体的に教えてぇぇ!」

というみなさんの声が聞こえてきそうです。そうですよね。でも、これは、マニュアル本で読んだり予備校の受験指導で聞いたりするよりも、みなさん自身が直接それぞれの官公庁の説明会に行って、聞いてきたほうがいいと思います。というのは、各官公庁によって求められる人物像が違うだけでなく、同じ官公庁でも、その年々によって、「今年はこういう人材が欲しい」というのがちょっとずつ変わるものなんですから。

また、関係ないようでいてけっこう左右するのが、そのときの人事課長(や企画官)・課長補佐がだれであったかということなんです。これらの担当者のモチベーションとか能力とかそういうもので、採用される人材にちょっとずつ違い(カラー)が出てくるのも事実なんです。ですから、職場内では、「○○くんは、△年の採用かぁ。そーだねー、確かに大賀くんが任用だもんなぁ」なんて会話がけっこうされています。

というわけで、「その年」のリアルな「求められている人物像」はぜひぜひご自分の目と耳でご確認アレ! そのためには、最新版のパンフレットを読むとか、説明会に積極的に参加するなどして、最新の情報を収集する努力が必要です。

この本では、すべての官公庁に共通する部分でお話を進めていくこととしましょう。

- コミュニケーション能力
- チームワーク能力
- プレゼンテーション能力
- 数学的能力
- 社会性
- 協調性
- 積極性
- 柔軟性
- 率先性
- 革新性
- 創造性
- 成長性
- 責任感
- 倫理観
- 信頼感
- 誠実さ
- 堅実さ
- 緻密さ
- 強靱さ
- 素直さ
- 勤勉さ
- まじめさ
- ひたむきさ
- 発言の明瞭さ
- バランス感覚
- 向上心
- バイタリティ
- 目標達成意識
- 決意が固い
- ぶれない

メインディッシュを絞る

料理にたとえたところで、もう1つ。私のような年齢になってくると、バイキング形式とか食べ放題形式のレストランに行っても、昔のような感動！がないんですよね。なぜって、バイキング料理は数で勝負のようなところがあって、どれもこれも無難ではあっても、コレ1品で満足！というものはなくて、印象にも残りません。「どうだ！これで勝負だ！」っていうシェフの迫力が伝わってくるような料理もないんです。

面接カードや面接でも、これと同じようなことがいえます。「リーダーシップがあって、責任感があって、何事にも粘り強く取り組んで、人の面倒見もよく……」と1つの欄に、なんでもかんでも、あれもこれもと並び立てたものが見受けられますが、コレではいけません。たくさんありすぎて、逆にアピールポイントがぼやけてしまうのです。

シェフの迫力が1皿に凝縮されているように、面接カードでも、アピールポイントを絞り込む必要があるのです。自己分析シートをもとに、素材を抽出して深く分析し、仕事と結びつけて何がアピールポイントになるかを考えた後に、その選んだポイントをさらに厳選して「どう料理するか」という戦略を練ってください。

面接試験では1人当たりだいたい20分、面接カードの紙面も限られたものですから、この中でアピールできるポイントはせいぜい1つか2つ。いろいろ小間物屋のように並べるよりは、この**1つか2つのアピールポイントをいろんな切り口からさまざまな角度で示す**ことのほうが、面接官や人事の心をゲット！できます。

では、次に、そのアピール方法の工夫について考えていきましょう。

- 意欲的である
- 細部にこだわる
- 整然としている
- センスがある
- 本質をとらえる力
- エネルギッシュ
- 自分のビジョン・方針を持っている

アピール方法の工夫①　表現を磨く

「プラス表現」に置き換える

まず、いっとう最初にやらなければならないのは、これです。先ほど作った自己分析シートでは、いいも悪いもぜ～んぶあからさまに、素直に書いてもらいましたよね。それは間違いでもなんでもないし、自己分析シートの作成では、まさにその「あからさまにすべて吐き出す」ことこそが大事なことだったんです。

でも、この自己分析シートはあくまでも、考えの「下書き」の段階にすぎません。実際の面接や面接カードで悪い点を列挙するのは、聞き手（読み手）の側から、「素直だ」とは思われるでしょうが、反面、マイナス思考で消極的な人間だととられかねません。そんなの、メチャクチャ損ですよね！

人の性格というものは、同じことをいい面と悪い面の両面から評価することができるものです。「明るくだれとでも付き合える→おっちょこちょいでいい加減な八方美人」というふうに、いいと思っている点を悪くとらえることもできますし、その逆もあるのです。ですから、実際に表現するときには、マイナス面も、たとえば、「引っ込み思案→物事を冷静に判断し慎重に事を進める」「移り気で飽きっぽい→好奇心旺盛で新しいことにも率先して挑戦する」などのように**プラスの方向に転換**しておきましょう。面倒くさくてけっこう時間のかかる作業ですが、ここは慎重に。

●たった一言の違いで

ケリーという心理学者は、人物紹介で、人柄を表すいくつかの表現の中に「温かい」という言葉を入れた場合と「冷たい」という言葉を入れた場合の印象度の違いを調べる実験をしています。この実験によると、ほかの言葉はまったく同じなのに、たった一言「温かい」が「冷たい」に変わっただけで、紹介された人間への印象度は極端に悪くなってしまったそうです。言葉って、こんなにも印象を左右するんです。慎重に使いたいものですね。

マイナスイメージを有効に活用する

ただし、なんでもかんでもプラス表現に置き換えちゃうのはヤリスギ。「なんにでも興味を持って○○も××も△△もチャレンジしました！」とやると「それって、どれか1つに集中できなくて、チャラチャラしてただけジャン」と面接官や人事に思われてしまう可能性があります。もし、「あなたの欠点を述べてください」という問いがあった場合には、素直に欠点を挙げてしまうほうが好感を持たれます。ただ、ここで難しいのは、そうはいってもやっぱり、欠点を指摘するとどうしてもマイナスのイメージが生じてぬぐいきれない側面があるということです。

こんなときに最も肝心なのは、必要以上に防御姿勢をとってしまうと、逆に疑いが深まってしまうということです（ギワクが露見したときの政治家の会見を見ればおわかりですよね）。欠点を打ち消すようなことをわざとらしく書いてみたり、対抗してまったく関係ないプラスイメージを持ってきて相殺しようとしたりすると、かえって「ここで逃げたな！」とか、「欠点を認めたがらない石頭だな」と思われてしまいます。こういうときは、もう、腹をくくるしかありません。欠点は欠点として率直に認めてしまうのです。下手な言い訳や弁解は、自信不足の表れと評価されてしまいます。

まず、欠点は率直かつ素直に認めてしまい、そのうえで、その**欠点を克服した（しようとした）話**を書いていきましょう。実際に克服できたかどうかが問題ではありません。克服しようともがき苦しんだ体験をありのまま語ってくれればいいんです。欠点はだれにでもあります。面接官や人事だって例外ではありません。だから、あなたが欠点に正面から立ち向かい、乗り越えようと努力した姿に、面接官や人事も共感を覚えるのです。

●まずは「よいこと」から

本文でお話しした方法のほかにも、もう一つ、「グッドニュースファースト、バッドニュースセカンド」という手法もあります。これは、メインがバッドニュースでも、まず、よいこと（グッドニュース）から話すと、マイナスイメージが相殺されてしまうという心理学の手法です。「いつまでもこだわって、クヨクヨしちゃう」といわないで、この手法を使って、「なんにでもあきらめずに粘り強く取り組む」といっておいてから、「でも、ちょっとこだわりすぎるといわれることもある」としてみると、どうですか？同じようなことをいっていても、ちょっと印象がよくなった気がしませんか？

クサ～イ表現は避ける

その一方で、自分を特に印象づけようとして、あえてわざわざ自分のマイナス材料を持ち出す受験者もいます。でも、えてして、こういう受験者の持ち出す例は、「もう少しで甲子園を逃した」というような半分自慢話だったり、「公務員試験に失敗して留年した」というような「努力が足りなかっただけジャン」というものだったりが多いようです。受験者本人は、もちろん「その後にきちんと挽回した」など、妥協しない姿勢を強調するといったプラス面のPRも忘れていないつもりなのでしょうが、あいにく面接官や人事にはマイナスイメージだけが残る結果となってしまい、逆効果です。

また、どこか無理をして自分を作りすぎているクサイ回答も非常に多くて気に障ります。たとえば、本当は遊んでいただけだろうに「○○を通して△△や□□を学びました！」と真実味のない、いかにも付け焼き刃な表現を繰り返すパターンとか、「○○を身につけるため、学業と同時に××も頑張りました！」となんでもかんでも目的を意識して行動しているかのようにアピールするパターンは、クサ～ッって思われます。

面接官や人事だって、(十)ン年前は受験者のみなさんと同じ学生だったんです。自分や自分の友人の過去を振り返ったって、学生時代にそんなに「目的を意識した行動」ばかりしていた人なんていないのは十分承知の上。それに、学生時代の経験なんて、しょせん、実社会で発揮できる能力とは別物なんです。

「肩の力を抜いてさぁ、もっと自然に、奇をてらうことなく、素顔の自分を見せてよ！普段のキミってどんなん？」面接官や人事はこう思っています。

●アピールしたいなら、中身を語れ

海外にちょこっと留学したくらいで「国際的に活躍する自信がある」とか、サークルで会長とか副会長を務めていたから「統率力がある」とか、数回のボランティア経験だけで「子供やお年寄りに笑顔を届けられる存在になりたい」など、「ホンマかいな？」と突っ込みを入れたくなる力んだ自己PRが本当に多いんです。

いずれも、薄っぺらい根拠や裏づけのない自信、激しい思い込みというのが感じられちゃうので、「真実味」がなくなるのでしょうね。

アピールしたいのなら、もっと具体的に、「その経験の中のこういうエピソードから、こういうことを学んだ」というふうに掘り下げて説明しましょう。

●エピソードが肝心

もし「誠実さ」をアピールしたいのだったら、決めたことをやり遂げた、責任感を果たした、約束を守った、などというエピソードを探しましょう。

○○力があるとはいわない

もう一つ、自己PRには鉄則があります。それは、「コミュニケーション能力」「責任感」「指導力」「企画力」「協調性」「リーダーシップ」「バランス感覚」など、先ほど脚注に列挙した、おそらく**面接官側が判断基準としているであろう言葉・フレーズは一切使わない**ということです。また、「努力家」「まじめ」「誠実」など自分の側からアピールしたいことも、そのままの単語を使ってはいけません。

受験者のみなさんは、「こういう単語を使えば面接官や人事が魅力を感じてくれるはず」と思い込んではいませんか？　あにはからんや、これらの単語をそのまま使うのは、ハッキリいって逆効果です。最近流行の「私は○○人間です」「～な人です」という紋切り型の具体性のない表現も、もう読み（聞き）飽きました。ウンザリ。ただ「私はまじめで几帳面な人間です」とだけ書いてあっても、自分から「私はふまじめでルーズです」なんて書いてくる受験者がいるわけありませんから、当たり前すぎてまったく面接官や人事の心には響いてこないのです。むしろ、すべてあなたのコンプレックスの裏返しだと思われています。

どうしてもこれらの性格を強調したい場合には、**その言葉をあえて使わずに、具体例・エピソードを引き合いに出して表現する**工夫と練習をしましょう。

面接官や人事が本当に知りたいのは、「○○力」という単語そのものではなく、その裏づけとなるあなたの自分ならではの体験のほうなのですから。面接官や人事は、その体験の中から、あなたの本当の強みを探り出し、この官公庁でやっていけるのかというところを見たいと思っているのです。

「積極性」なら、自ら発案したり、仲間をリードして何かをやったりという経験でアピールできるはずです。「努力家」であることを訴えるときは、ずっとやり続けている何かで、「協調性」なら、縁の下の力持ち的役割を嫌がらずに務めたなどというふうに、何か具体例（エピソード）で説明するようにしましょう。

アピール方法の工夫②　エピソード「で」語る

「で」と「を」で大きな違い

「○○力」という言葉を使わずに自己PRをするには、エピソードを有効に語ることが重要になります。エピソードを語る際の注意点は、あなたの具体的な経験・体験「で」、それをもとにして、そこからあなたが得たもの（教訓、学んだこと）を語ってください、ということです。あくまでもエピソード自体「を」語ればいいのではなくて、**エピソード「で」あなたの生き方・考え方を語る**、エピソード「に」アピールポイントを語ってもらう、ということが大切なんです。

面接官や人事が知りたいのは、どんな突飛なエピソードがあったのかということではありません。経験の内容自体が評価を左右するものではないのです。そのエピソードにまつわる受験者その人の生き方や考え方の部分、どんな価値観を持ってどんなことをやってきたのかということのほうを知りたいのです。面接官や人事は、受験者がそれらの経験の中でとった行動の中に「ビジネス能力や資質が備わっていそうかどうか」「これまでしてきた経験を今後の仕事に生かしていけるかどうか」をチェックしているのです。

さあ、エピソードの基本のキはわかりましたね。では、先ほど作成した自己分析シートからそういったエピソードを探す際のポイントをいくつかご説明しましょう。

●エピソードとは

エピソードとは、「挿話」とか「逸話」とか訳されますが、ここでいっているエピソードとは「逸話」のほうです。

意味としては「ある人物やある物事にまつわる話題で、その隠れた一面を表しているような興味深いちょっとした話」という感じですね。

だから、人事や面接官が「なるほどー」と興味をそそられるような話じゃないといけません。エピソードといっても「挿話（＝本筋と直接関係がない短い話）」になっちゃダメなんです。

① 経験＝エピソードではない！

具体例を入れろ！エピソードを入れろ！っていうと「○○部で頑張りました」「××のアルバイトで接客のイロハが身につきました」って、事実を羅列しただけで終わっちゃう人がとても多いんです。ほとんど8、9割の面接カードが、こういう感じです。でも、これでは「経験した事実」を述べただけで、「エピソード」を語ったことにはなっていません！

「エピソード」というのは、何度もお話ししているように、それによってあなたの人生・生き方を語るためのものですから、そこから**あなたの人となりが浮き出てくるようなもの**（事実）でなければならないし、また、**浮き出るように語る（書く）**ことが必要なんです。

② 「人より優れた体験」「華やかな経験」を無理に探そうとしていないか

エピソードというと、どうしても、賞をもらったとか、世界1周をしたとか、ほかの受験者のやっていなさそうなことを無理やり見つけてこなければいけないと考える受験者が多いようです。ですが、先ほどご説明しましたように、**経験自体の突飛さ、おもしろさはまったく評価には関係しない**のです。

確かに、こういう話題を持ち出すと、「へぇ～、キミ、こんなこともしてたんだぁ～」と面接官や人事が食いついてきて、異様に盛り上がることがあります。でも、これは実はクセモノ。面接官や人事も人の子ですから、続けざまに何十人も面接していると、けっこう退屈するもんなんです。ちょっと変わったもの（ハナシ）を見つけて「おっ！」と食いついただけで、興味本位に質問を続けることだってあるんです。でも、頭の残り半分は冷静に採点しているので、「ふ～ん、でも彼（彼女）、そこから何も得ていないジャン。じゃ～ね～バイバイ」。結局、個人の魅力

●具体例とエピソード

先輩たちの実例集のところで「具体例が欲しい」とさんざんコメントしましたが、これは、「アピールポイントが実際に自分には備わっているという具体的な証拠を示さないといけない。それがエピソードを絡めた具体例なんだ」ということです。

とにかく、この「エピソードでどんなアピールをするか」が重要なんです。エピソード＝具体的な証拠＝具体例ってところをしっかり理解してくださいね。

●ボランティア体験がいいエピソードとは限らない

最近の学校では、授業としてボランティア体験をさせているところもあるようですが、体験をしたというだけでは、加点材料にはなりません。その中で何を得た・学んだのか、ということが大事です。また、面接で話す材料とするためだけにボランティアをする受験者が多いことから、面接官は「自発的に」「継続的に」やっていたことかどうかという点にも注目しています。

のアピールにはまったくなっていません。ですから、面接時間が長かったのに不合格！異様に盛り上がったのに落ちちゃった！ということはよくあることなのです。

また、こういう経験がないからといって、多少でっち上げ気味、誇張気味に書いたり話したりする受験者もいますが、これはもっとダメ。面接官や人事は経験自体を知りたいのではなく、そこであなたが何をどう考え、どう行動したかを知りたいわけですから、「それで？」「そのときどうしたの？」と突っ込んできますので、ウソを突き通すことができなくなり、いずれ化けの皮がはがれてきます。こうなっちゃうともう最悪！「な〜んだ！ウソじゃん！あ〜時間の無駄、無駄」と決定的なダメージを与えてしまいます。もっと「本当の自分」、素の自分の中からエピソードを探してみましょう。

なお、どうせエピソードを探すのであれば、単発の出来事、イベントやプロジェクトのようなものよりは、**時間をかけてやってきたこと**、もしくは**継続して努力してきたこと**のほうがアピール度が大です。なぜなら、そのほうが、粘り強く仕事を成し遂げてくれるのではないかと思ってくれるからです。そういった継続的な経験を探すようにしましょう。

3 経験の中身に具体性があるか

たとえば、受験者がよくアピールに使う「海外留学」ですが、そのこと自体、その事実だけでは効果的なエピソードにはなりません。「海外留学した」→「英語ができる、異文化に触れ日本との違いがわかった、外国人とも友人になれた、国際的に物事を考えることができるようになった」→「語学力と関係構築力をもってすれば国際的な業務で活躍できるはず」というようなアピールのしかたが非常に多いんですが、これじゃあダメなんです。

「海外留学」に行った先であなたがどんなことをしたのか、どんな困難に直面し、それをどう

対処・克服してきたのか、それでどう人間的に成長したのか、という部分を具体的に語ってくれなければ、印象には残りません。つまり、大きな「海外留学」という経験を漠然と語ればいいのではなく、その**経験の中の具体的な「コレ」というピンポイントのエピソードから説き起こしていく**工夫が必要なんです。

この違いわかります？「海外留学した、だから国際的に物事を考えられるようになった」って、つながっているようでつながっていませんよね。海外留学に行かなくたって、国際的に物事を考えられる人だって当然いるんです。「行ってみなきゃわからないなんて、相当にアホだよね」と片づけられてしまいます。こんなことはアピールでもなんでもないんです。

たとえば、「海外旅行をした、着いた空港でいきなりワケもわからず連行された、なんだか相手はスゴイ剣幕だ、どうしても言葉が通じないので機転を利かせてマンガを描いて事情を説明した、なんだかわかってくれたみたい、相手もマンガを描いて説明してくれた、どうやら入ってはいけないところに入っちゃったみたい、とりあえず知っている限りの謝罪の言葉を並べてみた、相手の顔も和らいだ、いろいろあったけどなんとなしに心が通じたみたい、別れ際にまたマンガでホテルまでの行き方を聞いた、笑顔で教えてくれた、握手をして別れた」……こんなエピソードのほうが面接官や人事に訴えるものがあるんです。

2年間の海外留学を漫然とアピールするより、海外旅行中のほんの30分の出来事のほうがグッとくるわけです。その理由は、あなたがそこで悪戦苦闘し、なんとか事態を切り抜けた、というエピソードから、どんなときにも舞い上がらず機転を利かせられそうなヤツだと感じたからです。

これがエピソードの「具体性」ということなんです。

関係構築力？
そらもう私の得意中の得意分野ですわ
大臣でも首相でも外国人でもガンガン行きまっせー
日本外交は私がなんとかしますがなー

4 困難にぶつかったとき、どんな努力をして、どう解決したかを語っているか

もう1つ例を挙げて考えてみましょう。面接官や人事が「学生時代に打ち込んだこと」を聞くのは、そこでの経験から、あなたの生き方、考え方を知りたいからなのです。ここでも、事実それ自体を聞きたいわけではないのに、「人と接することが好きなので、ファミレスでアルバイトをしていました」という一言で会話が途切れてしまう受験者が多いんです。

特に、最近「人と接することが好きなので」という言葉が流行しているようで、だれでも彼でもなんでもかんでも使われます。「人と接することが好きなので、塾講師」「人と接することが好きなので、百貨店」「人と接することが好きなので、配送」これ、なんでも通じちゃうでしょ。そういう汎用性のある言葉って、実は真実味のない、訴えかけるものがまったくない言葉になっちゃうんです。

とにかく、そんなことより何より、あなたがその「打ち込んだこと」の中で**困難にぶつかったとき、どんな努力をして、どう解決したか**を語ってください。そのプロセスを具体的に説明できているかどうかがポイントなんです。

「サークルに打ち込んで、代表になりました。リーダーとしてメンバーをまとめるのに苦労しました」だけではリーダーシップをアピールするエピソードにはなりません。そんな役職名よりも、そのサークルの代表として苦労した具体的な体験、それをあなたがどうもがいて克服したのか、みんなをまとめ上げたのかという具体例のほうを知りたいのです。

無理やりエピソードをひねり出すのではなく、あなたが本当に熱中したこと、頑張ったこと、自分が日々考えていたことを冷静に見直してみれば、そういった面接官の要求にかなうエピソードがきっと見つけられるはずです。

5 自分のアピールしたいポイントを実証できるエピソードか

実際に面接カードを読んでみると、受験者のみなさんが考えている「自分の強み」「自分の長所」というものの大半は、大した内容には感じられません。また、「学生時代に頑張ったこと」も、どれもこれも似たり寄ったりで大差がないように思えます。

一人ひとりの人生にまったく同じものがあるわけではないし、十数年・二十数年生きてきたわけですから、何かアピールしたいポイントがあるでしょう、その自分がアピールしたいポイントを実証するような、他人が聞いても納得できるようなエピソードを探してください。単なるエピソード、それ自体を語っても大差がなくなってしまうのです。

また、メチャクチャよくある「○○が好き！」っていうアピールも困りものです。「○○が好き」なのはいいことですけど、このままでは面接官や人事に、「あ～そう。それはよかったねぇ」とスルーされてしまうだけです。そのエピソードを通して、実際にどんな実践を積んできて、どんなことができるかってところを語らないと意味がないのです。たとえば、歌手のオーディションのときだって、「歌が好き！」ってアピールした人がみんな歌手になれるわけじゃないでしょ。どれだけ歌がうまいのか、実際に歌ってアピールしないと合格できませんよね！これと同じです。

何度も何度も口を酸っぱくしていいますが、そこで**あなた自身が何を得たか、何ができるかを語らないと「個性」が光ってこない**のです。さらに、もっといえば、自分のココをアピールしたい、だからこのエピソードという結びつきをハッキリさせておかないと、焦点がぼやけてしまうのです。ですから、自己分析シートの作成の際に、必ずアピールポイントとエピソードを結びつけておいてくださいね、といったんです。

●面接より面接カードのほうがずっとキケン！

面接試験のときには、多少説明不足でも言葉足らずでも、「それってどういう意味？」「そこんところをもっと詳しく教えて」と面接官や人事のほうが質問をしてくれます。フォローしてくれるようなものです。

でも、面接カードなどの書類ではそうはいきませんよね！わからないときには「何をいいたいのか、わからん！」ということで即刻アウトになってしまいます。

ですから、面接カードなどの書類を書くときこそ、適切かつ的確なエピソードを慎重に選んで、構成を十分に練り上げる必要があるのです。

面接での回答や面接カードの記入の際にも、**アピールしたいポイントを明確に指摘する→それを実証できる最も的確なエピソードを指摘する**という流れを守ってください。

こうやって指導すると、官公庁側が求める人物像を聞き出してきて、それに当てはまるアピールポイントを考え出し、それに見合う経験を無理やり探し出す「逆さま自己分析」をしようとする受験者もいますが、これは考え物です。こういう無理やりさには、面接官や人事は感覚的に「ピン！」とくるのです。そんなことより、自己分析シートをよ〜く見返して自分ならではの思いや経験の中から探したほうが、自然でいいんです。

それより何より、官公庁側の求める人物像に無理やり自分を合わせるのは、サイズの合わない服を着ているようなもので、どっかにチグハグさ、無理さが生じますので、たとえ採用されたとしても、自分の気持ちとマッチングしないで悩むことにもなりかねません。

そもそも、ネームバリューとか、メンツとかではなく、素顔の自分のアピールポイントをそのまま受け入れてくれるような、そのままマッチングするような官公庁のほうを探すべきなのです。無理や背伸びをしないで「一緒にいるだけで落ち着く」のが彼女（彼氏）の基本でしょう。これと同じなんです。自己分析シートを作成することとは、実は、自分に最もフィットする仕事探しでもあったんです。

6 チームワークに関するエピソードか

社会の中では、世界のどこを探しても、ずっと独りぼっちでだれともかかわらずにできる仕事というものはありません。仕事というものは、必ずだれかほかの人とのかかわりの中でやっていくものなのです。

素の私を見てください！
コレがいつもどおりの私です！
あのねぇ……

ということからすれば、ひたすら図書館に通って研究成果をまとめました、という経験が有効なエピソードにはならないということは、もうおわかりいただけるでしょう。ほかのだれかと何かをやる中で、時にはケンカをし、時には助け合って、さまざまな困難を克服しながら、最終的には成果を上げることができた、という子供の頃によく読んだ冒険小説的エピソードが、面接（面接カード）では結果的に一番ウケるんです。

あなたの数あるエピソードの中から、少しでも、こういう**他人とのやり取り・かかわりの中で、成功体験を積み上げた、失敗しながらもその克服のコツをつかんだ**、というものを見つけ出す努力をしてください。

7 他人が聞いても納得できるだけの説得力があるか

最後のポイントは、**独りよがりの話になっていないか**、他人が聞いても納得できる話か、どんな相手でもわかるように細部の状況説明までできているかという点です。特に、自分がアピールしたいと思っているポイントと、引き合いに出したエピソードがつながっていない、あるいは話に飛躍がある、という点に注意してください。先ほど例に出した、「海外留学↓国際的に物事を考えられるようになった」というようなものです。

必ず第三者に話を聞いてもらって、整合性があるか、説得力があるかを確認してもらいましょう。その際には、そのエピソードを知らない、まったく先入観のない人に聞いてもらい、判断してもらうほうが効果的です。でも、こういう人が身近にいない場合には、自分で声を出して読んでみる、これだけでもかなり違います。それだけで、ずいぶんと客観視できるものですし、気が付かなかったおかしないい回しなども発見できます。ぜひ実践してみてください。

●聞いてもらって、読んでもらって

第三者からアドバイスをもらうときには、まずは聞いてもらって、次に読んでもらって、とダブルでチェックしてもらうといいと思います。第3章でも詳しくお話ししますが、みなさんの面接カードは誤字・脱字や変な表現のオンパレードですから。

PR点、エピソードを絞り込む

自己分析シートからのエピソードの抽出はできるだけたくさん行ってみてください。同じアピールポイントについても、本命の1つだけでなく、予備（サブ）として、これを証明する別のエピソードも探しておくと、補強材料になります。

こういった作業をしておくことは必要なのですが、でも、限られた面接シートの紙面、面接時間内に実際に書ける（言える）のは、1つかせいぜい2つです。いろいろアピールしたくて「あれもこれも」と思う気持ちはわかりますが、エピソードをてんこ盛りにすればいいってもんじゃありません。これまでにお話ししてきましたとおり、事実の羅列を聞きたいわけではなく、その背景にあるあなたという人間の人物像をジックリ語ってもらいたいわけですから、ここは絞り込んでおきましょう。

1アピール・1エピソード、これを3セット用意する、これくらいの感じです。面接カードと実際の面接試験では、ほぼ同じ項目が聞かれますから、これ用に2セット、さらに面接試験で突っ込んで聞かれた場合の予備として1セットぐらい用意しておけば十分、という勘定です。自分の性格・能力のうち、特にココは訴えたい、「ココが売り」というアピールポイントを順序を付けて整理しておきましょう。なお、面接カードを書く際には、実際の面接試験で、これをもとに「具体例は?」「どのような点からそう思うのですか?」「周りのみなさんはそれをどう評価していますか?」という質問が飛んでくることを想定して、これに対してさらにエピソードを交えて具体的に答えられるように、先回りをして準備しておきましょう。

1つのアピールポイントを証明するエピソードがいくつかあり、その中から、どれを選択すれ

●トラップを仕掛けろ

面接官や人事は、実際の面接試験のときにはどう質問しようか?などと考えながら面接カードを読んでいます。ですから、「ん?ここのところもっと聞きたいよね」「こんな経験したんだぁ。じゃ、こういう質問には彼女はどう答えるかな?」「会って話をしてみたい」と思わせるような書き方ができるとベストです。そんなワクワク体験を読み手にさせたら、もう、勝ったも同然。

どうせ記載欄は短いのですから、「残りの話は面接で。つづく」的な終わり方をするのも一工夫です（これを心理学で「連ドラ効果」といっています）。なお、本当に「残りの話は～」って書いちゃダメですよ（笑）。

ばいいか迷った場合には、今までの経験の中で、一番新しいものにしてください。大学生の受験者に小学生や中学生の頃の思い出を話されても「ん～……それから成長してないのかなぁ？」って不安になってしまいます。できるだけ新しいエピソード、これは鉄則です。

さらに、せっかくアピールするのですから、構成をしっかり作っておかなければなりません。面接官に「ほほ～！」と思ってもらうだけではダメ。「ほほ～！」→「なかなかやるじゃん！」というふうに思わせる、要は「落としどころ」がないといけません。それがまさに「有効なワナの仕掛け方」なわけです。どの経験をどのようにアピールすれば最も効果的に「仕事力」（ビジネス能力）が備わっていることを伝えられるか、このエピソードよりもこっちのエピソードのほうが適切ではないかということを比較検討し、取捨選択するのです。

最後に、絞り込んだアピール、エピソード全体を通して、「自分」というものがわかるような、終始一貫した一本柱が通っているかどうか確認しておきましょう。こっちのエピソードとあっちのエピソードで受ける印象が１８０度変わってしまうというのでは、面接官や人事も不安になってしまいます。「ああ、こういうヤツだから、今度のエピソードでもこういう態度をとったんだ」ということがわかるようでなければいけません。

その結果、このようなあなたのアピールポイント、セールスポイントを、受験者のあなたが、ではなく、それを聞いた面接官や人事のほうが、一言でいい表せるような受験者になると合格します。実際、わが官庁では、だいたい個別面接に進む頃になると、**有望な受験者にはたいていあだ名が付く**ようになりますし、そういう受験者はだいたい合格し、採用にまで結びついています。ニックネームで呼んでもらえるくらい強烈な印象を与えるには、やはり**自分らしいリアルなエピソードが必要不可欠**です。

アピール方法の工夫③

エピソードを進化&深化させる

コンピテンシー評価型面接で求められているもの

公務員試験でも導入が進められてきているコンピテンシー評価型面接では、特にエピソード「で」語ることが重視されています。どんな経験をしたかそれ自体は問題ではありません。アルバイトでも海外旅行でもなんでもいいんです。問題は、その経験の中のプロセス（過程）のほうなんです。その経験のプロセスの中であなたが課題解決のためのコツを発見したか、いかにもがき苦しんで克服していったか、その経験の中で使われた能力がその官公庁の求めている能力・資質に適合しているか、というところが評価対象となるのです。

たとえば、塾で講師のアルバイトをしたとします。このとき、「生徒のやる気を引き出すように工夫しました」だけでは足りません。当然のことながら、「具体的にはどういう工夫をしたの？」という質問が飛んでくるでしょう。それに備えて、「こうしたのでやる気にさせることができました。まずは……次に……さらに……」という答えを準備しておくのです。つまり、やる気にさせたという**経験の中であなたがつかんだ「コツ」あるいは「法則性」を回答の中で示す**ことが重要なのです。そうすることで、あなたが「経験から多くを学んだ人＝優秀な人」「いろいろ工夫できる思考力の高い人」であることが面接官や人事に伝わるわけです。

また、コンピテンシー評価型面接は、あなたのエピソードをきっかけとして、面接官のほうか

●コンピテンシー評価型面接

アメリカで研究が進んだ「コンピテンシー評価型面接」とは、統計学的に「できるヤツ」はこんな行動をしていた、だから、それと同じような行動ができる人物を採用すれば、その人もヤッパリ「できるヤツ」になるに違いない、という理論です。

日本では、民間企業の一部

ら次々と質問を繰り出していくという方法ですから、この面接官の誘導、作った流れに、あなたのほうが乗ってあげるということも大切なところです。

さらに、自信を持って「自分」を語れているか、ということも重要な要素です。受験者の中には、自分から積極的に経験談を語ることができなくて、人から○○といわれたということしか話せない人もいますが、これではまったく説得力に欠けています。面接官や人事、というよりある程度の人生経験を積んできた人間には、「何事にも当事者意識を持って行動してきた人、自ら積極的に物事に当たってきた人は、必ず、自分の軸で考えることができ、自信を持って自分の言葉で語れる人間になっている」ということが経験則上わかっているからです。

コンピテンシー評価型面接用の面接カードを作成するに当たっては、以上のような特性を踏まえて準備を進めることが肝心です。つまり、自己PRに限らず、面接カードのどの質問項目についても、必ず自分の経験・エピソードを交えて答えられるようにしておかなければいけません。

面接カードの記載欄が大きい場合は、そのエピソード自体をコンパクトにまとめて書くようにし、記載欄が小さい場合は、面接カードにはエッセンスだけを書き、実際の面接の際にそのエピソードを具体的に語れるように準備しておかなければいけないのです。いずれにせよ、実際の面接で「あれは？」「これは？」と次々突っ込まれることを前提に、面接カードの作成と同時進行で**想定問答集を作成**しておくほうがいいと思います。

では、ここまでの小まとめとして、具体的に、どのようにエピソードをまとめればいいのか、チェックシートを見ておきましょう。今までの話を踏まえ、自己分析シートとにらめっこをしながら、チェックシートに書き込んでみてください。

（特に外資系）で導入が進んでいます。公務員試験でも、国家総合職や東京都、特別区など、この面接手法を採り入れたところが多くなっています。

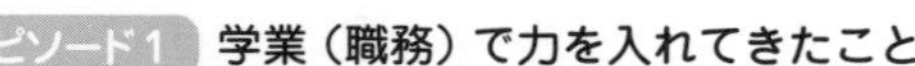

エピソード1　学業（職務）で力を入れてきたこと

● それは何か

● いつから始めたか

● いつまで続けたか

● なぜ始めたか

● 何を目標にしたか

● どのように目標を達成したか

● 最も努力した点、自分なりの工夫をした点は何か

● 困難だったこと・大変だったこと・失敗したことは何か

● どうやってそれを克服したか

● 周囲はあなたをどう評価しているか

● このことから得たと思うものは何か

エピソード２ **学生生活（社会的活動、職業体験）で達成感があったと感じていること**

● それは何か

● いつから始めたか

● いつまで続けたか

● なぜ始めたか

● 何を目標にしたか

● どのように目標を達成したか

● 最も努力した点、自分なりの工夫をした点は何か

● 困難だったこと・大変だったこと・失敗したことは何か

● どうやってそれを克服したか

● 周囲はあなたをどう評価しているか

● このことから得たと思うものは何か

エピソード3　失敗してしまった経験、困難を克服した経験

● それは何か

● いつのことか

● どのようなシチュエーションだったのか

● 原因は何か、なぜ起こったのか

● 周りの人に相談したか、なんといっていたか

● どうやって対処し、それを克服したか

● あなた自身の反省すべき点はどこか

● 最初から回避するにはどうすればよかったと思うか

● 再発防止に向けてどうすればいいと思うか

● この経験から得たと思うものは何か

エピソード4　仲間と意見が合わなかった経験

● それは何か

● いつのことか

● どのようなシチュエーションだったのか

● 原因は何か、なぜ合わなかったのか

● どのように対処したか、どうやってまとめようとしたのか

● あなた自身の反省すべき点はどこか

● 最初から回避するにはどうすればよかったと思うか

● 同じようなことが起こらないようにするためにはどうすればいいと思うか

● この経験から得たと思うものは何か

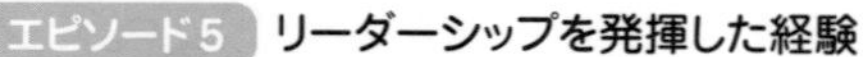

エピソード5　リーダーシップを発揮した経験

● 何のリーダーとして活躍したのか

● いつのことか

● なぜリーダーになったのか

● リーダーとして何をしたのか（何を目標としたのか）

● その結果どうなったのか

● 困難だったこと・大変だったこと・失敗したことは何か

● どうやってそれを克服したか

● あなた自身反省すべきだと思ったことはあるか

● 周囲はあなたをどう評価しているか

● このことから得たと思うものは何か

エピソード6　卒論、修士論文もしくはゼミの研究など

- テーマは何か

- その概略と結論は

- 研究において苦労した点

- あなた独自の視点、工夫は何か？そうした理由は何か

- 研究に当たってどのようなツールを駆使したか

- 実際にフィールドワークをしたり学外の人と協力し合ったことはあったか

- ゼミの友人や指導教官から指摘されたのはどのような点か

- 指摘された点をどのように克服したか

- 研究の成果はどのように社会に生かせるのか

- この研究を志望動機に結びつけると

実は失敗談からの展開のほうが評価が高い

さてさて。いろいろなエピソードの中で、われわれ面接官や人事が一番関心を持っているのは、みなさんの失敗談なんです。話すの嫌ですよね！格好悪いですもの。でも、「人間は失敗しているときにしか学ぶことができない」という格言は本当です。人間は、成功したとき、順調なときからは特に学ぶべきものを得られません。実際、高偏差値・高学歴の甘チャン坊やほど、何か突発的な緊急事態には弱いんです。

というわけで、意外かもしれませんが、この質問こそがあなたの長所をアピールする絶好のチャンスになるのです。面接官や人事が見ているのは、あなたが失敗にどのように対処したかという点です。**失敗から何を学んだか**、後にその教訓をどう生かして数多くの成功を生んだのかという話ができればベストです。

あなたの経歴の弱点なわけですから、失敗ネタを長々と書く必要などありません。むしろ、質問に答えるために失敗をさっさと認めたうえで、失敗を教訓にして学んだことや、その後いかにして数多くの成果を上げたかについての話題に、素早く回答内容を移すのです。このタイミングが肝心です。

なお、「失敗とか、人生最大のピンチなんてないも～ん」という幸せな人生を歩んできた方は、ごくごく平凡な内容でもいいんです。そのごくごく平凡な経験の中でも、自分なりにどんな工夫を積み重ねてきたのか、理想（理念）・問題意識を持って行動したか、独自の発想を凝らしてきたかがわかるような体験を語ってくれれば、面接官や人事は「この子は、思考・行動パターンに『いい癖』がついているナ」と高く評価するはずです。

●失敗談にも程がある

今、失敗談は最大のアピールチャンス、といいましたが、その一方で、面接官は、あなたが採用をためらわせるような重大な失敗をしたことがないかという側面にもキラリと目を光らせていることはお忘れなく。

「こんな失敗がありました」と告白しても、「やむをえない」と納得してもらえるような失敗談が適当です。いくら告白といっても、犯罪すれすれのような失敗、アルバイトなどで大きな金銭的な損失や迷惑をかけた失敗、さらに、志望している官公庁で成果を上げるのに必要な能力が足りないことを表す失敗、教訓を明確に説明できない失敗、後に同じような状況でうまくいった事例を挙げられない失敗について面接や面接カードで触れるのはタブーです。

同じ失敗でも、若さゆえの思慮不足や熱意の空回りなら黙って聞いてもらえるでしょう。

作り話は通用しない

エピソード重視の話をしてきましたが、ここで受験者のみなさんにきつくクギを刺しておかなければいけないことがあります。それは、作り話はゼッタイにしないこと！です。

面接をしていると、「サークルで副幹事長をしていました」「アルバイトで責任ある立場を任せられました」ということをアピールにする受験者のなんと多いこと！　で、実際に「それで、どんな仕事をしていたんですか？」「その仕事をしていて大変だった点、苦労した点はどんなところですか？」と１つ１つ突っ込んで質問をしてみると、シドロモドロになっちゃう受験者がこれまたなんと多いことでしょう！

世の中にそんなに副幹事長なんているわけないじゃん！　庶務をやってたのなら庶務をやってたと正直にいったうえで、その中での苦労話、自分なりの工夫・努力をいってくれればＯＫなのに、ヘタに話を作るから、ドツボにはまってアウトになっちゃうんでしょ！

面接官や人事のほうも、たいていの受験者の答えは、誇張されたり脚色されたりしているだろうと思っています。とはいうものの、やっぱり、**バレバレの作り話、取ってつけたようなアピールは、どの面接官や人事からの評判もよくない**ものです。熱意もまったく伝わってきません。場合によっては、非常に後味の悪い印象を残してしまう危険もあります。

ですから、ウソ、作り話だけは絶対に避けてください。最近流行のコンピテンシー評価型面接では、具体的経験・体験について「それで？」「その時どう思った？」「周りの評価は？」……と次々に質問されていきますから、必ずバレてしまいます。

●面接官は恋バナを嫌う

人間関係にかかわるエピソードで恋愛（失恋）話をする受験者もいますが、仕事ができる人間かどうかを判定する面接試験の場には不適当な話題です。これだけで×をつける面接官もいますので、ご注意あれ。

学生生活で力を入れてきたことは？いつから始めました？
いつまで続けましたか？
どうしてやろうと思ったのですか？
どんな目標がありました？
自分なりの工夫した点は？
何が大変でした？
失敗したことはありましたか？
周りは何と言っていますか？そこから何を得ましたか？

アピール方法の工夫④ 面接官のき・も・ち

この章のまとめとして、受験者のみなさんに面接官や人事の気持ちになってみて、自分が作った自己PRを客観的に見直してみるということをお勧めします。いくら自分の熱い気持ちを訴えることが大事であっても、相手がそれを不快に感じてしまったらまったく意味をなさない「思い込みの空回り」となってしまいますから。

では、私が実際に面接カードなどの書類を読んだり面接をしたりしていて感じたことをいくつかお話ししていきますので、ご自分の書かれた自己PRと見比べてみながら、ご自身も面接官や人事の気持ちになって、自分の自己PRを採点してみてください。

似通ったものが多い！

個々の受験者はそれぞれにいろいろ工夫しているつもりなのでしょうが、立て続けに何人もの面接カードを読んでいると、受験者がエピソードを通じてアピールしてくる能力はリーダーシップ、努力、コミュニケーション力、忍耐力などなど、み〜んな驚くほど似ています。もう面接試験の段階になれば、能力の近い受験者たちがひしめき合い、紙一重で合否が決まるわけですから、そんな状況から頭1つ抜け出す工夫をもっと考えてほしいと思います。

その方法としては、1つは、だれもがアピールする能力でも、より高いレベルの能力が備わっていることをアピールすることだと思います。この「より高いレベルの能力」は県大会優勝より全国大会優勝とか、そういうことではありません。より実戦的な、**社会人になっても即**

●浅い自己分析からは浅い自己PR・志望動機しかできない

自己分析が浅い人によく見られる傾向なのですが、「私は好奇心旺盛で企画力もある」→「大学の広告研究会で活躍したエピソード」→「広報の仕事！」という感じで、すべてが短絡的に結びついてる人が多いのが気にかかります。

こういうタイプの受験者は、面接で「具体的にどういう企画をしてどういう結果になったの？」「あなたのオリジナリティはどこに発揮されてるの？」「広報の仕事でどんなことをどういうふうにしたいの？」みたいなツッコミが入るともうダメで、グダグダになっちゃいます。

自己分析もアピールの工夫もササッと流して「ハイ！一丁あがり！」っていう、そこのアナタ！　そんなんじゃすぐに化けの皮をはがされちゃいますよ！

使えるような、日々の仕事に直結できるようなレベルの能力ということです。ということは、それだけ、その官公庁の仕事の内容、求められる能力を深く理解していなければ答えられないはずです。次の章の志望動機のところでも触れていきますが、受験者は、一般的にいって、ここの準備が不足しています。

２つ目は、他人と似た経験でも、その中で他人と異なる能力をアピールする方法です。たとえば、サッカー部やテニスサークルなど運動系のエピソードを持ち出しても、だれもがいいそうな、協調性、リーダーシップ、コミュニケーション、友情、努力、忍耐という項目を外してどれだけ勝負できるか、ということですが、ん〜、でもこれまたかなり難しい。

学校で勉強してきた○○を生かし、ってかぁ？

まじめな受験者に多いパターンですが、これってどうでしょう？　社会人経験十数年のオジサンたちは、学校の授業レベルの学問では実社会では役立たない、実践的でない、と考えていますから、これってあまりアピールにならないんです。「実社会はナマの人間相手、本を読んでいればいい勉強とは違うんだぁ！　アンタ、ちゃんと人と話して仕事できるの？」って思っちゃいます。それに、なかには受験者よりももっと専門的にそのことを勉強してきた面接官や人事がいたりして、「返り討ち」に遭ったりもします。

勉強内容よりも、むしろ、勉強に取り組んできた姿勢とか、その勉強・研究の中で行ってきた工夫を引き合いに出して、その姿勢・工夫の中に**面接官や人事が求めている仕事上のスキル・能力が発揮されていることを印象づける**ほうが効果的です。

長すぎるもの、抽象論に終始するものはダメ！

私、よく部下の係長に注意されるんです。「大賀さん、ダメですよぉ。また、受験者の話の途中で興味なくしてたでしょぉ。フォローするの大変だったんですからぁ」って。

「ゴメン。でもね、真剣に聞いてなかったわけじゃないよ。実際の仕事じゃ、あんなに長々とタラタラ話されたら、わかる話も相手にわかってもらえなくなるよ。これも能力のウチ」

そう、面接官や人事もなりたての頃は、相手の話をよーく聞こうと思ってガマンするのですが、でも、よく考えてみれば、実社会ではそんなことは通用しないんです。要領よく簡潔にまとめられるかどうかも非常に重要な「能力」なのです。また、わけのわからない抽象論ばかりで具体性に欠ける話も実践では通用しません。

これ、面接のときの話ですが、その前段階の面接カードの文章でも同じことがいえます。

自分のいいたいことを要領よく簡潔に文章や話にまとめることができないような受験者は、やっぱり社会に出てもできないんです。ですから、その部分もちゃんと判定しています。抽象的な言葉を並べた自己PRをダラダラと見せられる（聞かされる）ぐらいなら、**具体的にやってきたエピソードを簡潔に披露する受験者のほうが、面接官や人事の気持ちにグッと響きます**。こういう部分も見られていることをお忘れなく。

「達成意欲」がにじみ出ているか？

自分の決めたこと、要求されていることを何がなんでもやり抜こうとする意欲、これがないと社会人は勤まりません。また、こういう意欲、モチベーションを持ち続けることができる人は、

えっとぉ〜接客のバイトとかはぁ〜
やっぱ結構大変でぇ〜、自分がヘコんでる
ときとかムカつく客とかいてもぉ〜いつも
笑顔でいないといけないじゃないですかぁ？
でもそういうのってなにげに大事だったり
するんでぇ〜、そこら辺はマジ一生懸命
ってゆうかぁ〜、そうそうこないだぁ〜
ちょ〜ヤバイことがあったんですけどぉ〜
〈5分経過〉…そんなカンジなんでぇ〜
アタシ協調性とかはフツーにあると
思うんですよぉ〜、あ、あとぉ〜ウチらの
部活っていうか、サークルではぁ〜いちおう
副部長やってるんで〜
イベントがあるときは
気合い入れてやってます
し〜場の空気も読むのが〜

●スポーツ体験が評価されるワケ

スポーツをやっている人は体力があり、やる気があり、気性がサッパリしているから……というだけではありません。

スポーツ体験の中では、チームプレー・集団生活の中で習得した組織の一員としての個の自覚、ボス教育で受けた全体を統率していく指導力がはぐくまれていくものだ、という経験則から、評価されているのです。

人生の目標も高く設定しているはずであり、かつまた、その目標に向かって努力を重ねるので、最終的にはその設定した目標よりも高い人生目標を達成することができるということを面接官や人事は経験則上、知っているのです。いわれたことだけソコソコやっていればいい、というような人物は、もう公務員の世界でもお払い箱なのです。

というわけで、自己PRの欄の中で特に「大学時代に打ち込んだこと」「ゼミやサークル、アルバイトで学んだこと」などを書かせている場合には、「本当にこの人を採用したら、しっかり働いてくれるのかな？仕事に必要とされるさまざまな能力はあるのかな？」ということや、「チームワークが取れるかな？」「職場や上司への献身性があって多少ハードな業務命令でも頑張ってくれるかな？」ということを面接官や人事はチェックしようとしているのです。

これを逆手に取れば、特にそれを書くように求められていなくても、**「意欲的に何かに取り組んで、**かつ、それを**頑張り抜いた**こと」とりわけ、**他人との協力、チームワークの中**でやってきたことを具体例やエピソードとして書けば、オジサン面接官・人事のココロをくすぐることができるのです。

もう一度会いたい！という何かが欲しい

面接カードを読んでいて、会って詳しく話を聞いてみたいと思わせる何かがあるか？　**最終面接が終わっても、「ああ、この件も彼（彼女）に話を聞いてみたい」という何かがあるか？**　これが合否の分かれ目だと思います。

この気持ち、どっから来るんでしょうねぇ。私としても「これだ！」と明確に説明はできないのですが、面接カードの文章および行間からあふれ出てくる「何か」、実際に面接で会ったとき

●面接では「ストレス耐性」も見られる

もう一つ、最近の人事担当者の課題は、ストレス耐性のある人、すなわち、プレッシャーに対する精神的な強さのある人を採用しなければならない、ということです。

最近は、仕事の内容が複雑かつ緻密になってきているだけでなく、公務員に対する国民・住民の目も厳しくなっており、かつ定員削減で職員1人当たりの仕事量も増えてきているので、これらに耐えうる人材を確保しなければならないのです。従来からいる職員に対しても、いろいろ研修や職員教育をしてはいるのですが、結果としてわかったのは、このストレス耐性って、イイ年になってから教育や研修でなんとかなるものではない、若い時期から備えている人材を確保すべき、ってことなんです。

ですから、「この子は採用してもイイかな？」っていう受験者には、あえてストレスをかけてみます。「たとえば、こういう状況になってもキミはできる

に感じる「何か」なんでしょう。いわゆる「オーラ」ということかもしれませんね。こういう「オーラ」が感じられれば、単なる仕事上の「関心」が「好感が持てる」「もっと話を聞いてみたい」「もう一度会いたい！」へとドンドン発展していくのでしょう。

面接官や人事にこういう「疑似恋愛」感覚を持たせたら「勝ち」です。「もう一度会ってみたい！」「アイツを働かせてみたい！」となってくるわけです。

では、この「オーラ」とは、どういうときに感じられるのでしょう？　それは、何よりもまず**「素直」になる**ということにあるのではないでしょうか？『老子』の言葉に「見素抱樸（けんそほうぼく）」という言葉があります。簡単にいうと、飾り気のない素地のままの純朴な気持ちを持ち続けなさいということですが、これが大事です。飾ってはいけません。面接官ウケのいい言葉を探して、官公庁のパンフレットやホームページからそれらしい言葉ばっかり拾い出してきて自己ＰＲを繰り返し、結果は落ちてばかり、という受験者、とにかく多いんですよ。

自分の「やってきたこと」と「やりたいこと」をストレートに表現できる、そんな若々しい受験者を、面接官や人事は「若いってイイなぁ！すがすがしいなぁ！」と高く評価するのです。とにかく、ありのままの自分に自信を持って、持ち味を素直に出してください。面接試験では、変化球よりも直球勝負が幸運を呼び込みます。

抽象的な言葉はダメよ！具体的に！といっていながら、抽象的な言葉になってしまいましたが、この「見素抱樸」をあなたという個性的な人材の中でどう表現していくか、それこそがあなたに課せられた一生の課題なのです。

の？」とか、「それは勘違いもいいところだよ」とか、「キミはできるできるというけれど、そういうことは、社会ではできるとはいわないよ」など、わざと本人が困るような質問や嫌がる話をして、反応を見るのです。

ですから、こういう厳しい質問、圧迫質問がされるようになったら、むしろ喜んでください。ダメな人、採用に程遠い人にはこんな質問はしません。

チェックシート　自己分析・自己PRカンタン作成

もー、とやかくいっていられない！今すぐっ!!!という全然時間のない受験者向きの自己分析・自己ＰＲカンタン作成シートを付けておきます。これを3枚コピーして、今年、去年、一昨年の3年分を作ってみましょう。

①人生の転機となったこと

②最も力を入れていたこと

③失敗したこと

④楽しかったこと

⑤つらかったこと

①～⑤のそれぞれにつき、

- それによって得たもの、失ったもの
- 工夫点、克服法
- 次回に向けての教訓
- 仕事上のスキル（以下の例）との結びつけ

（例）

- リーダーシップ
- 創造性
- 責任感
- 分析能力
- 目標達成意識
- 意欲的
- 問題解決能力
- 協調性
- ひたむきさ

いろいろな聞き方をされる自己PR

どんな質問でも結局は自己PRを聞きたい

最後に、自己PRについては、いろいろな聞き方をされるということを覚えておいてください。どんな質問のされ方をしても、結局は、「それをもとにして、あなたをPRしてね?」「アナタってどんな人?」っていうことに集約されるのです。

ですから、以下にいろんなパターンでの質問項目を掲げておきましたが、いずれに対しても自己分析シートを見ながら回答を引き出すことができますし、また、そうしなければいけないのです。たとえば、最後のほうに趣味についても掲げておきましたが、あなたのオタッキーな趣味をとうとうと話されても困るんです。その趣味というものをきっかけとして、あなた自身の人物像を語ってくださいということが問われているのですから。

というわけで、自己PRは、実際にはこんな質問のしかたで聞かれます。実際の面接でも面接カードでも共通です。どちらでどれを聞かれるかわかりませんので、それぞれについて「こう聞かれたら、こう答える」というアタマの体操をしておくとよいでしょう。

なお、※印をつけた質問には、面接試験の本番で、面接官や人事からさらなるツッコミ質問が飛んでくる可能性が高いので、その質問例を脚注に挙げておきました。コンピテンシー評価型面接では、こんなふうにして、根掘り葉掘り、次から次へと聞かれることになりますので、しっかり準備しておいてください。

1 ストレート・パターン

○あなたがどのような人なのかわかりやすく自己紹介してください。
○自己アピールしてください。
○あなたのセールスポイントは何ですか？
○あなたの強み・弱みを教えてください。
○あなたは自分に自信がありますか？
○あなたが自信を持っていることは何ですか？どのような経験からそのような自信を持てるようになったのですか？
○自分ではどんな性格だと思いますか？
○自分の性格で嫌いなところはどこですか？
○1人でやる仕事と複数でやる仕事と、どちらが向いていると思いますか？
○「私は○○な人間です」を10個挙げてください。
○「私を採用したら、こんなにお得」という点を説明してみてください。

これらの質問は、「自己PR」をストレートに聞いているものです。なお、このようなストレート・パターンの自己PRは**長めのものと短めのもの**（面接試験でしゃべる際には3分用と1分用）**の2パターン準備**しておくと便利だと思います。

2 裏からパターン

次に、若干高度な質問テクニックとして、自己PRを裏から聞こうとしているものもあります。

○あなたは友人（家族）からどんな人だといわれますか？
○あなたは周囲からどんな人だといわれることが多いですか？（※1）

●記入項目が多い場合

趣味とか特技とか資格とか健康状態とか、ものすごく記入項目が多い書類もあります。

こんな場合は「趣味？うーん特に趣味なんかないから、テキトーに旅行とか書いておくかなぁ」「語学？うーん本当はなんもできないけど、日常会話程度の英会話ならできますって書いておくかー」って感じで記入して、面接本番で突っ込まれて馬脚を現す……ってことがよくあります。

欄に書くからには、どんな細かなことでも面接試験で突っ込まれることを予想しておいてくださいね。自分の書いたものに責任を持つ、これは公務員、いや、社会人の基本のキです。なお、ある程度突っ込まれてもだいじょうぶなことを書いておいてください。

※1
●どうしてそのようにいわれると思いますか？
●それについてあなた自身はどのように思っていますか？

○学生時代、あなたは友人の中でどのような存在でしたか？（※2）
○親友と呼べる人はいますか？

受験者のみなさんもストレートな「自分から見た自分」、すなわち「自己PRしてください」という質問には十分準備をしているでしょうから、あえて逆に「他人から見た自分」という視点で、自分を理解しているか、**自分を客観視しているか**を見ているのです。

このような質問の「友人がいった」「親にいわれた」という部分に素直に反応して、本音をポロッと出してしまう受験者が多いものです。これを面接官や人事はねらっています。着飾った「自己PR」との矛盾点を暴こうとしているのです。ですから、ストレートな「自己PR」との内容の整合性を十分に図っておかないといけません。

③エピソード・パターン

さらに、普通に「自己PRしてください」という質問をしていたのでは、面接官や人事の望んでいる「具体的な答え」が得られないので、学生時代の話や趣味などと場面を区切って、具体的なエピソードを引き出そうとする質問方法もあります。③と以下に述べる④がそうですが、これらも「自己PR」の一種です。

○学業以外で力を注いだ事柄は何ですか？
○学生時代に力を入れて取り組んだのはどのようなことですか？（※3）
○学生時代に打ち込んだことは何ですか？
○学生時代に力を入れて取り組んだことをいくつか挙げてください。（※4）
○学生生活、社会的活動、職業体験などで、達成感があったと感じていることはどんなことですか？（※5）

※2
- 仲のよい友人はどのような人ですか？
- 気が合わないのはどのような人ですか？

※3
- その活動の中で、どのような問題にぶつかりましたか？
- そのときあなたはどのように考え、どのように対応しましたか？
- その集団ではあなたはどのような役割だったのですか？
- 周囲と意見が合わないことはありましたか？そのときどのように対応しましたか？
- 周囲はあなたの対応をどのように評価していましたか？
- あなたはそれをやっていて何を目標にしてきましたか？
- その目標を達成するためにどのような行動をとってきたのですか？
- 目標を追いかけていく中で、一番大変だったのはどのようなときでしたか？
- それをどのように乗り越えようとしたのですか？
- 掲げた目標に取り組んだ結果

○あなたの失敗談を聞かせてください
○あなたは挫折をしたことはありますか？
○あなたのこれまでの人生で最もつらかったことは何ですか？
○今までの人生の中で成功したと思った体験はありますか？（※6）
○これまでに何か1つのことを粘り強くやり通したという経験があれば、そのときのことを話してください。（※7）

これらの質問は、**コンピテンシー評価型面接**でよく聞かれるものです。コンピテンシー評価型面接では、「学生時代に力を入れて取り組んだのはどのようなことですか？」（よくいわれる「ガクチカ」質問です。）の質問のところの脚注（※3）の例のように、最初の質問をきっかけに、その詳細についてドンドン突っ込んで聞かれますので、ウソの経験談をでっち上げていると、そのうち化けの皮がはがれてしまいます。

❹趣味・関心事パターン

○あなたの趣味は何ですか？
○あなたは休日にはどのようなことをしていますか？
○あなたの特技は何ですか？
○あなたが最近、関心を持ったことは何ですか？
○あなたが最近、感動したことは何ですか？
○あなたが最近、頭にきたことは何ですか？
○あなたが最近、読んで感動した本は何ですか？
○あなたの愛読書、愛読誌は何ですか？（ただし、最近はこのような質問は控える傾向にあります。）

はどうでしたか？
●その結果に満足していますか？その結果をどのように評価していますか？
●途中でやめたいと思ったことはありますか？そのときに投げ出さずに続けてこられたのはなぜですか？
●途中で状況が変わってしまい、目標やそれまでのやり方を変更しなければならなかった場面があれば、具体的に話してください。

※4
●それぞれどのようなきっかけで始めたのですか？背景や時間的な経緯も含めて話してください。
●それぞれについて、満足のいく結果を残せましたか？
●どのようなことに最も満足していますか？具体的に話してください。
●途中でやめてしまったものはありますか？その背景も含めて教えてください。
●もっとこうしておけばよかったという反省点があれば教えてください。

単にあなたの趣味や関心事、その事実自体を知ったところで、面接官や人事にはなんのメリットもありません。そこからご自分の「人物像」が聞かれているのだということをお忘れなく！

その「事実」だけを答えるのではなく、「へぇ、そうなんだぁ。じゃ、もう少し質問してみよう！」と面接官に思わせるような**一言を付け加える**ことができれば、さらに話が発展していきます。たとえば、趣味をきっかけに、成功体験・失敗乗り越え経験・みんなで努力エピソードを語るようにしましょう。また、**関心事**については、**あなたなりの分析・考え方を披露**するように努めましょう。

以上で、自己PRがいろんな聞き方をされるということがおわかりになったと思います。「学生時代に打ち込んだこと」も「成功体験」も「趣味」も別ジャンルの質問なのではなく、みんな根は一つ。すべて、この章でみなさんと一緒に検討してきた自己分析シートに従って導き出すことができるのです。

本書では、残念ながら、それぞれの質問ごとの回答のポイント、どんなふうに答えたらいいのかというコメントをする紙数がありませんでした。この辺をもっと詳しくお知りになりたい方は『面接試験・官庁訪問の本』を参照していただければと思います。面接試験・官庁訪問に特化した内容ですが、きっと、書類を書くときにも役に立つと思います。

さて、自己PRの検討だけでヘトヘトになっちゃった方も多いかもしれませんが（笑）、まだ「道半ば」。もう一つのヤマ「志望動機」を攻略しなければなりません！　コーヒーでも1杯飲んで気分転換したら、第2章に取りかかることにしましょう。

※5
- あなたはどんな立場（ポスト、役割）だったのですか？
- 目標を達成するためにどんな努力をしましたか？
- 周囲の協力はありましたか？
- 一番困難だったのはどのような点ですか？
- どんなときに最も達成感を感じましたか？
- 同じようなことに再び遭遇したとしたら、今度はどんな工夫をしようと思いますか？

※6
- どうして成功できたと思いますか？

※7
- やっているうちで一番大変だったのはどのようなことでしたか？
- それに対してあなたはどのように取り組んで克服したのですか？
- 途中でやめたいと思ったことはありますか？そのときに投げ出さずに続けてこられたのはなぜですか？

第2章

ここで差を付ける！志望動機を考えよう！

どんな仕事をするのかさえも調べずに
志望動機を書こうなんて、あま〜いっ！
志望動機の一言から、熱意、適応性、
能力がキッチリ判断されているのです！

センパイの実例を拝見！ 志望動機編

前章の「自己ＰＲ」の実例に引き続いて、今度はセンパイ諸兄の「志望動機」の実例を見ていきましょう！　今回も、似たようなものは避けてできるだけ違ったものを集めてみました。

チェックポイントは前回と同じです。今度は途中で飽きずに（笑）最後まで読み通してみてください。その際に、面接官役になったみなさんが注意すべきは、それぞれの受験者の「志望動機」を読んでいて、「合格したい」という意気込みが感じられるか、さらには**「ここで働きたい」という「思い」がストレートに心に響いてくるか**、ということです。

だれしも合格したいのが当たり前ですから、それが感じられないようなものは、即刻アウト。そのうえで、「ここが第一志望」「どうしてもここで働きたい」という熱意が感じられなければ、単なる「押さえ」「予備」「キープ」なのかもしれません。

面接官や人事にとっては、採用が確実になること、採用後も一生懸命働いてくれることが肝心なのです。ですから、「優秀だけれどもほかが第一志望」という受験者よりは「ソコソコかもしれないけれど、どうしてもウチで働きたいという熱意が強い」受験者のほうがカワイイのです。

面接官や人事は、中身もさることながら、いや、実は中身以上にこんなところを見ているのです。ここのところを忘れずに、先輩たちの「力作」を採点してみましょう。

志望動機としてそこそこ評価できる例

まずは「これなら合格点をあげてもいいかな？」「期待できるかな？」と思える志望動機の例の紹介です。

講評には、人事の目に好印象に映るポイントを挙げておきましたので、参考にしてください。ただし、ここに挙げた実例は「模範回答」というわけではありませんので、くれぐれも丸パクリしたりしないように！

地方上級（都道府県）志望のI.M.さん

①ボランティア活動を通してハンディキャップのある子ども達と関わる中で、誰もが安心して暮らせる社会の必要性を痛感し、私もそのような社会の実現に貢献できる仕事に就きたいと思ったから。

②首都公務員として先駆けて社会の問題に対処し、日本全体に影響を与えていける可能性の高さに魅力を感じるから。

③多様な領域での仕事を経験でき、多くの方々と出会えることから自分の可能性や視野を広げ、奥行きのある人間に成長できる職場であると感じたから。

I.M.さんの講評

このように箇条書きで書かれていたりして内容が整理されていると印象がよくなります。

市役所上級（社会人）志望のN.H.さん

「生まれ育った○○市のあたたかさを支える土台になりたいからです」

私が地方公務員、特に○○市を志望する理由は、大きく2つあります。第1に、医療現場等で行う精神的援助だけでなく、まちづくりなどを通し、より多面的に人々の生活にかかわり、支えることのできる仕事をしたいと思ったからです。第2に、挨拶がとびかい、隣人との交流や支えあいがあふれる○○市の昔ながらの良さを保ち続ける手助けがしたいと思うようになったことが挙げられます。多くの市民の声を反映し、地域の特性に応じて作られた「都市計画マスタープラン」から、地域の方々に密着したまちづくりができると思い、受験させていただきました。

N.H.さんの講評

地元民であることは冒頭に表明していますが、それ以上に「地元の、地元の」とはアピールせず、何をやりたいかという点を的確に表現しているところが好印象です。

国家総合職志望のH.W.さん

環境問題、特に循環型社会の確立に興味のある私は、それを実現するためには国民の意識改革と国の社会制度改革の両方が必要だと思っています。私は国家公務員として循環型社会の重要性や日本の現状を子どもたちに感じさせる教育を充実し、環境技術開発の研究を行う研究者の支援を積極的に行うなど国が行うべき仕事に取り組み、環境先進国と呼ばれる日本を作っていきたいと考えています。

H.W.さんの講評

人事院面接用の面接カードとしてはうまい書き方で、すきがないですね。

志望官庁はどこ？と尋ねられても、本命の環境省だけでなく、文科省、経産省でも詳しく説明できるようになっているところがニクイです。

地方上級（特別区）志望のY.T.さん

私は、就職を考える際、漠然とサービス業が頭にありました。そのような時「公務は究極のサービス業」であるという言葉に出会い、公務員に興味を持ちました。その後、最先端の行政サービスを、住民の最も身近なところで提供できる特別区職員の存在を知り、自分も○○区でその一役を担いたいと考えるようになりました。そこで、説明会に参加したところ、それぞれ特色のある区の姿や、職員の方の姿勢に触れ、さらに魅力を感じたため、○○区を志望しました。

Y.T.さんの講評

説明会参加以外に特段のエピソードがない点はちょっと寂しいですが、志望した動機を素直に表現できていると思います。「中」ぐらいの評価だと思います。

裁判所一般職［高卒］志望のS.C.さん

「当事者思い」の司法サービスの担い手になりたい

裁判所にくる方たちは、何らかの問題を抱えてくる方が多いと思います。私は法律のことはよくわかりませんが、少しでもそういう困った方たちの気持ちになれるように努力したいと思っています。「裁判所に来てよかった」と思われるような応対をしたいと思います。

S.C.さんの講評

ちょっと中身は幼いんですけれども、素直そうに感じられる点がいいところです（高校生だから許されることで、大学生がコレをパクってもダメですからね！）。

なお、最初に「見出し」を付けている点にも工夫が感じられて好印象です。

地方上級（都道府県）志望のN.K.さん

私は以下の理由で○○県を志望します。

①「県民協働型県政」や「政策総点検」などの取り組みに共感するから。

②「他の自治体や国に先駆けた新しい政策」を発信したいから。

③○○県を住み良い、ナンバー1の県にしたいから。

私は○○県をすべての人々が、安心して暮らし、活力ある県にしたいと思います。県民と接する仕事を経験し、将来的には、行政法務に関わる仕事がしたいと思っています。○○県の職員になった際には、県民の目線に立って、行政の説明責任を果たし、コスト意識とスピード感覚を持って仕事に取り組みたいです。よろしくお願いします。

N.K.さんの講評

ちょっとクサイし抽象的なところも多いんですけど、自分の主張をハッキリ書いているので好感が持てます。

合格点とまではいかないかもしれませんが、少なくとも、面接のときにちょっと突っ込んだ質問をしてやろうと思える内容にはなっています。

地方初級（都道府県）志望のE.T.さん

就職にあたっては、①幅広い業務に関わり、提案・提言していけること（そうすることで、世の中、社会に対して活力を与えていける男になりたいから）、②厳しさのある職場であること（厳しい環境の中で、切磋琢磨することにより自分の成長を実感したいから）、以上2点を重視して考えている。

貴県では、それが達成できると思い、志望した。

E.T.さんの講評

ちょっとキザっていうか生意気。でも、若い割になかなかいうジャン！

「貴県では、～」の部分がかなり説明不足ですが、欄が狭いのでしかたがないかなというところです。これも、志望動機の文面自体は荒削りですが、面接でじっくり聞いてやろう！と思える例です。

 市役所上級志望のC.Y.さん

私が○○市を志望する理由は2つあります。1つ目は、子育て支援センターの更なる充実を図りたいと考えているからです。○○市では多様なアプローチから子育て支援に取り組まれていますが、こども未来部において職業体験をさせて頂いたことにより、これらのサービスに対する需要の高さを知ることができました。このため、大学生活の中で携わってきた子育て支援活動での経験をもとに、より多くの方に満足して頂けるよう、サービスの向上に努めていきたいです。2つ目は、インターンシップに参加したことで、「自分が○○市役所で働く姿」をイメージできたからです。市民の声や反応を受け止めた上で、サービスを提供するという姿勢は、私が取り組んできた活動と通じるものがあり、仕事に対するビジョンが明確になりました。更にお世話になった職員の方々をはじめとして、「皆さんと一緒に働きたい」という思いを強く持ちました。

 C.Y.さんの講評

私個人的にはあまり高い評価ではありませんが、多くの面接官が評価する例だと思います。2つの理由が、その理由付けも含め明確に述べられている点、構成がしっかりしている点は高評価です。また、他の受験者にもよくある「職員のみなさんの感じがよく」とか「一緒に働きたい」というアピールは、一般にはあまり好まれないものですが、この例では、インターンシップの経験を踏まえているので嫌味なく受け取れます。

私個人としては、結局のところインターンシップのときの話だけから引き出されたものであること、市役所の業務は幅広いのに志望動機が子育て支援関連だけに固まってしまっているようにも感じられることがちょっと気になりました。

 市役所上級志望のK.K.さん

中長期的な視点に立った行政サービスの提供を通じて、将来世代までが安心して生活できるまちづくりに貢献したい、との思いから、○○市職員を志望致します。

○○市では、中長期計画を、予算計画の視点から実行可能であるかを重視して策定しておられます。また、単に財政支出を抑制するだけでなく、雇用・子育て・教育などの、長期的な取り組みを必要とするものには、重点的に予算を配分した計画を策定・実践しておられます。

このような、計画段階から将来のニーズや課題を踏まえた行政サービスを提供する仕事を通じ、市民の方々の生活の基盤を安定的に支えていくと同時に、○○市が、厳しい財政のなかでも長期的な視野に立った行政サービスを提供する自治体して、他の自治体に先駆けたモデルを提案できるよう、○○市職員としての業務に全力で取り組みたいと思います。

 K.K.さんの講評

もちろん、OKの部類なのですが、「そつなくまとめられた内容＝ありきたりな内容」なので、長く感じます。細かい字でたくさん書かれると読みにくいんです。この3分の2の量にまとめ直したほうがベターです。

 警察官［大卒］志望のA.F.さん

大学1年時に初めて裁判傍聴に行った際に、同じ傍聴席に座っていた被告人の家族が、終始涙を流していました。その光景を見て、犯罪は、被害者やその家族だけではなく、加害者の家族や友人たちにも大きな悲しみや苦しみをもたらすことを改めて痛感しました。そして、日本の中枢である首都の治安回復は、日本全体の治安回復につながるため、自らが警察官となって首都の治安維持の最前線に立つことで、犯罪によって苦しむ人を一人でも少なくしたいと思い、志望しました。

 A.F.さんの講評

警察官の志望動機というと、「市民の安心安全」「立場の弱い人を手助け」とか「親兄弟が警察官で」というものが多いので、このように裁判傍聴という実例から説き起こしてくるものは光って見えます（こういうことを書くと、次の年から、これをまねして「私は裁判傍聴に行って～」という人が必ず出てくるんですよねえ。本当に困ったものです……）。

志望動機として改善の余地のある例

次に、受験者からすると一見どこが悪いのかわからないかもしれませんが、面接官の評価が上がらない例、面接官の印象に残らない今一つの例を紹介します。

講評をよく読んで、何が足りなくてどこを改善すればいいのか、ポイントを押さえてください。

国家総合職志望のI.T.さん

大学に入って診療所で受け付けのアルバイトを始め、生活保護や医療問題に興味が湧き、２回生の夏にちょうど医療・介護をテーマとした学生のための政策立案コンテストに出場したことをきっかけに、日本が直面する問題の深刻さと、そうした問題から逃げずに真正面から取り組んでいくことの大切さに気がつき、あらゆる問題を他人事と思ったり、誰かのせいにしたりせずに、自らそうした問題を解決していけるような仕事に携わり、現在の、そして未来の日本に生きる人々の生活を支えていきたいと思い、志望しました。

I.T.さんの講評

区切りなしに１文ですか？ アルバイトをしていて、なぜ、どうところに興味がわいたのか、日本が直面する問題とは何なのか、その辺を具体的に書いてもらえないと評価できません。

国家総合職志望のO.K.さん

貴省を志望する理由は、経済を元気にすることで低迷する日本の国際的な地位を取り戻したいからです。なぜなら私は、中国との尖閣諸島問題に関して知日派の元米国政府高官の方々との意見交換会に参加させていただいたことがあり、近年このようなことが問題となった原因は、日本の国際的な地位が低迷しつつあるからではないかと米国の方々に言われたことで強い危機感を覚え、それを取り戻すには経済が重要であると考えたからです。

O.K.さんの講評

これで総合職は厳しいでしょう。国際的地位の低迷には、経済以外にも原因があるでしょう？ もし、特に経済に原因を絞るなら、その何がいけないのか、あなたなりに分析してください。また、それをあなたならどうやって回復させるかの道筋も語ってください。こういうことを筋道立てて構成できなければ、官庁訪問はクリアできないと思います。

国家総合職志望のO.J.さん

私は食糧問題の解決に興味があり、日本の食をより魅力的にする技術や制度の構築及び国民への啓発活動が必要だと思います。そのために私は、国家公務員として、技術の促進や食育活動などに積極的に取り組み、さらに、異業種交流の促進により新たな日本の「食スタイル」確立に貢献したいと思います。

O.J.さんの講評

論点が定まっておらず焦点がボケています。一般に「食糧問題」というと、自給率の問題や生産と消費のアンバランスの問題などを想像しますが、あなたの関心はそういうことではないようですね。あなたの言う「日本の食スタイル」とは何なのでしょう？ そしてそれは、どうしても行政がやらなければならない話ですか？

国家一般職［大卒］志望のA.S.さん

大学で法学概論を学んだことが１つ目のきっかけです。元々法律に興味があり、趣味の読書でも法律の入門書を読むなどしていました。そして決め手となったもう１つのきっかけは、弁護士会と裁判所が主催するイベントに出席し、直接、弁護士の方や、検察官の方からのお話を聞き、大変興味を引かれたことです。情報が錯綜する現代において、真実を見極めて社会貢献する仕事は、検察しかないとの確信から志望いたしました。

A.S.さんの講評

たとえ他学部出身でも、検察を志望するなら、法律の専門書を読みましょう。入門書ではアピールになりません。この部分は削除したほうがよいでしょう。最後に抽象的な話で締めるより、検察官の話のどういう内容に興味を持ったのか具体的に指摘し、検察に入ったら自分はどんな仕事をしてみたいのかを語ってください。

国税専門官志望のF.R.さん

私は、中学時代の裁判傍聴がきっかけで法のシステムや重要性を知り、法科大学院へ進学しました。そして、法科大学院での学習の中で、税金の大切さや強制徴収についての興味を持つに至り、国税専門官を志望しました。

F.R.さんの講評

１文目は不要ですよね。どういうところに興味があって、しかもなぜ学者ではなく実務に携わりたいか、その部分を書くことこそが、志望動機なのではありませんか？

地方上級（都道府県）志望のT.Y.さん

日本の縮図のように都市問題から過疎問題まで存在するため、やりがいがあると感じ、志望しました。地元の県であり、それらの問題を把握して仕事をすることがしやすいのではないかと考えたのも理由の一つです。地元の県で自分の力を活かし、役に立ちたいという気持ちも強くあります。

T.Y.さんの講評

そういう問題があるから「自分はこうしたい」の部分こそが、志望動機なのです。それが完全に抜け落ちていて「やりがい」と言われても、面接官の心には響きません。受験者がよく使う言葉ですが、安易に「やりがい」という言葉を使ってはいけないのです。結局（２度も繰り返している）「地元の県」だからなんでしょ？と思われてしまいます。

地方上級（都道府県）志望のK.M.さん

公務を通じて多く人たちの生活を支えることで、仕事に誇りを持つことができ、また家庭との両立を実現しやすい職種として、公務員を選択しました。○○では、現場の視点と、世界をリードする都市としてのより広い視点の両方を持ちながら働ける職場であり、魅力的だと感じたため、私も○○で働きたいと考えました。

K.M.さんの講評

薄っすい理由ですね。いろいろとりあえず言葉を並べてみたけれど、本音は「家庭との両立」ができそうでラクチンな公務員がいいや、というのがアリアリです。公務員に限らず、どこの職場でも、労働意欲のない人は採用しません。「働く」のは自分のため、というのは確かですが、そういう利己的な面だけではないんですよ。「人のためになる」「役に立つことできた」ということのほうにこそ、実は「働く」喜びや、幸せがあるんです。

裁判所一般職［大卒］志望のD.H.さん

法学部出身で、裁判所で裁判を傍聴したことがあることから裁判所の仕事に興味がありました。採用された後の研修制度、実務研修、語学研修や在外研究など職員としてのスキルアップができる環境、また、女性が多い職場であるということで自分にとって働きやすく、ワーク・ライフ・バランスを推進していて、長く安心して働いていけるということに魅力を感じたので、裁判所を志望しました。

D.H.さんの講評

前のものと同様。研修は、あなたのためにやっているのではありませんよ？

ここで組織の魅力を述べても意味がないのです。あなた自身の魅力をアピールする場なのだということを忘れないでください。

地方上級（都道府県）志望のH.R.さん

私は、アルバイト先の喫茶店が地域の住民同士の交流の場で、住民をつなぐ役割をしていることに気がついたことをきっかけに、今度は自分が人をつなぐ存在になりたいと考えるようになりました。また、海外留学を経験、初めて○○県以外で生活したことによって、○○県の多様な魅力を再発見し、○○県に貢献したいという思いが強くなりました。少子高齢化などの社会変化が進行し、住民のニーズが多様化していると同時に、人と人のつながりが希薄になっている今日ですが、私は○○県民の一員として、そうした“個”としての住民をつなぎ、声なき声を拾っていきたいと思い志望しました。

H.R.さんの講評

アルバイトの喫茶店で気付いたその気持ちが、なぜ自分もそういうお店を開こう、ではなく、公務員につながっていくのかわかりません。海外で魅力を再発見と言いますが、この話では、○○県でなくても、△△市でも、日本それ自体でも通用しますよね。○○県でなければならない魅力とは何なのでしょう。住民をつなぎ、声なき声を拾うために、具体的にどういう仕事をしたいのですか？　こういうことに答えてくれないと、評価が上がりません。「そこは実際の面接で聞いて！」ということなのかもしれませんが、文書内である程度は完結していないと、それはそれとして評価されてしまうのです。

地方上級（特別区）志望のM.G.さん

幼少期から過ごしてきた地域に対して愛着があり、この地域の今後の発展に手助けをしたいという強い気持ちがありました。私住む○○区は治安や生活保護受給者の増加など、問題を抱えています。これらの問題は、教育を通して解決できると現職の○○区長が主張されているので、私自身の所属である法学や、教職課程での知識や経験を活かせるのではないかと考えました。問題に対して誠実に向き合い、解決していくことで地域への恩返しになると考え、○○区を志望しました。

M.G.さんの講評

受験者によくある地元アピールですが、地元民だから採用の可能性が高くなる、ということはありません。むしろ、地元だからこそ、問題の本質をよく知っているはずだ、と厳しい突っ込みに合うはずです。この例の場合でも、地元をアピールするなら、単に現区長の主張に賛同するだけでなく、だからこそ自分はこうしたいとか、こんな考え方もある、といった記載が必要になります。また「現職の○○区長」「私自身の所属である法学」といった表現には、幼さが感じられます。「現区長」「私の学んでいる法学部」「私の専攻している教育法」としたほうがいいと思います。

市役所上級志望のK.T.さん

大学進学のために地元○○市を離れたことで一層生まれ育った○○市に対する思いが強くなりました。夏休みやお正月に地元に帰る度にホッとして、大好きな○○市の良さを活かし、改善すべき点は改善して、よりよいまちにしたいと思うようになりました。

中でも○○市の職員を志望する理由は、市の顔となり、住民と密接に関わり、住民のために尽くせるからです。また、約3年ごとに異動があり、多様な幅広い業務を経験することができますし、研修制度も充実しているため、自分自身の可能性を広げていくことができる点も魅力だと感じます。

以上の点から、私は○○市役所を志望いたします。

K.T.さんの講評

これも地元ラブしか訴えていない悪例です。地元ラブでもいいのですが、ほかの自治体に比べてどこがいいのか悪いのか、自分ならどうしていきたいか、を加えましょう。 また、後半の異動やら研修やら、自分の可能性を広げうんぬんの話は、受験者の身勝手な話と受け取られかねず、マイナス評価の対象にしかなりません。どんな仕事にでも打ち込んでいけるので、幅広く経験してみたい、程度にとどめておきましょう。

市役所上級志望のE.A.さん

私は街の発展の為、福祉、子育て、街づくりなど、多方面から社会貢献できるごとだと思い志望しました。高校卒業以来、この地域を離れて生活していく中で、この地域の人のつながり、農作物のおいしさ、自然の美しさなどの魅力に気づかされました。私の友人も、多くは、この土地を離れ、就職し、結婚をしていますが、この地域の魅力を話しています。

この魅力を活して、アピールを行い、定住者促進、観光に力を入れ、街を発展させていきたいと思います。

地方上級（政令市）志望のT.D.さん

これまでの生活で地方公務員の仕事を実際に見る機会は、引っ越しの際の手続きや、年金に関する手続きなどに限られていました。しかしセミナーや説明会に参加し、地方公務員の仕事は財務からスポーツ振興まで多岐にわたることを知りました。一方、私は学生時代の個別指導や飲食店といったアルバイトを通じ、人から喜んでもらえるところに仕事のやりがいを感じていました。地域住民の方に最も密着しているのは地方公務員だと思い、この仕事を志望しました。

警察官［大卒］志望のU.N.さん

学生時代に抱いた警察官への憧れが忘れられず、自分自身がもっと直接的に人と関わり、役に立つ仕事がしたいと思い、志望しました。人が安心・安全に暮らすことができるのは見えないところでも、犯罪抑止のために努力する警察官がいるからだと考えております。また、東京は日本の首都であり、憧れの街であるので、大きなフィールドで自分の力を試したいと思い、警視庁を志望しました。大都市東京の安全を守る一翼を担っていきたいと思います。

地方上級（都道府県・経験者）志望のW.A.さん

大学院終了後、〇〇県の雄大な自然と文化・歴史に憧れて民間の水産加工会社にIターン就職をして、4年以上が過ぎました。〇〇県民の温かい人柄にひかれて、生涯〇〇県で暮らしたいと思いました。また、〇〇県のために役立つ仕事がしたいと強く思うようになり、県職員を志望しました。県民が活気ある水産業を営み、豊かな食文化を育むため、水産資源を持続的かつ最大限に有効利用できるように、水産関係者と協働して様々な困難に立ち向かっていきたいと思います。〇〇県の水産業の維持・発展を目指し、全力で努力したいと思います。

E.A.さんの講評

あなた自身も含め、こんなに魅力的なところなのに、どうして高校を卒業後、地元を出ていったのですか？　仕事がないから？　刺激が少ないから？　ならどうすればこの町に雇用を生み、楽しいことを増やせるのでしょう？　それに行政はどうかかわっていくべきなのでしょうか。

そう。ここのところを深掘りして、さらにその行政の中で自分は「こうしたい」「これをやりたい」をというところを書くことが志望動機なのです。

多くの受験者の皆さんに足りないのが、この深掘りからのやりたいこと、の部分です。

T.D.さんの講評

結局、志望動機になっているのは最後の１文だけですよね。

前段の部分は「いろんな仕事があるのを知った」から「こういう仕事をやってみたい」「自分のこういうスキルが生かせるはずだ」と展開させていかないと生きてきません。

U.N.さんの講評

面接官は、憧れや思い込みで志望する受験者を敬遠します。こういう人は、入ってみて期待外れだと思ったら、働かなくなってしまったり辞めてしまったりするからです。なので、1文目で決定的に印象が悪くなってしまいます。これを削除し（後のほうの「憧れの街」も）、その代わりに、警察官になるためにこんなことを勉強してきた、こんなふうに体力をつけてきた、ということを加えましょう。

W.A.さんの講評

意気込みは伝わってくるのですが、なぜ、現状に満足しているようなのに、現職を辞めてまで県職員になりたいのかが不明です。県職員でなければできないこういう仕事、こういう問題点の解決ということに触れておきたいところです。

地方上級（特別区）志望のY.A.さん

私は様々な人の幅広い意見を吸収し、よりよいものにするために真剣に考え、人々の喜びを生み出していけるような仕事をしたいと考えております。学生時代に男女合わせて400人以上の自治寮で生活し、育った環境が全く異なる人たちと接することで、人と人とのつながりや、信頼関係を築き上げていくことの楽しさや奥深さを経験しました。その経験を活かしたいと感じたので、区民の方と直に接し、同じ目線に立ちながら根本的な要求を解決していける○○区の職員を志望するに至りました。

Y.A.さんの講評

典型的なエピソードの無駄遣いです。このエピソードから特別区で働きたいという理由にはつながりません。最後のところを○○県や○○市に変えてもいけちゃいそう。志望動機というのは、「どうして国家や県や市ではなく、○○区で働きたいんですか？」と聞かれているんだということをお忘れなく。

市役所上級志望のS.E.さん

私は民間企業での営業職という経験を通してより多くの人と長く深く関わり、役立てる仕事をしていきたいと考え、志望しました。企業で営業の仕事を全力で取り組んできましたが、利益優先となり、必ずしもお客様の役に立てないことがあり、限界を感じました。市役所を志望したのは、住民の意見を制度に反映させやすく、最も住民に近いところで仕事ができると考えたからです。今住んでいる○○市は迷惑自転車対策や都市計画道路の整備など街を良くしようという職員の方々の熱意を感じます。私がこれまで培ってきた相手の立場に立つ経験を活かし、市民の皆様が豊かに生活できるよう貢献したいと思います。

S.E.さんの講評

学生の皆さんによくある、知ったか民間企業ディスりよりは、実体験を伴っているだけまだましなのですが、それでも「限界」を感じた理由付けが薄いと思います。今までの会社ではお客様と会うのは販売の際の１回きりだったので、相手とより長く深く付き合っていくような仕事がしたい、とか、大量生産した規格品しか売ることができなかったので、必ずしもお客様のニーズに合った商品を提供できていなかったというジレンマがあり、相手のニーズを細かくくみ取り対応するという公務をやってみたいと思った、などといった理由付けをしましょう。

国家一般職［大卒］志望のW.F.さん

より多くの人の人生に密着して、社会のために働きたいと思ったので志望しました。

学生時代、震災のボランティアに参加し、行政の役割を強く実感しました。

その後、「社会の役に立つ」仕事として、中小企業を相手とした営業に携わりました。

一人親方や、知らなかった仕事をしている人に驚きながらも勤務してきました。ですが、あくまで会社としての付き合いであり、取引がなくなれば関係が終わってしまい、より多くの人と末永く関わってゆける仕事をしたいと考えるようになりました。

そして、震災のボランティアに参加し、公務員なりたい思いが強くなりました。

W.F.さんの講評

あなたの志望動機なら、地方公務員のほうがよくありませんか？　なぜ、国家なのですか？

市役所上級志望のZ.N.さん

公務員を志望した理由は、第一に、「人々が暮らしやすい環境を整える」という公務員の仕事に魅力感じたからです。民間企業よりも幅広い分野、幅広い人々を対象として、規模の大きな業務に関わることはとてもやりがいがあると思います。また、長期間にわたって着実に一つ一つ物事を進めていく仕事は私の適正にも合うと感じました。第二に、ワークライフバランスの実現が可能である点です。私は福祉の分野において日々学び続けたいと考えているので、スキルアップのための勉強時間の確保ができる公務員を志望しました。

Z.N.さんの講評

漢字の間違いが１つありますね。しかしそこを差し引いても、具体性がない民間ディスりの典型なので、非常に評価が低くなります。たとえば世界を股にかけて貿易をしている商社と一市役所とで、どちらが「幅広い分野」「幅広い人々を対象」「規模の大きな業務」でしょうか。冷静に考えてみてください。

次。確かに、最近は職業選択の場においてワークライフバランスを求めることは悪いことでもないし、恥ずかしくもないんだということが浸透してきました。でも、究極のサービス業である公務の場合、自分の時間を犠牲にしなければならないことだってあるんです。たとえば、地震や台風災害のときのことを考えてみてください。「そういうときはちゃんとやりますよ」と言うつもりでしょうが、そうであるならば、こんなことをここには書かないで別の前向きなことを書いておくというのが「大人の対応」でしょう。

地方上級（都道府県）志望のO.R.さん

私が公務員になりたい理由は２つあります。１つ目は、県職員である父の姿を幼いころから見てきて、父に憧れを持ったからです。私も父のように地元である○○県のために働きたいと思うようになりました。２つ目は、公務員は、倒産もなく、待遇も男女平等であるからです。私は、長期的に働きたいと考えているので、このような環境は必須だと思っています。

O.R.さんの講評

親兄弟と同職場、地元志向、待遇を気にする……。面接官が好まない後ろ向き発言をよくまあそろえたな、という感じです。当然、評価は低くなります。

国家一般職［大卒］志望のE.K.さん

父が公務員だったこともあり、幼少のころから公務員に興味を持っていたのですが、志望するきっかけったのは、高校生の時に霞が関を訪問したことです。その際、職員さんが国を背負っているという使命の下、仕事をしている姿にとても感銘を受け、民間企業ではできない、国を背負う仕事の一翼に携わりたいと思い志望しました。

E.K.さんの講評

はいはいまた来ました、親が公務員アピール、アンド、「民間企業ではできない」発言。こんなこと書かなくてもいいのに。１回チャラにして、どういう仕事を自分はしたいのか、その根本から考え直してみましょう。

国家総合職志望のU.S.さん

国民の日々の生活を支える法制度作りに貢献したい。支援を必要としている人に確実に支援が行き届く法制度の作り手の一員となりたい。そう思い、厚生労働省を志望しました。

U.S.さんの講評

これでは到底届きません。１文目と２文目は同じなので１つにまとめましょう。そのうえで、なぜそう思うようになったかを書きましょう。また、どうして厚生労働省なのかも全然わかりません。もう一度やり直しです。

市役所上級（経験者）志望のT.Y.さん

○○市の「自治体力」向上に貢献……○○市内に2030年に予定されている○○自動車道の整備で人の流れ、物流が活発になり、住環境や各種産業が注目を集めることが想定されます。「自治体力」の向上が期待される中で、私は○○市の職員として「高いレベルを維持した住み良い市」を目標とした市民サービスを展開していこうと考えました。アクセスが便利になって観光等で訪れる人たちには見所満載の観光スポットと特産品を楽しんでいただきたく「五感を満たす感動」を行政側の立場から提供したいと思い、志望に至りました。

T.Y.さんの講評

書いた本人は満足な出来なのでしょうが、読んでいるほうはさっぱりわかりません。まず、あなたの言う「自治体力」は何なのですか？　説明がないとわかりません。「高いレベルを維持した住み良い市」とわざわざカッコ付きで言うのであれば、具体的なそのビジョンを示してください。最後の部分は、観光客にとっての満足の話であって、住民の話ではないですよね。自治体職員にとって大切なのは、住民の満足です。観光客が満足することによって、住民が潤うことが大事なのです。そこを書かないと、「どっち見て仕事をしているの？」となってしまいます。

市役所上級志望のR.H.さん

大学生になり、以前よりも美術鑑賞や、市民マラソンなどの社会教育活動に参加する機会が増えました。市民マラソンでは、疲れ切った私たちランナーにとって、応援してくれる地元の方々の声援がこんなにも嬉しいものだということを感じました。私は社会教育活動を通して、学校教育だけではわからない感動や思いを得ることができ、また自分自身の成長にも大切なものだと感じました。そして、子供からお年寄りまで、あらゆる年齢層の方に社会教育を普及させ、人々の豊かな生活を支えていきたいと思いました。

民間企業にはない幅広く公平な支援や、社会教育と市民を繋ぐ架け橋となる業務がしたいと思い公務員を志望しました。

R.H.さんの講評

市民マラソンを社会教育活動に含めるとしても、そのときの声援とあなたの感動と自治体の業務がどう絡んでくるのか、イマイチ不明です。あなたが志望する自治体が社会教育活動にどのような政策で臨んでいるのかを勉強し、それに対して自分がどうかかわっていきたいのかを述べないと、志望動機になりません。

市役所上級志望のS.K.さん

地域に密着した市役所は住民が何らかの問題や不安を抱えた場合にSOSに気付かなければならない場となっていると思います。私は責任感が強く誰かをサポートし、その人のためになれること、成果をもたらすことに喜びを感じる性格です。これを市役所の職員として生かしていきたいです。

S.K.さんの講評

志望動機と自己PRを混同している例です。

ちなみに、これが自己PRの欄に書いてあったとしても、高い評価はできませんが……。

消防官［大卒］志望のI.G.さん

中学・高校・大学とスポーツをやってきて、体力には自信があり人の役に立つ仕事をやりたいため消防職員を志望しました。

生まれ育った○○市は大切な仲間との思い出をたくさん作らせてくれた場所であり、感謝の気持ちを込め○○市に貢献したいと強く感じました。やりがいと誇りをもって○○市を守っていきます。

I.G.さんの講評

スポーツ・体力・消防士、何となくワンセットのようでいて、そうではないものですから、その体力のあるあなたがどうして「消防」という特殊な仕事をしたいのかをもっと語る必要があります。

消防官［大卒］志望のN.J.さん

社会人経験7年の中で、会社の利益でなく、公の利益となる生き方がしたいと思うようになりました。

それも、己を鍛え、窮地に立たされた人の命を助け出す消防士という仕事に、公の利益としての貢献度の高さを感じました。私は社会人経験と平行してアマチュアボクシングを続けてきましたが、消防士という仕事に共通する感情を感じます。

それは、己を鍛え窮地に立たされた人の命を救い出すという正義感と使命感だと自分では捉えています。

私はこの気持ちを持って、生まれ故郷である○○のために働いて生きていきたいと思い、○○消防を志望しました。

N.J.さんの講評

読んでいて、いろいろ考えさせられました。事務職志望なら評価が低いほうになりますが、消防職志望として見れば、素直に表現できていますし、まあギリギリの線です。スポーツもやって鍛えているようだし。ただ、年齢的に本当に大丈夫か……。思っている以上に消防の業務は体を酷使しますし、一人前になるまでに年数がかかるので、そのときまで体力が持つかどうかも心配……。一個人としては悪くなくても、ほかの受験者との比較でどうなるかというところもあり……。まあ会ってみて、本人に直接聞いてみるか……という感じです。

消防官［大卒］志望のM.N.さん

災害時に助けられる側ではなく、助ける側にいたいと思ったからです。就職活動で結果を出せず、自分の本当にやりたい仕事について悩んでいたときに発生した震災を契機に、人を助ける仕事をしたいと強く感じ消防官を目指す様になりました。

M.N.さんの講評

災害時に救助活動に当たったのは、消防官だけでなく、警察官、自衛官、自治体職員など、いろいろな職種の方がいたわけですが、その中でなぜ消防なのかがわかりません。

警察官［大卒］志望のG.S.さん

私にとって警察官という職業は、危険な仕事なので、夢の職業でしかありませんでした。しかし4年程前私に娘が生まれ、「命」に対しての考え方などが変わり、それと同時に、現在している仕事ではなく、「警察官」になり、人助けたり社会に貢献したいという気持ちが大きくなり、自分自身に心から誇れる「警察官」になりたいと30歳を起えた私ですが、夢を現実にするため・背水の陣で子育て、家事、仕事をしながら頑張っています。

G.S.さんの講評

30歳を過ぎてこの日本語力は致命的です。漢字も間違えていますし、文章がつながっていません。通常であれば、子供が生まれると、より安定した危険の少ない仕事を望むのが一般的だと思うのですが、あえて危険だと思っている仕事に飛び込みたいというのであれば、それを説明しましょう。

裁判所一般職［大卒］志望のU.D.さん

大学では経営学を学びましたが、授業で法律に触れる
機会があり、法律に興味を持ちました。
大学卒業後、法科大学院に進学し、司法の世界を目指しました。
経済的事情等も含め力及ばず卒業には至りませんでしたが、
法律に携わる仕事がしたいと思い、志望しました。

U.D.さんの講評

まず、変なところで改行するのはやめましょう。これだけでマイナスです。

あなたのような理由で裁判所職員を志望する人は、それこそゴマンといます。これだけでは、何も書いていないのとまったく同じです。もっと突っ込んで「これをしたい」ということを書きましょう。

国家一般職［大卒］志望のM.T.さん

・情報に幼いころから関心があり、パソコンを扱うことが好きである。
・真面目にコツコツと、というのが好きなので事務職では自分のこの性格を活かすことが出来そうだから。

M.T.さんの講評

中途半端なところで改行するのはやめましょう。また、「である」調や、「だから」で文を切るのはダメ。この段階で評価対象外になってしまいます。

そもそも、これでなぜ国家一般職を志望するのかがまったくわかりませんよね？

警察官［大卒］志望のS.M.さん

最初のきっかけは現役警察官に声をかけられ、警察官にならないかと話をされたことです。以前から仕事関係のお客様からも言われたことがあり、自分が警察官になったら今までの経験が職にどう活かせるのか考えるようになりました。

例えば、小学校、中学校の頃取り組んでいた剣道により精神力、体力、相手の行動を予測する判断力が身に付きました。身体を張った行動や、その場の状況に合わせた判断も必要になる警察官の職務は、剣道の経験が役に立つと考えます。

S.M.さんの講評

大卒者の志望動機としては、幼すぎます。警察官に声をかけられたら、普通、職務質問でしょう（笑）。どういうシチュエーションでそうなったのかが書かれていないと、唐突過ぎます。また、「今までの経験」で「小学校、中学校」という大昔の話をされても「？」です。「警察官にならないか」とあちこちから言われるのはなぜか？　自分のどんなところが警察官向きだと思われているのか、自己分析して、それを志望動機につなげましょう。

地方上級（都道府県）志望のA.R.さん

自分が生まれ育った○○県で行政に携わり、自分がこれまで心地よく暮らしてこれたように、これからも○○県民のみなさんが安心して暮らしていける○○づくりに、そして今以上によりよい暮らしができるように尽力したいと思ったからです。 また、地方分権という時代にあって、その自治体の特色を生かした地域づくりに魅力を感じたからです。

A.R.さんの講評

10枚のうち6～7枚の志望動機はこんな感じという最も多く見かけるパターンの「ダメ志望動機」です。

このタイプの志望動機は、○○県を□□県にしても△△市にしても通じますよね。加えて「自分だからこそ」という何ものもないので何のアピールにもなっていません。

国会図書館一般職［大卒］志望のE.S.さん

国のあり方を方向付けるという極めて重要な役割を担う立法府で働きたいと考えました。また、民主主義の立法活動を考えますと、正確な情報をもとに多様な議論をすることが求められます。そして、それらは国民に対して開かれていなければなりません。こうした民主主義の理念を実現できるのは、「真理がわれらを自由にする」国立国会図書館に他ならないと考えたからです。

E.S.さんの講評

なんだか、パンフレットに書いてある単語のツギハギで作られている感じです。

しかも中身は「国会図書館の役割」であって、「あなたが志望したきっかけ・動機」にはなってないですよね？

地方上級（都道府県）志望のY.N.さん

私は“ユニバーサルデザイン”と“パートナーシップ”の基本精神のもと、社会的に弱い立場にある方を含め、県民の皆様の多様な声を汲み取り、市町村や民間団体、県民の皆様の主体的な取り組みを主役として、県政を運営しようとする○○県の姿勢に深く共感し、○○県職員を志望する。 また、地方分権、市民分権が進展する中、○○県独自の行政サービスを構築することや、地方行政、ひいては国政の新たな姿を描くことに、県の職員として、地方の立場、県民の皆様の立場から、地道な取り組みを一つ一つ重ねていきたいと考えている。

また、行政職として、多様な利害調整の中で、ミクロとマクロの両方の視点やバランス感覚を培いながら、県政に携わりたいと考えている。

地方上級（政令市）志望のH.J.さん

私は住民の方が行政のサービスに満足し、そのまちに誇りを持って暮らせるような魅力のあるまちを創りたいです。そのために、住民の方に対して直接的にサービスを提供することができる地方公務員として働きたいと思っています。

○○市は、魅力のあるまちを創るということに対して、他の自治体に比べて勢いを感じました。また様々なことに積極的に取り組む○○市の中で、自分自身の能力も高めながら働くことができる市であると思い、○○市職員を志望しました。

市役所上級志望のJ.Y.さん

私は生まれ育ったこのまちを愛しています。だから、とにかく、このまちに何とか恩返しをしたいのです。これといった産業もなく観光資源も乏しいわがまち○○は、このままでは埋没していくだけだと思います。今こそ何とかしないといけない、動き出さなければいけないまさに「その時」なのではないでしょうか。これからは官民一体となった一致団結した取り組みが絶対必要です。しかし、そのためにはまずは役所が、公務員みずからが先頭に立って変わらなければなりません。私はいち職員として、情熱でこのまちを変えていくんだ！そういう気概を持って全身全霊を傾けてまちづくりに取り組む覚悟です。

市役所上級志望のZ.M.さん

私的利益の追求よりも広く社会に貢献できる公務員の方がやりがいを感じて仕事に取り組めると思い、そして５年以上暮らしているこの○○市に愛着を感じ、この街のために働きたいと思ったからです。

Y.N.さんの講評

なんだかんだとリクツをこねくり回していますけど、意味不明です。

係り受けの関係に注意して文章をスッキリさせてほしいですね。自分だけはワカッテルつもりなのでしょうが、他人が読んでもわかるようにしてくれないと、行政官としては疑問符がついてしまいます。

H.J.さんの講評

１段落目、あなたのいう「魅力のあるまちを創」るにはどうすればいい、ということを語ってください。２段落目の「他の自治体に比べて勢いを感じ」も「こんなところに」ということを書かないといけません。それが「あなたの視点」＝面接官が評価したいところなんですよね。そこをちゃんと説明しておかないと、評価のしようがないですし、面接でもスルーされてしまうでしょう。

J.Y.さんの講評

情熱空回り系です。こんな感じだと逆にこっちがさめてしまうんです。どうしても情熱系で行きたいのなら、なんらかの提案をするとか、具体的な施策の分析をするとかしたほうが好印象ですよ。

Z.M.さんの講評

この手の紋切り型の志望動機がメチャメチャ多いんです。なぜ「私的利益の追求」にはやりがいがないといい切れるのか？ そんなにやりがいがないんだったら、ほとんどの人々はなぜ民間企業に勤めているのか？ その民間企業の活動に支えられてあなた自身これまで生きてこられたんじゃないのか？ 公務員以外の仕事は「広く社会に貢献」できないのか？……と果てしなくツッコミを入れたくなります。

そもそも志望動機とは？

バカ正直は損をする!?

センパイたちの志望動機の実例はいかがでしたか？　これらの中で、とっても素直に「尊敬する先輩がなったから」とか、「公務員である父に勧められたから」とか、「小さい頃からのあこがれの職業だったから」とか書いてあるものがけっこうありましたよね。

「だって本当にそーなんだから、別にいいジャン」「『志望動機』なんだからさ、『志望』の『動機』をそのまま書いてどこが悪いのよ」という受験者も多いと思います。確かに志望の「きっかけ」「動機」はそうだったのかもしれません。でも、冷静に考えてみてください。面接官や人事がこんなことを知ってなんの意味があると思います？

それに、いろんなことをコネクリ回して書いているようだけど、結局のところ「公務員だったら、なんでも、どこでもいいんだけど、とりあえず第1次試験が受かったのはココだから」「どんな仕事をするんだかわからないけど、地元だから」「国家公務員っていうと、格好よさげだから」「警察官ってイイ感じジャン！」っていうのが志望動機だよね、なんてものもかなりの数あったはずです。これも「本当にそーなんだから」っていうことなのかもしれませんが、面接官や人事が、こんな薄っぺらい志望動機の受験者を採用すると思います？

さらにさらに、面接の現場では、毎年数人は「ここは第二志望です」「滑り止めに受けています」「たまたま日程が合ったから」なんて面接官の前でハッキリいう受験者までいるんです。こ

講評の視点

センパイたちの実例にある講評の視点ですが、いつも同じではないということもお忘れなく。どの職種の受験者か、受験者の年齢はどうかという事情ごとに、面接官の評価の基準も変わってくるのです。たとえば、まったく同じものであっても、総合職事務系の場合と、高卒程度の警察官の場合とでは、評価の基準と結果が変わってくるのは、当然のことですよね。

まずは自己PRから!!

みなさんの中に「自己PRのところはひとまず置いといて、最初に志望動機を考えようかなー」って人はいませんか？　でも、それは無茶ってもんです。まずは自己PRのところから読み始めてください。

自己PRと志望動機はつながっていて、切っても切り離せません。「過去の自分を理解し

んなことを面と向かっていわれても、なおかつ「採用！」「どんなにコケにされても待ってるわぁ」と思う面接官や人事なんて、いるわけがないでしょう。

その一方、「○○県の仕事は～」とパンフレットに書いてある職務内容を延々と引き写して書いて欄の8～9割も埋めてあったり、「△△省の仕事は、日本の舵取り役として国益をマクロの視点から見ることができ……」「□□市は先進的な取り組みをしておられ……」とヨイショのフレーズばっかり書いてあるものもありましたよね。でも、こんな手抜きものやクサい芝居に本気で付き合えるほど、面接官や人事もヒマではないのです。

……そもそもみなさん、なんで面接官や人事がわざわざ、しかも毎年、飽きることもなく「志望動機」を聞くのか、わかっていらっしゃらないようですね。

よく考えてみてください。その官公庁で仕事をすることになる、ということは、自分とその官公庁（で働いている上司・同僚・将来の部下たち）とのかかわりが新たにできることになるということですよね。でも、面接カードや面接試験でのそのほかの質問、たとえば、自己ＰＲにしても、学生時代に打ち込んだことにしても、趣味にしても、みんな「あなた」とあなたを巡る今までの社会環境のみに関するものでしたよね。

唯一、この志望動機の質問だけが、あなたとその官公庁とのかかわりに関する質問であり、あなたがそれについてどういう考えを持っているか、今後どうかかわっていこうとしているのかをストレートに質問しているものなのです。面接官や人事は、志望動機を尋ねる中で「コイツは一緒に働けるヤツなのか!?」を真剣に判断しようとしているのです。

このことに思い至ったら、そう簡単に、おざなりに答えるわけにはいかないと思いませんか？

たうえでないと未来は語れない」すなわち「自己分析をやって、しっかりと自分のウリをつかんでいないと、志望動機に説得力が生まれない」ということなのです！

自己分析の中に眠っているもの、自己ＰＲの先につながるものこそが真の志望動機なんです!! 過去の裏づけのない、直感的に作られた志望動機なんて、はっきりいって「妄想」にすぎません。

みんな同じじゃ点数の付けようがない

いってみれば志望動機って、告白した相手から「ねえ、アタシのどこが好きなの？」、「本気で愛してくれるの？」って聞かれたのと同じなんです。この質問にテキトーに答えたりしたらフラれてしまうって、みなさんよ～くご存じですよね（笑）。

面と向かって聞かれたら「オレの目を見ればわかるじゃないか？」とか「この真剣な表情、わからないの!?」とごまかせますが、書面ではそうはいきません。いや、そういう表情や名（迷？）演技にだまされないようにするためにも「書面主義」なのです。

答えのポイントは、やはり告白した相手がその文章から「アタシのこと、本気で愛してくれてるのね！」「本当のアタシを、ちゃんとわかってくれてるのね！」という**真剣さ、熱意**と、「ちゃんとアタシたちの将来のことも考えてくれてるのねっ‼」という**誠意**を感じ取れるかどうかだと思います。キチッと書面でそれを伝えられるかということが問われているのです。

そんな恋する乙女の気分で面接カードを見てるんですけどね～。「アタシのことよく知らないくせに、思い込みだけで告白されても……」「将来的なことまで考えてもらえないなら、不安で付き合えないわ！」「この前告白してきたカレと同じセリフよ！」と、その気にさせてくれない答えばかり！　これじゃあ面接官や人事の気持ちを動かすことはできません。

みなさんは努力して答えを作成したつもりなのかもしれませんが、結果としてほかの受験者と同じ内容・中身になってしまったら、ただ欄を埋めただけ、まったく点数にはならないのです。いっちゃあ悪いかもしれませんが、これだけ試験情報があふれているにもかかわらず、個々の受験者のみなさんのレベルはそんなに高くなっていないんですよね。

●自己ＰＲと志望動機の関係

「自己ＰＲ」と「志望動機」は密接なかかわりがあるといってきましたが、あえてその2つを別々に聞かれることに理由があるという点についても気づいていただかなくてはなりません。

すなわち、前章では、自己ＰＲについて、「自分の気持ち」という側面から迫ってみました。なぜなら、自己ＰＲにおいては、ほかの大勢の受験者（Ａさん、Ｂくん、Ｃくん、……）と比較して、それぞれの受験者の個性をどう際立たせるか、どのように見せるか、アピールするかということが大切だったからです。ですから、自然に自己ＰＲにおいては「自分と他者とのかかわり」が中心の内容が求められてきます。

一方、志望動機では、このストーリーの視点が「Ａ（という特定の官公庁）と自分とのかかわり」というものに固定されている点が自己ＰＲとは大きく異なってきます。ですから、志望動機では、あなたの「思い」をなんでもかんでも語ればいいとというわけで、私はそういうみなさんの安易な志望動機づくりに警鐘を鳴らすために、『面接試験・官庁訪問の本』の中で、（志望動機は）「必ず聞かれる質問だが、期待されていない」って書いたんです。あまりに低レベルでダンゴになっているから、この「志望動機」をストレートに聞く質問だけでは区別ができないっていうことをいっているんであって、決して面接官や人事が「志望動機」自体を軽視しているわけではないんですっ！

面接試験の本番では、志望動機でテキトーな回答をした受験者に対して、「どうして民間ではなく公務員なのですか？」「どうして公務員が向いていると思ったのですか？」「どうして地方（国）ではなく国（地方）なのですか？」「採用されたとしたら、どんな仕事をしてみたいですか？」「もし希望しない部署に配属されたとしたら、どうしますか？」と面接官や人事のほうから助け船的質問をすることによって、受験者の真の「志望動機」を探ることができます。

でも、**面接カードでは、そんな助け船を出すことはできません**よね。一発勝負！　だからこそ、受験者のみなさんにとっては、面接カードは面接試験以上にキケンなのです。書類は一度提出してしまったら、自分で足りないところをフォローすることができないからです。というわけで、十分に、慎重に、志望動機を練ることが必要になってくるわけです。

逆にいえば、ほかの受験者のみんながテキトーに流しているこの志望動機のところで、ピカイチになる（ピカニでもピカサンでもいいですが）、とにかく「なるほどぉ」「ほほ〜」と思わせることができれば、一挙逆転ダントツの一番に立つことだってできるわけです。ここで頑張れば、ググッと評価が上がる可能性もある「関ヶ原」「天王山」、それが志望動機なんです。

それでは、まず「志望動機」研究の手始めとして、そもそも就職とは？というところまで立ち返って「志望動機」を考え直すことから、ジックリとやっていくことにしましょう。

いうわけではありません。常に、志望先のそのAという特定の官公庁とのかかわりを通して話を進めていかなければならないわけです。

えっとぉ、国家公務員は
まさに、わが国のお〜え〜
グランドデザインを
描くというやりがい
のある職業
であり……
チラ
チラ
あ〜 手のひらに
カンペ隠して
ますな…

まずは就職について「自分はどうしたいのか」考えてみる

何をしたいんだろう!?

私、人事をやっているからということで、友人・知人から「受験指導をして！」と頼まれることがけっこうあるんです。この間も、「知り合いのお嬢さんなんだが、オマエ、人事で採用やってるんだから、ちょっとアドバイスしてやってくれないか？」ということで、ある一部上場企業（メーカー）を志望している学生さん（某一流大学現役生）とお話をする機会がありました。私と彼女のやり取りをちょっと見てください。

私　：「なぜ、キミは○○社を受けようと思ったの？」

彼女：「そりゃあ来年は大学4年だしぃ。もう就活じゃないですかぁ。アタシ、留年とかはイヤなんですよね～」

私　：「う～ん。じゃ、もっと根本の話をしようか。なぜ、就職したいの？」

彼女：「卒業したら就職するのがフツーですよねぇ。大学院とか行くほど頭よくないし、何もしないとニートになるじゃないですかぁ（笑）。親も『働け』って言うしぃ」

私　：「ということは、積極的に働きたいというわけじゃない……」

彼女：「まー、そう言われれば、そう……。友達に、学生時代からレストランでバイトしてて、自分も将来お店を持ちたいって、もうほとんど社員みたいになって修行してる子もいるんですけどぉ、アタシはそれほどでは……。なんかこう、努力とか、熱中とかいう

●彼女の志望動機

彼女がエントリーシートに書いた志望動機はこうです。

「○○社は長い歴史の中で培った高い技術と幅広い事業展開をもとに、日本だけでなく世界の社会を支えている非常に社会貢献度の高い企業であります。私も、そのような企業の一員としてより良い社会の実現に貢献していきたいと思い、御社を志望させて頂きました。

私の「夢」は、人々の生活や社会をより良く変えられるモノを提供することで、日本だけでなく世界中の多くの人や社会の役に立っていくことです。

しかし、このような世界に影響を与える大きな「夢」を実現するためには、私ひとりの力では到底成しえません。そこで、高い技術を保有しており幅広い事業展開している○○という大きな舞台で、豊かな社会の実現に貢献する企業の一員として働

キャラじゃないんですよね～、アタシ。ちょっと自由になるお金が手に入って、アフターファイブとか楽しめて、『○○で働いています』って言うとカッコいい！ってところで働ければ、いいなぁ～みたいな」

私　:「う～ん。んで、どうして○○社の、しかも広報をやりたいってことなの？」

彼女:「○○っていえば、だれでも知ってるメーカーだし、家から近いし、親も『ここだったらいい』って言うし。別に、ど～してもココ、ってわけじゃないんですけど、なんとなくって感じで。それにぃ、広報とか宣伝とかって、華やかでいいじゃないですかぁ～。いろんな会社の人に会えるし、マスコミの人とか芸能人とも知り合いになれるってオイシイですよね～。いろいろ商品を説明したりとか、前向きな仕事ってこともあるし、アタシなにげに留学の経験もあるんで、海外にも行かせてもらえるかな？って。それにアタシ文科系の人だから、製造のこととかわかんないんで、工場とか行ってもなんの役にも立たないし、あの作業服みたいなの着るのもダサくてぇ。それに、工場って地方のイナカのほうにあるんですよね？　アタシ、ず～っと東京の本社に勤めたいから、やっぱり広報かな？と思って」

私　:「…………」

思わず絶句してしまいましたが、極端に驚いたというほどではありませんでした。なぜって、毎年お会いしている公務員試験の受験者のみなさんも、彼女と似たり寄ったりなんですもん！

すでに同じような話を耳が腐るほど聞いているんで、免疫ができているんです（笑）。

まあ、確かに面接試験の場で、ここまで赤裸々に、あからさまに話をする人はいませんよね。

でも、みなさんの場合も、気持ちはほとんど彼女と同じでしょ？

きたいと思います。

　また、中でも私は、企業と社会を強く結びつける広報として活躍していくことができればと思っています。○○は人の生活や社会を支えるような事業を展開しており、人々の生活に大きな影響を与えている分、広報という仕事はとても重要であると感じるからです。

　私は、やりがいは責任の大きさに比例すると感じます。そのような重要な仕事に挑戦することで大きな責任感を持ち、それを自分のやりがいとして励んでいきたいと思います。」

……私は、こう感じました。

①○○という会社名をほかの会社と置き換えてもそのまま通じてしまう。さらにちょっと中身をいじり変えると、公務員の◇◇県でも通用しちゃう。

②抽象的な話ばっかりで、具体例がない。受験者の顔も個性も見えない。

③どこにでもありふれている内容だし、どうしても○○社に入りたい、ここで仕事をしたいという意欲や熱意も感じられない。

「就職」の根本から考え直そう！

というわけで、みなさんももう一度、就職って何？ということから、問い直してみてください。彼女と同じような思いを持っている人も多いでしょうが、1つ、ここで考えの軸にしておいてもらいたいことがあります。それは、どんな仕事をするんでも、あなたの二度と繰り返せない人生のうちの大半、大きな割合を「仕事」に割かなければならないということです。

1日24時間のうちの8時間、実際は、通勤もして残業もしてとなると、起きている時間のほぼ7～8割を仕事に費やしている計算になります。彼女とデートしている時間、将来家族を持って子供たちと過ごしている時間、それよりも何よりも、仕事場で働いている時間のほうが長いんです！　つまり、大げさにいえば、「働いているあなた」こそが「あなた自身」なのです。ですから、そこで自己実現できないような仕事じゃ、つまらないですよね。

ですから、就職するに当たっては、**自分の能力を伸ばし、かつ、発揮できる仕事、自分を生かせる仕事**、そういった仕事は**どこにある**のか？　これを真剣に探さなければならないわけです。就職活動が目前に迫ってくるまで、そんな意識はしていなかったでしょ？　でも、就職って、あなた自身の繰り返せない一生を賭けた、大バクチなんです。もっともっと、注意を払ってください。

本当に公務員がいいのか、なかでも今受けようとしているこの試験でいいのか、そこは十分にあなた自身の心の中で突き詰めてみましょう。ということで、次の項目に進む前に、いったんこの本を置いて、あなた自身にとって「就職」とは何か、考え直してみてください。

●チェックシートで理解を深めよう

次ページ以降にチェックシートをいくつか付けておきましたので、みなさんの思考の手助けとしてください。

このチェックシートをたたき台として、その後の志望動機の作成方法をお読みいただければ、きっとイイものができると思いますよ！

チェックシート **あなたにとって、就職するとはどういう意味を持っていますか？　これから出すいくつかの質問に答えつつ、自分にとって就職とは？という考えを深めていってください。**

Q1　あなたが最も楽しいと思うとき、達成感があったと思うときはどんなときですか？

Q2　あなたにとって一番大事なことはなんですか？また、一番大切なものはなんですか？

Q3　あなたの価値観の根底にあるのは、お金？名誉？それとも？

Q4　あなたは仕事とプライベート、どちらを重視しますか？

Q5　30歳、40歳、50歳、60歳のあなたはどんなふうになっていますか？具体的に想像してみてください。

Q6　あなたは将来、どんな人間になりたいと思いますか？

Q7　あなたの思い描いている人生を実現するためには、どんな仕事をすればいいのですか？

Q8　あなたは、どこの公務員試験（民間企業）を受けますか？

なんで公務員を選んだの？

さて、どうでしたか？

私のほうから、この仕事がいいんだ！とか、人生こうあるべき！ということはあえて申し上げません。20歳を過ぎたら、自分の人生には自分で責任を持ってください。親がこう言ったから、先生がこう言うし、現職人事の大賀っていう人が公務員を勧めたから……という他人の意見に流されてはいけません。それが大人っていうものです。

ということで、「自分の将来は公務員」って思われたみなさんにさらにお伺いします。なんで公務員を選んだんですか？　まさか、「私の夢は、人や社会の役に立っていくことです」とか、「よりよい社会の実現に貢献していきたいと思い、志望させていただきました」とかいわないですよね？……えっ？どこかで聞いたことがあるって？　そう、これ、先ほどの彼女のエントリーシートの中の言葉なんです。これに「縁の下の力持ち」って単語を入れたら、「公務員志望」の受験者の志望動機の8～9割とまったく変わりなくなってしまいます（笑）。

というわけで、みなさんの考えたような志望動機っていうのは、自分では人一倍、何時間も一生懸命考えたつもりでも、実は、ほとんどの**ほかの受験者のみなさんの志望動機と同じになっちゃう**んです。

これでは、まったく差が付きません。というより、平均値以下の状態です。もう一度「なぜ公務員？」というところを練り直しましょう。そうじゃないと、「公務員は楽チンだと聞いたから」「身分が安定しているし」「まったりしてそうだから」というあなたの心の内が見透かされてしまいます（でも実際の仕事は、そんなに甘くはありませんよ!!）。

チェックシート **あなたはなぜ公務員になろうと思ったのですか？**

Q1 公務員の使命ってなんだと思いますか？

Q2 公務員って、どんな仕事をしているか知っていますか？ できるだけ数多く挙げてみてください。

Q3 あなたの思う公務員のイメージとは、どんなものですか？

Q4 実際に公務員として働いている人に、本当のところを聞いてみた感想は？

Q5 民間の仕事と公務員の仕事の違いってなんですか？

Q6 あなたの思い描いている人生を実現するためには、どうしても公務員でなければならないのですか？

Q7 あなたにとって、公務員として働くメリットはなんですか？

Q8 あなたはなぜ公務員になるのですか？

公務員の中で、本当にやりたい仕事は何？

みなさん、「公務員だったら、なんでもいい」っていう人、多くありません？　国家総合職、国家一般職、国税専門官、裁判所事務官、衆議院、参議院、東京都Ⅰ類、○○県上級……エッと、これでいくつでしたっけ？……8つ。受験者のみなさんって、だいたいこんな感じで受験されていますよね。これにさらにいくつか市役所とかプラスしたり、マイナスしたりというふうに。

たくさん受けちゃいけません、とはいいません。試験は水物ですから、体力の続く限り、機会のある限り、できるだけ数多く受験をして、合格を勝ち取るべきです。このことは、各試験の面接官や人事も、当然のこととして承知しています。

でも、面接官や人事が許せないのは、「オイオイ、その志望動機はなんなんだよぉ～。とりあえず受けてみたら筆記に受かっちゃったっていうことぉ？　ホントにこの職場で働く気はあるんかい!?」という受験者があまりにも多いこと！　合格することのみが究極の目標になってしまっていて、その後、実際に働くことまで考えが回っていないようではダメなんです。

というわけで、公務員の中で本当にどの仕事をしたいのか、受験する段階までに一度は考えてみてくださいね。どんな仕事をすることになるのかわからないまま面接試験に臨むというような愚は避けるべきです。

各種の説明会に顔を出してみる、パンフレットなどを収集してみる、OB・OG訪問をしてみるといった**努力は、受験の前の年のうちからしておくべき**です。どうしても時間がない、とか、なかなか内情がわからないという場合には、『公務員になりたい人への本』を参考にしてみてください。

公務員にでも
なっちゃおうかな～
ふあ

●合格はゴールじゃない
合格だけが究極の目標になっちゃっていて、その後実際に働きだしたら「ここって何か違う！」っていうのは、意外と多い現象のようです。ご注意あれ。

チェックシート　**あなたはなぜ○○の試験を受験しようと思ったのですか？　願書を出す予定の各公務員試験について、それぞれ考えてみてくださいね。**

Q1　あなたがその○○の試験を知ったきっかけはなんですか？

Q2　○○ではどんな仕事をしていると思いますか？　できるだけ挙げてみてください。

Q3　その中で、自分がしてみたいと思う仕事はどれですか？

Q4　自分がしたくない仕事をやらなければならなかったときでも耐えられそうですか？

Q5　実際に○○で働いているＯＢ・ＯＧに仕事の内情、職場環境、昇進などを聞きましたか？

Q6　○○で働いている５年後、10年後のあなたの姿をできるだけ具体的に想像してみてください。

Q7　○○で必要とされている能力はなんだと思いますか？　また、自分にそれが備わっていますか？

Q8　○○で働くことによって、あなたの思い描いている人生を実現することができますか？

Q9　冷静に考えてみて、自分が○○の試験に合格すると思いますか？

自分の「思い」と実際の「仕事」とのマッチング

みなさん、「したい」「なりたい」だけで就職先を決めてしまうことが多すぎるのではないでしょうか? でも、人事の現場にいると、現職の職員対応の大半が「ウチのAくん、また長期で休んじゃってるんだよぉ〜」「Bさん、また倉庫で泣いてるよ!」「Cくんは対外折衝に向かないからなぁ……っていっても、人と話をしない仕事なんて、ないよねぇ」「Dはどうもウチの課の職務が飲み込めないようだから、次の異動のときに考えてもらえませんかねぇ」という職場の上司や同僚からの相談への対応に追われているんです。

というわけで、対人関係と職務不適合、これが人事の二大懸案事項になっているんです。できれば、入ってしまってから、こういう問題で悩みたくはないですよね。ですから、仕事を探す段階から、みなさんのほうもこの問題に関心を持って、「この職場でやっていけそうか」という対人関係の問題、「自分にこの仕事ができるのか」「納得できるのか」という職務との適合性の問題について考えてみてください。

受験者のみなさんの話を伺っていると、「恋する少年少女」みたいでやってられません。冷静に分析して判断しているわけではなく、「思い込み」とか「鵜呑み」によって「ココしかない!」って決めてかかっちゃっているようです。紅顔の美少年・美少女も、いずれ熱が冷めたときには、もう転職するには遅すぎるオッチャン・オバチャンになってしまうわけで、後悔先に立たず。

受験者の段階で、冷静な目で自分の「思い」と実際の「仕事」(**職務と職種、採用区分の両面から**)とのマッチングを見極めてください。

チェックシート　あなたはここで働けますか?

Q1　その官公庁の仕事（業務・職種）に「やってみたい」と思わせる何か（魅力）がありますか？

Q2　その官公庁の仕事（業務・職種）の何が自分の性格とマッチングしていると思いますか？　自分の性格をその仕事に生かせると思いますか？

Q3　その官公庁の仕事（業務・職種）の何が自分の適性にマッチングしていると思いますか？　自分の適性をその仕事に生かせると思いますか？

Q4　今まで出会ったその官公庁の職員は生き生きとしていましたか？

Q5　その官公庁の職員は、仕事を適切・的確かつテキパキやっていましたか？

Q6　その官公庁の職員の中に、自分もこんな人間になりたいと思うような人がいますか？

Q7　その官公庁の職員からいろいろなことを学びたいと感じますか？

Q8　その官公庁の職員と、今後同僚として一緒に働きたいと思いますか？

Q9　その官公庁には学閥とか派閥のようなものはありますか？

Q10　その官公庁は一見して職場の雰囲気は明るかったですか？

Q11　その官公庁の執務室、廊下、トイレなどはキチンと掃除が行き届いていましたか？

Q12　その官公庁の受付や人事の対応に親しみを持てましたか？

Q13　その官公庁で働くことによって、自分が高められると感じましたか？

Q14　自分が実際にその官公庁で笑顔で働いている姿が想像（イメージ）できますか？

志望官公庁を絞り込もう

キミは公務員のホントを知っているか⁉

さてさて。自分はどうして就職するのか？公務員の、しかも、どこを受けるのか？ということ、整理できましたか？

ところで、その中で「どこを受ける？」というとき、チェックシートをやっていて「ウッ！」とつかえたりしませんでしたか？――「ここって、どんな仕事してるんだっけ⁉」って。

面接官・人事をしていて最も「？」と感じるのは「アンタ、ホントに仕事の内容・中身を知ってて受けてるの？」と感じることが本当に多いってことです。受験者の間では「国家総合職なら○○省でしょ！」「御三家に内定⁉イイなぁ！」とか、果ては「刑事としてカッチョよく犯人を逮捕したい！」「市役所の窓口でほのぼのまったり仕事がしたい」などとかく**イメージ先行**で、実際の仕事内容をよくわかってなかったり、「今年はここの採用人数が多そうだから受けてみるか」「とにかく地元で働けりゃなんでもイイよ」と、仕事の内容なんて一切無視で**合格のみを目的**としていたり、「ここの昇進は早いらしい」「転勤も少ないし、オイシイ手当もあるって聞いたゾ」と、事実を確認もせずにウワサやインターネットの掲示板などを鵜呑みにしたりと、間違った情報に基づいた判断で志望官公庁を決めている人が多すぎます。

せめて、自分の持っているイメージが正しいのか、本当に自分に合った職場なのか、自分のやりたいことができる職場なのかということだけでも、面接試験や官庁訪問を受験する段階までに

●説明会から個別選考⁉

公務員試験の面接試験が始まる頃には、すでに有力企業では内定を出し終わっているという

は確認しておくべきだと思います。なぜなら、面接試験・官庁訪問では、その場で「ウチに来るか」「イエスか、ノーか」と迫られる場面もあるからです。「とりあえず考えさせてください」なんて甘いことをいおうものなら、その場で即刻「では、この話はなかったことに」ということになってしまいます。

特に、人事の立場からいえば「自分の足」で情報を稼いでいない受験者が多いことに、とても不安を感じています。インターネットの掲示板、各官公庁のウェブサイト、各官公庁から取り寄せたパンフレット、受験予備校や書店に置いてある各種ガイド本……こんなところからの情報に頼りすぎてはいませんか？

でも、不特定多数の読者を想定したウェブサイトやパンフレットで、各官公庁がホンネをお話しすると思いますか？　掲示板に書き込んだり、受験予備校で指導したり各種のガイド本を書いている人の中に、実際に「今」公務員をやっていて、ナマの本当の情報を持っている人がどれだけいるでしょう？

そう考えると、みなさんの情報入手ツールはあまり効果的とは思えません。こういうところから得た不正確な情報だけで志望動機をひねり出したところで、現職である面接官や人事に訴えかける何物も出てこないのです。

というわけで、私が最もお勧めするのは、説明会とＯＢ・ＯＧ訪問（先輩訪問）です。志望動機を固める際の必須アクション。ぜひ、参加・実行してみてください。

収集した情報を整理しておこう

さて、せっかく行った説明会、ＯＢ・ＯＧ訪問ですから、これをやりっぱなし、聞きっぱなし

現状があります。また、法科大学院や公共政策大学院の相次ぐ開校により、文科系の学生も大学卒業時に就職ではなく進学を選択するという現象も増えてきました。

こういったことから、従来であれば公務員試験を受験しようと考えていたであろう学生層が、受験を手控えるようになってきています。さらに、近年の公務員削減の報道が、採用数減につながるのではないかとの懸念もこれに拍車をかけているといえるでしょう。

というわけで、各官公庁では、なるべく早い時期、すなわち公務員試験が始まるよりも前に、有望学生を「囲い込み」して受験を促すべき、という積極的な学生獲得作戦をするようになってきています。ですから、説明会には、今までお話ししてきた「学生側の選択の機会」という側面のほかに、新たに「官公庁側の選択の機会」という側面が加わってきて、さらにその重要性が高まってきているといえると思います。

気の早い官公庁では、試験の

にしておくという手はありません。そのほかにも、パンフレット、ウェブサイト、新聞・雑誌記事など、だいたいの受験者の情報源は同じようなものですよね。ですから集めた情報をそのまま放ったらかしにしていたのでは、「あなた」の血となり肉となることはありませんよ！

社会人に求められる「仕事力」のうち、いかにたくさんの情報を集められるかという「情報収集力」にばかり注目が集まりますが、実はそれよりも大事なのは、集めた情報をタイムリーに引き出すことができるようにまとめておく・整理しておく「情報整理力」なんです。

デスクの上だけでなく足元にも資料が山のように積み重なっていて、整理がつかない人、こういう職員は、たいていデキが悪いんです（なかには、こういう状況でも、必要な資料をサッと抜き出してくる天才職員もいますが、こういう人はごく少数）。

というわけで、みなさんにも、収集した情報は、記憶が残っているウチにきちんと取捨選択し、整理しておくことをお勧めします。その最も効果的・効率的な整理法は、志望する官公庁ごとに情報を一括して集約したノートの作成です。

官公庁研究ノートを作ろう

「試験前の大変なときなのに時間がかかりそう」「面倒くさい」とお思いの方も多いでしょうが、この官公庁研究ノートを作る、特にその時々の自分の思いを書きとめておくことによって、思考の訓練にもなりますし、パンフレットから拾ってきたようなステレオタイプの志望動機にならずに済みますので、ぜひチャレンジしてみてください。

まずは、説明会、ＯＢ・ＯＧ訪問に行った官公庁の数だけ、ノートを買ってきましょう。できれば、加除・差し替えができるルーズリーフ式のファイルのほうがいいと思います。ここでは、

かなり前の説明会において有望学生を探し出し、その後も緊密に連絡を取り合うというところもあるようです。本府省や各機関で行われる説明会では、単なる「説明」だけではなく、質問会、学生側のプレゼンテーション・ディベートなどの手法も導入し、実際上の「面接試験」「官庁訪問」に近いようなことも行われるようになってきています。

ですから、説明会には努めて積極的に参加するとともに、面接試験・官庁訪問に臨むのと同様の対策を練っておく必要があります。単なる説明会だからと、気楽な気分で、きちんとした服装もせず、その官公庁についてろくな下調べもせずに参加してしまう受験予定者がいますが、これは大間違いです。これでは、人事があなたに対して抱く第一印象は、大変悪いものになってしまいます。多くの官公庁では、事前の説明会であろうとOB・OG訪問であろうと、正式な面接と同じくらい厳しく、あなたを評価しているのです。

ルーズリーフ式のファイルを使った方法を説明しましょう。

志望先の各官公庁ごとに、「官公庁研究ノート」を作成します。試験の前の年の段階でしたら、とにかく説明会、ＯＢ・ＯＧ訪問を行った官公庁の数だけすべて作成してみます（その後の絞り込みについては、後ほどお話しします）。

1 今まで集めた資料、パンフレットのファイリング

説明会でもらった資料、パンフレットなどがあれば、穴を開けてファイルしてしまいます。説明会でメモを取っていますよね（エ～ッ！取ってなかったんですか！社会人になったら、メモ取りは必須ですよ！）、そういうのも書き写すか、ノートにペタペタ貼ってファイリングしておきましょう（そもそも、ルーズリーフのノートを持って説明会に行けばいいわけですよね）。

この際、説明してくれた職員・人事やＯＢ・ＯＧの名前も忘れずに書いておきましょう。もし名刺をもらえるようでしたら、これも貼っておいてください。官庁訪問の際に、役に立つかもしれません。

2 説明会、ＯＢ・ＯＧ訪問の感想を忘れずに

もらった資料は必ず読み返しておきましょう。いろいろと説明ではわからなかった部分が理解できるかもしれません。面接試験の直前になってあれこれ悩むのは精神衛生上よろしくありませんので、まだ頭に印象が強く残っているうちに、資料の中で気になった点、志望動機につながりそうな記述にアンダーラインを引いておいたり、感想を数行にまとめておいたりするとよいでしょう。「鉄は熱いうちに打て」といいますが、まだ記憶が残っているうちにこの作業をやっておくかどうかで**「生きた」志望動機**・感想ができるかどうかが決まってきます。

●同じ官公庁でも

同じ官公庁でも、総合職と一般職、上級と中級のように別々の職種を並行して考えている場合、とりあえずはそれぞれ別のものとしてカウントして、それぞれについてノートを作っておきましょう。

●名刺は自腹

民間企業の場合、会社が費用を出してくれるところが多いようですが、公務員の場合、名刺作成は自腹が原則です。最近は、自分でパソコンで作っている人もいます。

というわけで、いつもたくさん名刺を持っているとは限りません。そういうときでも、職員の名前だけはちゃんとチェックしておきましょう。

3 わからないことがあったら、どんどん人事やOB・OGに聞こう

また、どうしてもわからないことで聞いておきたいことがあったら、日を置かずに人事やOB・OGに電話やメールで（本当は、できれば直接訪問して）聞いてみましょう。人事やOB・OGのほうも、面接試験の直前になってからでは「これってなんですか?」なんて聞かれても、少しでも試験にかかわりそうな質問には答えられませんから、今のうちに。

質問事項、それに対する回答は、もちろんテイク・ノートです。

4 新聞・雑誌の記事をチョキチョキ

新聞を毎日必ず読んで、その興味のある官公庁に関係する記事（その官公庁の名前自体は出ていなくても、その官公庁の所管する事項にかかわるものならなんでも）を切り抜き、貼っていくのです。同様に、新聞だけではなく、雑誌の記事でもそうですし、インターネットを見て、各報道機関のウェブサイト、その官公庁のウェブサイトから、やはり興味のある記事をプリントアウトしておきましょう。特に、官公庁のウェブサイトの中でも、記者発表のページは、その官公庁の最新の動きがわかるので、要注目です。受験の最中は、定期的にここは見ておいたほうがいいと思います。

とにかく、なんでもかんでも情報を集めるのです。大好きなアイドルのものだったらなんでもかんでも集めたことあるでしょ？　あの熱意と集中力をもう一度！

5 白書や広報紙もチェック

その官公庁が出している白書や広報紙があれば、それにも必ず目を通しておきましょう。白書は何年分も通して読むことが理想的ですが、そんな時間と暇はないでしょうから、最新のものだけでけっこうです。その時間もなければ「白書のあらまし」というダイジェスト版もありますか

●個人情報とOB・OG訪問

サークルやゼミでは、OB・OGリストを作成しているところもあります。また、学校の就職部や校友会でリストを閲覧させてくれるところもあります。

ただ、最近では個人情報保護の観点から、名簿を作成しない、あっても閲覧させてくれないというところも多いようです。

なお、人事に登録すれば、日時を指定してOB・OGと面会させてくれる官公庁もありますので、一度人事に問い合わせてみるのも方法です。

●白書や広報紙の入手法

白書や広報紙は大学や地域の図書館に行けば見ることができます。なお、官公庁のウェブサイトにもあります（ただし、たいていPDFファイルなので、重たいです）。

各官公庁には広報課などがあって、一般の人でも自由に情報を見ることができる閲覧室を設けている場合もありますので、時間があれば、そちらをのぞいてみるのも勉強になりますよ。

ら、これを読むだけでも違います。広報紙があるなら、時間と余力に応じて最新版からさかのぼって、最大1年分程度見ておけばいいでしょう。

志望動機に使えそうな部分、ご自分が特に関心を持った部分があれば、コピーしてファイリングしておきましょう。

6 記事の感想を書き込む

ここまでは、ちょっと努力する人はよくやっていることですよね。でもここから先の努力が、ドングリの背比べから1歩抜け出せるかどうかにかかってきます。

それは、気になる記事については、必ずそれに対する自分の考えを書き込んでおくという作業です。記事をノートに貼り付けるとき、必ずその脇に書き込めるような余白を作っておくことがミソです。

「グッジョブ!」とか「なんだかな~」というのでは書き込みにはなりません。書くべきは、

- 問題・事件の背景についてのあなたなりの考察
- あなたが担当者だったらどんな施策を講ずるか
- あなたなりに考えた今後の展望

の3点です。つまり、自分がその問題・事件を担当する職員になったとしてという「**当事者意識**」を持っているかということと、物事の**過去・現在・未来を見通すことができるか**、ということをこの書き込みによってトレーニングするのです。

そんなに長いコメントを書いていたのでは、ほかの勉強をする時間がなくなってしまいますので、各ポイントについて2~3行、この程度でいいんです。継続は力なり! 頑張ってみてください。

7 その職場の雰囲気についてのコメントを書く

「仕事自体は好きなんだけど、どうも肌に合わない、ノリが合わない」ということに悩んで仕事を辞めていく人がたくさんいます。そういうことにならないためにも、その職場の風土にマッチングするか、そこの人たちとやっていけるかということについても考えておくことが重要です。

説明をしてくれた職員、OB・OGの雰囲気はどうだったか、受験申込書を取りに行ったときの人事の対応はどうだったか、職場内は整理整頓されていたか、トイレはきれいだったか、行き交う職員は生き生きとしていたか、職員食堂はどんな感じだったか……こんなところから、その職場の雰囲気や風土っていうものが肌で感じられると思います。ちょっとした機会を見つけて、実際にその建物に足を運んでみるとか、人事に用事を見つけて会いに行ってみるということで、これを探ってみて、その感想・コメントを書き付けておきましょう。

出来上がったこの官公庁研究ノートは、折に触れて読み返すべきですし、面接や官庁訪問直前にはひととおりおさらいをし、さらに面接・官庁訪問当日にも持っていき、控室で読んでおくとよいでしょう。待機中の空き時間の有効な活用にもなりますし、心の安定にもなります。

志望官公庁を絞り込もう

まず、志望先、もしくは受験してみたい官公庁を2グループに色分けします。第1グループは**「ここで働いてみたいなぁ」「どうしても!」という官公庁**、第2グループは「試験の日程が合えば受けてもいいけど、あまり興味はわかない」というグループです。

第1グループに入った官公庁については、それぞれについて官公庁研究ノートを必ず作成する

●できる範囲で始めよう

「記事の感想を書く」っていうと、なんだか難しそうと思う方もいるかもしれません。

でも、そんなに構えず、最初はちょっとしたコメントや軽い感想だけでもいいんです。少~しずつ書いていく、書きためていくという作業をすれば、思考のトレーニングと同時に文章力のトレーニングにもなります。

●絞り込みと思い詰めは違う!

絞り込みが行きすぎて、今の段階から「ココだけ!」「ココしかない!」って思い詰めてしまう受験者もいますが、これもまた、キケンです。

何度もお話ししましたように、試験は水物ですから、残念ながらそこには合格できないかもしれませんし、何度もチャレンジして、若い、貴重な何年かを費やしてしまうことにもなりかねません。

ですから、まだこの段階では、第1グループを1つだけに絞り込んだり、あまり思い詰めたりせずに、いくつかの官公庁

とともに、試験情報（日程、試験の変更点など）について常にアンテナを張ることを心掛けてください。一方、第2グループについては、官公庁研究ノートを作れるだけの時間はないでしょうから、試験情報だけの注目でもしょうがないですね。でも、試験は水物ですから、この第2グループの中からしか面接試験を受けられないという状況になるやもしれません。「気にはかけておく」程度の関心、つまり、新聞記事や関連ウェブサイトの斜め読み程度は怠りなく。

そして、その後は、自分の関心の程度、志望の動機の変更の度合いに合わせて、このグループの入れ替えを随時行ってください。それなりの情報がないと、リストアップも入れ替えもできないですよね。だからこそ、各種の情報収集が必要なんです。

官公庁研究ノートを作ってみると、ちまたのウワサが「ちょっと違うんじゃない？」「これってこうなんだぁ！」などということがわかってくると思います。「ここは……？」「どうも自分と合わない」と思うようなことがあれば、そこは第2グループに変更していきましょう。

人気度とかネームバリューなどといった「他人の目」や、「親が言うから」「先生が勧めるから」といった他人の意見に左右されてはいけません。これが最もありがちな失敗例なんです。その官公庁で**実際に働くのはあなた自身**なのですよ！

最後のキメはこれだ！

志望官公庁はあなた自身の価値基準で選ばなければなりません。だれの助けも借りてはいけません。私自身もお助けすることはできませんから、**志望官公庁選びのポイント**だけ、お話ししておきましょう。

を大まかにグループ分けする程度でいいのです。

最終的な1つへの絞り込みは、どこの官公庁から採用内定をもらうか、というときに、改めて慎重に最終決断すればいいのです。

●グループの絞り込みは早めに

だいたい試験の前の年の暮れまでに行うのがベストです。筆記試験の勉強で大変な頃ですが、その息抜きにコツコツとやっておきましょう。

①その官公庁の仕事（業務・職種）に「やってみたい」と思わせる何か（魅力）があるか

ネームバリューや世間の評判から離れて、あなた自身にこういう魅力が感じられないような官公庁は、あなたに生理的に感覚的に合っていないんです。無理をする必要はありません。あなたが作った官公庁研究ノートを見直してみて、よ〜く考えてみてください。

②その官公庁の仕事（業務・職種）が自分の性格と適性にマッチングしているか

人の先頭を切って仕事をするのが不得意なのに、「この学歴なら総合職でしょ」なんていう変なプライドだけ持って入ってきてしまった人の末路は、悲惨です。逆に、「総合職ならあんなヤツでもすぐ管理職になれるのに、一般職のオレはいまだにヒラか。やってられね〜」とふてくされながら命じられた仕事だけをこなすのも哀れな人生です。

こうならないためにも、自分にうそをつかず、かつ自分の性格・適性と実力をハッキリ認識して進路を決めてください。そして、決めた以上は、変なプライドを振りかざしたり、他人をうらやんだりしないことです。

③その官公庁の職員と今後同僚として一緒に働きたいと思うか

この「相性」は非常に大事です。ですから、志望する官公庁が決まったら、その官公庁のできるだけ多くの職員と接触してみてください。

④その官公庁で働いている自分の姿を強烈にイメージできるか

逆にいうと、イメージできない程度の情報収集しかする気がない、情報は集めてみてもなんだかイメージできないというのは、あなたの深層心理に「その気がない」ということなんです。自

●進むＲＪＰ採用

近年、民間企業では、ＲＪＰ（Realistic Job Preview）採用という方法が進んできています。

これは、説明会などで、いいところばかりではなく、あえて企業の短所や問題点まで説明したうえで入社してもらおうという考え方のことです。

最近では官公庁でも、このよ

分の気持ちを偽って就職しても、その先には不幸しかありませんよ。

これらの点を、よくよく考えておきましょう。

志望動機は使い回してもイイ？

「ウダウダいってるけど、公務員なんて、どこでもどうせやっている仕事は大して変わらないよね。志望動機は1つ考えて使い回せばいいジャン！」って思っていませんか？

でも、われわれ人事の立場からいいますと、それぞれの官公庁の面接官や人事は、プライドもありますから、「受験者のほうから切られることだけは何がなんでも避けたい！」と思っているんです。ですから、両天秤にかけているような素振りが少しでも見えれば早々に切ってしまいます。この受験者のセコい素振りが一番見えやすいのが、実は、志望動機なんです。

特に、みなさんは第二志望以下の官公庁についての志望動機までは、なかなか気が回っていないようですよね。「使い回し」であることがアリアリの場合もあります。ここでのキツイ突っ込みに一瞬でも「ウッ」と詰まってしまうと「ハイ、さようなら」。

というわけで、自分で第一志望グループに入れた官公庁についてはすべて、官公庁研究ノートを作っておくべきとお話ししたわけで、なおかつ、**志望動機もその官公庁ごとに作り分けておく**べきなのです。

それでは、具体的な志望動機の作り方について、ご一緒に見ていきましょう。

うな考え方をとるところが多くなってきています。

なお、面接カードや実際の面接で、その官公庁の「弱点」「問題点」をうまく指摘し、自分なりの原因分析や改善策を指摘できれば（これはかなり高度なことではありますが）、面接官や人事も「おおっ！」と思ってくれます。

志望動機で面接官が求めているもの

ここまでが、志望動機の準備段階です。これをもとにして、実際に志望動機を練り始めることになるわけですが、その前に、われわれ面接官や人事が受験者のみなさんに志望動機で語ってほしいと思っていることをお教えしておくことにしましょう。これからお話しすることを踏まえれば、どうすれば面接官や人事にアピールできる志望動機になるかがわかると思います。

意欲と熱意

面接官が志望動機の中で見ている最大のポイントは、この意欲と熱意です。面接官によって、本気度、やる気、一生懸命さ、真剣さ、モチベーション、目的意識など、いろいろな言葉を使って表現するでしょうが、求めているものは同じです。

なぜ、面接官はこんなにも意欲や熱意を重視するのでしょうか？　仕事というものを、スポーツの試合にたとえて考えてみましょう。その試合に勝つには、やっぱり、戦術、テクニックもさることながら、一人ひとりの選手が「勝ちたい」という思い、「一生懸命さ」を持っていることが何より大事です。この意欲というものがなければ、どんなに戦術に優れたチームでも、勝てるものではありません。これと同じように、仕事でも、それを完遂し、成果を上げるためには、戦術・テクニックと同時に、一人ひとりの職員の「思い」が重要になってくるんです。

その中の戦術、テクニックというのは、社会人の仕事でいえば要領・ノウハウみたいなものですよね。こういうものは、最初っからは持っていなくてもいい、採用してからバシバシたたき込

めばいいんです。じゃ、新人クンに求められるのは？　そう、これがこのたとえでいう「勝ちたい」という思い、「一生懸命さ」です。これを社会人の仕事のフィールドでいい換えれば、意欲とか熱意ということになるんです。

そもそも、**いろんなことに意欲とか熱意を持って取り組むという姿勢（モチベーション）を持ち合わせていない人**は、どんなに優秀な能力を持っていたとしても、その後にどんなに要領・ノウハウをたたき込んでも、**結果としていい仕事はできない**ということを、面接官や人事は骨身にしみてわかっています。

というわけで、「コイツ、社会人になってからも、頑張れるのかな？」「ひたむきに、一生懸命に、仕事に取り組んでくれるのかな？」というところを面接官や人事が判断しているのが、この意欲・熱意なんです。

さらに、「本当にウチに来る気があるのかなぁ？ほかの官公庁との兼ね合いをどう考えているんだろう？」ということも、この意欲と熱意から判断しています。

意欲と熱意は具体例で示せ！

それじゃあ、面接カードという表情や口調では表現できないフィールドで、この意欲と熱意を示すには、どうすればいいのでしょう。

その第1は、どれだけ官公庁研究をしてきたか、どれだけその仕事に関する情報を収集してきたか、ということを具体的な例を示して明らかにすることです。「思い」や熱意の背景・バックグラウンドを面接官や人事に示してあげるのです。

具体例を示せば「おぉ、こんなことまで調べたのか！彼は熱意があるなぁ」と思ってくれま

●面接の現場では意欲と熱意は態度と表情に表れる

それでは、この意欲と熱意をどこでどう表現すればいいのでしょう？　これは志望動機に限らず、面接試験のすべての場面でいえることなのですが、実際に言葉で表現している内容よりも、面接官は、あなたの表情や態度や声のトーンから、より多くのものを読み取っています。

「これって、超イイカゲン！試験なんだから、ちゃんと内容を審査してよ！」「オレはちゃんと志望動機を述べたはずなのに、どうして受からないんだろう？」という受験者の声が今にも聞こえそうです。

でも、アメリカの心理学者アルバート・メラビアンの研究によると、非言語メッセージがコミュニケーションに占める割合は93％（表情や身振りなどの視覚情報55％、声のトーンなどの音声表現38％）もあり、言葉の内容そのものは、たったの7％しかありません。これをメラビアンの法則というそうです。

たとえば、外国映画を見ると

す。その官公庁について調べるのに**どれだけ労力を投下したか、手間をかけたか**、ということ、この点に関してだけでもほかの受験者よりも時間をかけて一生懸命にやってきたのだというアピールが、そのまま熱意の裏返しになると面接官や人事は考えるのです。

面接試験の際に「何かあなたのほうから質問は?」と受験者に聞いてみると、「そんなことはネットや白書をちょっと読めば書いてあるジャン!」という程度の質問しかできない受験者がいますが、これでは完全にアウトです。もっと突っ込んで、「白書のココがわからない」とか、「○○という施策の△△という問題について私はこう考えるのですが、いかがでしょうか?」とか、さらには鋭く組織の弱点を突く質問なんかを「イヤミなく」できる受験者は◎です。この「イヤミなく」という兼ね合いが実に難しいのですが、よくよく勉強・研究したうえで、ストレートにされた質問というものには、面接官や人事も「イヤミ」を感じないものです。

さらには、その仕事をするために、どのような準備、努力（資格取得や独学・通学、リサーチ、人脈作りなど）をする必要があると感じているか、もしくは、してきたか、というのもアピールになります。これも、その仕事・業務の中身を十分に把握していないと、トンチンカンなアピールとなってしまいますので、官公庁研究がここでも重要になってきます。

第2は、これも**具体例を示して「これこれの仕事をやってみたい」とアピールする**ことです。この場合には、自己分析の結果を踏まえて、「私の○○という能力・経験を生かし」とか「△△という性格から、この仕事に対する適性があると思います」と自己PRと密接にリンクさせることが必要です。そうすれば「ほぅ。それなら確かに□□という仕事を任せられるかな?ちょっとやらせてみたいな」と面接官や人事も思います。

面接官や人事は、志望動機が曖昧だったり、やりたい仕事がはっきり答えられなかったりした

きなんかも、言葉の内容はよくわからなくても、ストーリーにはだいたいついていけるものですよね。これも、人は言葉よりもむしろ相手の「表情」や「声のトーン」で、相手の気持ちを感じ取っていることの証拠の一つです。面接官や人事は、ちゃーんと心理学なんかも勉強して、面接試験に臨んでいるんですよ。

というわけで、心の底から「ここに入りたい!」「この職場で頑張るんだ!」と思い続けてください。そうすれば、意欲と熱意が自然と態度や表情や声のトーンににじみ出てきます。

逆説的にいえば、受験者のみなさんは、第二志望、第三志望の官公庁では、「ここが第一志望です」と言葉ではいっていても、心の底ではそんな気持ちになっていないでしょう。だから、そんな気持ちも、みなさんの表情や声のトーンにおもしろいほどハッキリ出ているのです。というわけで、みなさん程度の甘チャン受験者の気持ちなんて、面接官や人事は、先刻お見通しなんです。

受験者に対しては、「記念受験かな？ 面接練習用受験かな？ それとも滑り止め受験かな？ とにかく特にウチを真剣に志望しているのではないようだな」と感じて、大きなマイナス評価をしてしまいます。

いずれにしても、これでいかに官公庁研究シートと自己分析シートが役に立つかがおわかりになったかと思います。細かい話題まで含めていろいろその官公庁のことを分析しておけば、面接官や人事を「おおっ！」と思わせることができます。この2つを縦横無尽に使って、志望動機に意欲と熱意を込めてみてください。

なお、「この子は採りたい！」という受験者に対して、念押しのために「ウチの仕事は○○ですごく大変だけどだいじょうぶ？」と一番嫌われそうな仕事を持ち出してきて受験者の気持ちを確認してくることがあります。こういう質問が飛んできたら「しめた！」と思ってください。多くを語る必要はありません。自信を持った顔つきで「ハイ。やってみたいと思います！」と答えれば、意欲が高いと判断してくれます。

求められている人材にマッチしているか

この間、ある雑誌を読んでいましたら、ある企業の採用担当者のこんな話が載っていました。

「入社したいという熱意の低い人でも、入社以降に会社に対する思いや、仕事に対する思いは出てきます。重要なのは、仕事に対してエネルギーを出すことができる人なのかどうかを、見極めることです。

一方、入社前からやりたいことがはっきりしている必要もありません。やったこともないのに、それほど強い思い込みを持つほうがかえっておかしいのではないでしょうか。

だから、第二志望、第三志望の面接のときのほうが、より真剣な対策が求められます。試験の1週間ぐらい前から、「オレはここに入りたいんだ！」「私、どうしてもここで働きたいんですぅ！」って、自分が本当にそう思えるぐらい自己暗示をかけ、演技の練習をしてください。

面接試験というのは、あなたが主役の舞台なんです。大根役者では主役になれません。

●職務内容もなんにも知らないで受験？

とにかく受かればいい、公務員だったらなんでもイイっていう受験者にはゲンナリ。

企業は優秀でやる気のある人を育てるところであるはずです。それなりの教育体制を持っているところであれば、入社したいという熱意や初めからしたい仕事が明確な人より、会社に入ってさまざまな影響を受けながらどんどん伸びていく可能性がある人を採用するはずです」

なるほどぉ。これも一面の真実！　私がこれまでお話ししてきた「熱意」支持説に対する強烈なアンチテーゼですよね。

では、こういう採用担当者は「仕事に対してエネルギーを出すことができる人」「どんどん伸びていく可能性がある人」をどういうところで判断しているのでしょう？

こんなときにも、採用担当者はやっぱり志望動機と自己PRで判断しています。まず、自己PRの中では、コンピテンシー評価型面接の手法を用いて、その人の能力診断、行動特性を判定していきます。でも、たとえ能力はあっても、その仕事に向いてなければ（マッチングしていなければ）、エネルギーも出せないでしょうし、伸びる可能性もつぶれてしまいますよね。そういう部分を、志望動機の中で判定していくんです。

マッチングの判定基準

このマッチングというところを公務員試験の面接官や人事の場合はどこで見ているかというと、まずは、その受験者がその官公庁の風土に合うかというところです。風土といういい方は非常に抽象的ですが、その官公庁（そこにいるおおかたの職員）の考え方・方針、仕事のやり方、習慣・風習など、職場全体が醸し出す雰囲気にその受験者が「なじめるか」「溶け込めるか」ということ、**その官公庁のめざす方向性と本人の志向がマッチしているのか**ということです。

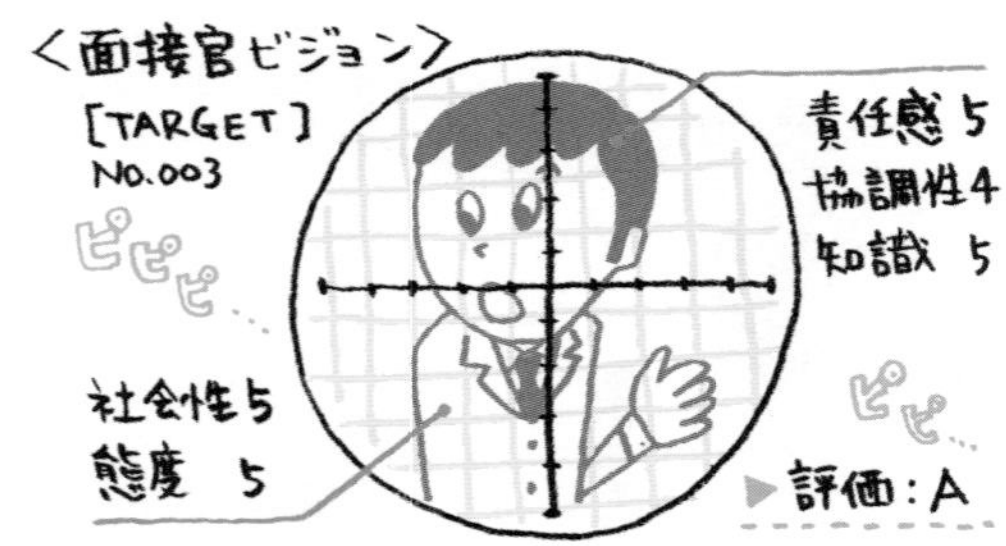

●**人事の戦略**

なお、ここで人事の悩みを一言。

人事としては、職場の現状追認だけをしているわけではありどんなに能力が高くても、意欲や熱意があると感じられても、その方向性が違っていて、その職場になじめなければ、その人の能力は十分に発揮されないし、そうやってくすぶっているうちに、職場の困ったチャンになっちゃうか、辞めていってしまう。イヤ、その人本人だけでなく、周りも引っかき回され、ペースを乱されて、職場全体の士気が下がり、仕事能率も低下していってしまうということがあるんです。つまり、その人1人だけじゃない、職場全体にもかかわってくる重大な問題なのです。

ですから、「〇〇ムラに受け入れてもいいか」という原始的にも思われる通過儀礼として、志望動機はキッチリ聞いておきたいのです。どんなに筆記試験の成績がよくても「使いづらいだろうナァ」「なじまないだろうなぁ」と思わせる人は敬遠されます。

この職場の風土との適合性があるナと思われる受験者に対しては、さらに、その**官公庁での業務遂行上要求される能力に見合った能力があるか**という点が判断されます。この能力のミスマッチ、受験者のみなさんが考えている以上にあるんです。

たとえば、今、警察官の世界で実際に起こっていることなのですが、確かに人柄もアタマもいいし、地域住民を守りたいという意欲はあるし、順法精神も高いのですが、体力・気力が警察学校の訓練についていけないとか、ちょっとすごまれるとヘナヘナになってしまうとか、そもそも人と話すのが苦手というミスマッチが増えてきて困っているそうです。これでは、どんなに訓練しても、現場に立たせることはできませんよね。

昔は、「アタマがよくて人柄がよさそうな人なら採っちゃえ！後から教育すればなんとかなる」という方針の官公庁が多かったのですが、最近では、「後で困るぐらいなら、採用はしない。それが組織のためでもあるし、受験者本人のためでもある」というふうに、各官公庁の人事は大き

ません。いいところはいい、悪いところは悪いと第三者の目をもって評価して、悪い部分を改善していく、というのが人事の最大の仕事なんです。職場風土を変える、職員の意識を改革する、というのは、現職の職員にとってはせっかくの「ぬるま湯」を意に反して変えられるのですから、相当の抵抗・反発があります。並たいていのことではできません。ふぅ～。

というわけで、現職の職員の改造計画を進めるとともに、採用に当たっては、「職場の風土をこう変えていきたい、だから現状とは必ずしもマッチングしないけれども、こういう人材が欲しい」ということも考えつつ、採用を行っているんです。

な方針転換をしています。いろいろな能力のうちでも「その官公庁が要求している能力」が備わっているかどうか、という点が主要な判定基準になっているのです。

もし、「自分には能力が欠けている。でも、どうしてもここで働きたい！」と思うのなら、それを自らハッキリ指摘したうえで、それをどうやって克服していくつもりなのか、たとえば、「貴県で活躍するには○○の能力（知識、経験）が必要だと思う。今自分にはそれが不足しているけれど、それを備えるよう、こんな努力をしている」とか「自分の弱点を克服するよう、サークル（アルバイト）でこんなことを率先してやるように心掛けてきた」などと、できるだけ具体的に、面接官や人事を説得するつもりで説明してみてください。これがうまくいけば、「現在は能力が不足しているかもしれないが、その弱点を知って克服する意欲と能力がありそうだ」と考えてくれるでしょう。

というわけで、ここでも官公庁研究ノートと自己分析シートをよく見直して、自分が本当にこの官公庁で働いていけるのか、この官公庁が風土と業務遂行上必要とされる能力の両面で、本当に自分に合っているのかを突き詰めて考えておくことが重要になるのです。そして、ほかの官公庁にない魅力を感じる点を挙げ、ほかの官公庁を差し置いてその官公庁を選んだわけを説明できるようにしておきましょう。

未来予想図

さらに、志望動機の際に、この**熱意・意欲とマッチングの両面を判定**するものとして、最近よく使われるようになってきている質問が、

「3年後、5年後、10年後、あなたはどんな人間になっていたいですか？」

●未来予想図と妄想は違う

未来予想っていうと、入省何年で係長になって、○年で海外留学して、△年で課長補佐になって、オイシイ研修を受けて

「どんな仕事人生を送りたいですか？」

というような、自分の将来を想像させる質問です。このような質問は、民間企業で多かったものですが、最近では公務員の試験でもよく聞かれるようになりました。

その理由は、自分の「キャリアデザイン」「人生展望」「ビジョン」がシッカリ描けないということは、その官公庁の仕事内容を十分に理解できていない、だからその風土もわかっていないだろうし、求められる能力もわかっていないんだろう、ということにあります。それに、仕事を離れた個々人の人生としても、人生計画や展望がない人なんて、物事を意欲的にやろうなんてしないでしょうから、どんなに学歴や人柄がよくても、社会人としての魅力が感じられないからです。

したがって、「自分はどういう人間で、なぜ社会に出て働こうと思っているのか」「自分の生きがいとはなんなのか？」「自分の理念とは何か」「自分にとって仕事とは？」ということを、自分なりにしっかり考え、自分の言葉で語れるように準備しておくべきだと思います。たとえ面接カードに書かなくても、本番で聞かれなくても、これを社会人になる前に一歩踏みとどまって考えたかどうかは、その後の人間的成長に大きくかかわってくることだと思います。ぜひぜひ、一度お考えになってみてください。

……と自分勝手な個人的利益ばかり考えちゃう人もいますが、これは妄想にすぎません。

ここでいっている「未来予想」というのは、自分の人生の目標・理念を高く掲げて、それに到達しようとする「自分自身の努力」のことをいっているのです。

それを期待するのではなく、それがかなうように努力する、そこが大切なのです。

留学したら、そちらで相手を見つけて、結婚して、子供を産んで、育児休業を取って、外国生活をエンジョイしたいです！

志望動機の考え方

「なぜココでなければならないのか」を具体的に語る

もう、ここまでお話しすれば、「志望動機」をどう固めて、どう書けば（話せば）いいかおわかりになったと思いますが、志望動機の考え方について、おさらいしておきましょう。

多くの面接カードで見受けられる「国民（住民）のみなさんのためになる」「社会に貢献できる」「みんなに喜ばれる」「みんなに感謝される」「人の役に立つ」「奉仕していきたい」「重要な仕事」「やりがいのある仕事」などというフレーズ、「そうじゃない仕事」って世の中にありますか？　民間の○○業でも通用するでしょ⁉

志望動機で聞きたいのはそんなありきたりの言葉ではありません。繰り返しになりますが、

①なぜ**民間ではなく公務員**なのか？

②自分の性格のどこが公務員に向いている、適性があると思ったのか？

③どうして**地方（国）ではなく国（地方）**なのか

④どうしてほかの官公庁ではなく、**この官公庁**なのか？

⑤自分の性格のどこがこの官公庁の仕事に向いている、適性があると思ったのか？

というどのクエスチョンにも、すべて回答できるように組み立ててください。

受験者のみなさんにはそれぞれ異なった人生、背景があるわけですから、これらのことに１つ１つ答えていけば、それだけで、異なった、独自のオリジナルな志望動機になるはずです。

●単純はダメよ！

本文のように①～⑤に当てはめなさいっていうと、

①公務員は安定しているから

オリジナルを語れ

何度もいいますが、みなさんの志望動機は、ほかの官公庁に提出しても通用するものばかり。パンフレットなどから抜き出してきた言葉を、せいぜい「さすがにそのまま書き写したらバレバレだから、順番を入れ替えちゃえ」的に作り直したものが横行しています。そんなことをしても、パンフレットはそもそも人事が企画作成したものですから、バレバレです。みんながみんなこんな感じですから、似たり寄ったりのものになってしまって、個性が感じられないんです。

対策は2つ。1つは、**ほかの受験者と同じ情報源だけに頼らない**、ということです。そのためにこそ、あなた独自の官公庁研究ノートが役に立ちます。新聞の切り抜きなどで構成される官公庁研究ノートなら、ヤッパリ同じ情報源じゃん!?と思うかもしれません。でも、ほかの受験者が漫然と見過ごし、忘れ去っていく記事の中からピックアップし、その問題点や疑問点をコメントできればこれはもう、十分オリジナルなものになるんです。見えないところで人よりどれだけ努力したかがこういうところで表れます。

もう1つは、ありきたりのパンフレット、ウェブサイトの記事に対しても、あえて反論、意見・提言を出してみる、ということです。ほとんど、というよりすべての受験者は、反論をしたり、批判的に見ることはなく、長い物には巻かれろ的に迎合したものばかりですので、陳腐になってしまうんです。あからさまにいえば、スリスリすり寄っているのがミエミエで、ウザいんです。いくら官公庁をほめてみても、自分の売り込みにはなりませんよ!というわけで、**違った切り口を提示してみる**、というのは新鮮です。でも、これは十分その官公庁のことを調べておかないとできない、諸刃の剣ではあります。

---

②自分が前に出るのではなく、後ろからサポートするのが得意なタイプなので
③地域密着型の仕事がしたいから地方で
④地元に愛着があるから
⑤正義感が強いから

ってやっちゃう人が多いですよね。ほ~ら、典型的な志望動機ができあがり!になっちゃいました。

こういう安易な当てはめをやっちゃうと、結局、またみんなと同じものになっちゃうんです。そうではなくてぇ、自分の考えた志望動機が①~⑤のどの質問に対しても対応できるようになっているかをチェックして、面接での質問にどう答えるかを考えましょう、ということなんです(面接本番とのリンクについては第3章で詳しくお話しすることにします)。

えっ!?そんなに強い気持ち(熱意)なんてないけど、イイ志望動機が書きたい!試験に受かりたい!その方法が知りたいって!?……世の中そんなに甘くはありませんっ(怒!)。

志望動機もエピソード「で」語る

志望動機においてオリジナルを語るためには、ここでもエピソード（具体的経験・体験）「で」語ることが有効になります。あなただけの**実体験を踏まえて**、それをあなたの「**働きたい」に結びつけ**られれば、最強の武器になります。

たとえば「自分は～という経験をしました、だから○○で働きたいと思いました」とか「～という体験をし、そのときに～と考えました。それで△△という職務がかけがえのないものであることがわかり、私もそのような仕事に就きたいと考えました」とか「～という経験から～を学びました。この経験で得た能力は、そちらの官公庁の～という仕事をする際にも必ず役に立つと思います」などというように、エピソードを交え、というより、そのエピソードからこういう結論となるという流れで説明することが必要です。

この「流れ」が大事ですので、志望動機に結びつかないエピソードでは意味がありません。センパイの実例の中にもありましたが、「なんでそうなるの？」というものでは無意味なのです。「なるほど！こう考えたから、ウチに来たいのね」と面接官や人事、すなわち初めてその話を読んだ（聞いた）人でも納得できるようなエピソードを慎重に厳選して、志望動機と結びつけるようにしてください。

そういう意味で、**志望動機は自己PRとも密接に結びついている**のです。ですから、この2つの質問の答えを別々に考えるのではなく、**互いにそれぞれを強く意識しながら書く**ということが肝心です。自己分析はこれら2つの質問の重要な結節点なのです。というわけで、この本の最初で自己分析シートを作成することをオススメしたのです。

●「人事のみなさんの雰囲気がとてもよく」

われわれ人事は、受験者のみなさんにわれわれの職場のよさを一生懸命アピールしようと努力しています。また、受験者のみなさん一人ひとりに対して、われわれの直接の奉仕対象たる国民として、また、将来のわれわれの同僚として、接していきます。

その結果として、受験者のみなさんがわれわれ人事に対して好印象を持っていただけるのは非常にうれしいことです。

とはいっても、志望動機のエピソードで、「人事のみなさんの雰囲気がとてもよく」って書かれても、ちょっとナァって思っちゃいます。もっと違うエピソードを見つけてください。

そういう就職活動とかとまったく関係のないフィールドで、自分が今まで経験・体験してきたことが「ここで働きたい」と結びつく、そういうストーリーを作り出しましょう。

自分という商品を売り込め

とにかく、面接官や人事という購買者に**「おっ!?」と興味を持ってもらわないと始まらない**のです。思いの丈をガンガンアピールをしてください。その官公庁で「何をやりたいか」、そしてそのあなたの「やりたいこと」がいかにその官公庁の業務全体にとってメリットがあるかを売り込まないと、面接官や人事はあなたを素通りしてしまいますよ。

公務員試験の受験者は、民間就職組の学生に比べて、アピールが下手です。その官公庁が「求めている人物像」は、なぜ評価されるのか、その理由についてよくよく分析したうえで、「あなた」という素材のよさを十分に引き立てる形で、面接官や人事に的確な情報を提供しなくてはなりません。そしてさらに、この官公庁で活躍できる!成果を上げられる!その素質がある!と畳みかけるぐらいの気迫が必要なんですよ。

ただし、官公庁側がパンフレットや説明会でウリにしていることと、実際のメインの仕事は違っているので、どこをアピールすべきかはよーく考えて。パンフレットや説明会では、とにかく受験者を引き付けたいわけですから、大方の学生が引き付けられるような華やかな、派手な、おもしろそうな部分だけクローズアップしています。要は官公庁側の宣伝戦略、イメージアップ作戦なんです。

たとえば、受験者に人気の「広報」や「在外勤務」はウリであっても、メインの仕事ではありません。広報は、その官公庁のあらゆる仕事を十分に理解し尽くした玄人でなければできない仕事ですし、在外勤務は、人材養成の一環としてやっているだけで「それをメインにしたいなら外務省を受ければぁ?」ということなんです。

どこの官公庁でも、実際の業務のコアの部分は、もっと地道な仕事。ですから、いざ採用というときには、こういった地道な仕事をコツコツこなせるかどうかというほうを評価するのです。華やかな面だけにあこがれている受験者は、「浮かれている」「チャラチャラしている」ということで×がついてしまいます。そもそも、実際の仕事のなんたるかも知らないヘナチョコ受験者に、こういった仕事を「やりたい」「貢献できる」っていわれても、ねぇ。

それから、あまりに正直に自分の弱点、能力不足をさらけ出されるのも困りものです。その素直さは認めても、そのままでは到底合格には結びつきません。それをどう克服するのか、その具体策を明示し、来年の4月（採用時）にはちゃんとリカバリーできているということを面接官や人事が信じられるように説明してください。逆にいうと、この説明のしかたが納得できるものであれば、「それじゃぁ、カレの将来性に賭けてみるか！」と面接官や人事が思うようになります。

さらに志望動機の締めとして、**自分の問題意識はなんなのか？**そのためにその官公庁に入って何をしたいのか？どんな仕事をしてみたいか？ということを語ってください。仕事を通じての「自分の夢」「自分の未来」を明確に語れていると、「若いながらもしっかりしたビジョンを持っていて、なかなかやるじゃないか！」と思ってもらえます。

なお、実際の面接試験の場で「こちらが第一志望ですっ！お願いしますっ‼」とか、「採用していただければ、私は必ずや貴省に貢献できます！」と威勢だけはいい受験者もいますが、この言葉を言う前に、面接カードでシッカリ面接官や人事の気分を盛り上げておかないと「おぉ！」とはなりませんよ。具体性の乏しい志望動機をさんざん読まされたあげくに、こんなことを訴えられても、「何をオベンチャラを言って！」とシラッ〜となるだけです。

●ビジョナリー・パーソン

今、経営学の世界では、「理念（ビジョン）のない経営では、利益も生じないし、会社もつぶれることになる」という理論が定説になってきています。こういう理念があって成功を収めた会社をビジョナリー・カンパニーというそうです。

それに引き替え、公務員の世界にビジョンはありますか？それぞれの組織に、そして個々の職員に……。

これ、非常に反省すべき点だと思います。

どの世界で働くことになるにせよ、みなさんはぜひぜひ、自

秘伝　志望動機チェックリスト

最後に、まとめとして志望動機のチェックリストを付けておきます。「もう時間がないっ！」という方は、とりあえずこれに沿って完成させてみてください。時間のある方は、一度作成してみてから、改めてこのチェックリストを参考に、見直してみましょう。

① 自分の志望がホンモノであるかどうか

- 流行とか人気だけで志望官公庁を選んでいないか。
- 志望官公庁の所掌事務（仕事内容）を正しく理解したうえで、その官公庁で自分がやりたいことを明確に思い描いているか。
- どういう人材、どういう能力がある人が活躍する官公庁・仕事なのかを正確に分析したか。
- 自分のやりたいことをその官公庁の仕事・業務に無理に当てはめていないか。
- 自分のやりたい仕事以外の部署に配属されたとしても、その仕事に打ち込めると思うか。
- 志望官公庁の業務に関心があるというだけでなく、自分が実際に日々やる仕事として興味を感じているか。
- 5年後、10年後という中・長期的な視点で、「採用後自分はこうなりたい」という夢や理想を描けているか。
- 自己分析、志望動機、キャリアプランに、他人が聞いても納得するだけの一貫性があるか。

② 志望動機の中身

- パンフレット、ウェブサイト、白書など、どの受験者でも入手できる共通の情報源だけで志望動機を作ろうとはしていないか。

分なりの理念（ビジョン）を持って行動する社会人（ビジョナリー・パーソン）になってください。

➡共通の情報源から生まれる志望動機は、表面上は官公庁の求めるものと合致するかもしれないが、その人ならではの独自性が感じられない。

●マニュアル本などから引き写した言葉ではなく、**あなた自身の素直な思いと、あなた自身のエピソード**（経験したこと、体験的に感じたこと）が込められているか。

➡生の体験から生まれたリアルな志望動機は、借りてきた言葉を並べたものよりも臨場感があり、面接官の心にも強く響く。

●**志望動機と自己PRをリンク**させているか。

➡「私の長所は○○だ」と自己PRし、志望動機では「その○○という長所を生かして△△をしたい」というふうに自己PRでアピールする自分の長所と、志望動機で話す「したいこと」をリンクさせる。なお、どちらを先に聞かれるかわからないので、志望動機➡自己PR、自己PR➡志望動機の両方のパターンを考えておく。

③志望動機の構成

【パターン1】

①なぜ民間ではなく公務員なのか？
②自分の性格のどこが公務員に向いている、適性があると思ったのか？
③どうして地方（国）ではなく国（地方）なのか
④どうしてほかの官公庁ではなく、この官公庁なのか？
⑤自分の性格のどこがこの官公庁の仕事に向いている、適性があると思ったのか？
⑥自分の問題意識はなんなのか？そのためにその官公庁に入って何をしたいのか？
⑦仕事を通じての「自分の夢」「自分の未来」は何か？

現役職員のぼやき
たとえ第一志望に入れたところで希望の仕事に就けるとは限らないですよね
希望の仕事に就けたところで3年もすりゃ異動だしさぁ
その辺も考えて決めてほしいわよねぇ

●もう一度警告！
やりたいという仕事もないけど、とりあえず試験だけ受かりたい、ウケのイイ志望動機を書きたい——こんな考えでいい志

【パターン2】
①志望するようになったきっかけ
②具体的な「したいこと」
③その志望官公庁が、自分の「したいこと」に合致していることの説明
④入省（庁）してからの覚悟（「全力で仕事に当たりたい」など）
（だいたいの人はこの決意表明がなく、「～というわけで、こちらを志望させていただきました」で終わってしまっている。）

以上、自己PRと志望動機を見てきましたが、この2つは、実は基本的には同じことを聞いているのだということがおわかりいただけたでしょうか。

自己PRでは、過去から現在までという視点で「自分はどういう経験を積んできたのか、どんな能力（アピールポイント）があるのか」を語ることが求められています。一方、**志望動機では、現在から未来・将来へという視点**で「どういう人物なのか、今後何をしていきたいのか」を語ることが必要なのです。というわけで、これらの質問は表と裏。両方を同時並行的に考察し、作り上げていきましょう。

もし、「志望動機がうまく練れない！」というときには、もう一度、自己PR・自己分析に立ち返ってみてください。自分のアピールポイントを生かせる仕事を挙げているか、自分のやりたいと思っている仕事に必要な要件を自己PRのところで語っているか、ということを1つ1つ確認していけば、頭が整理されて、イイ案が思い浮かぶかもしれませんから。

また、面接カードの下書きをひととおり書き終えた段階で、志望動機と自己PRの整合性を

望動機は書けません。どんなに本文の構成に当てはめて書いても、です。

面接官や人事は、あなたよりもずっとずっと人生経験があるのです。そんなアマチャンな心は見透かされています。

そんな気持ちでは、どんなにうまく書いたつもりでも、採用されませんよ！

ちょっとちょっと！
お役に立てなかったときは、切腹して果てる覚悟です！

チェックしておきましょう。基本的に同じことを聞いているわけですから、こっちでは積極性をアピールしていて、あっちでは慎重な性格だといっているというようにあっちとこっちでいっていることが違うというのは問題です。ついつい、それぞれ別個に考えてしまっていて、整合性を考えずに提出しちゃう受験者が多いようですから、くれぐれも注意しておいてください。

なお、何度も繰り返していることですが、自己PRも志望動機も、必ず、友人でも家族でも就職部の人でもだれでもいいですから、複数の人に見てもらい、添削を受けてください。一度「他人の目」に見てもらうこと、**第三者の評価を聞く**ことによって、自分では気がつかなかった論理破綻や抜け落ちが判明するものです。

さて、ここまでで、「自己PR」と「志望動機」という面接カードと実際の面接試験での二大テーマを押さえてきました。「けっこう、大変だったナァ」「実際にこれを丁寧にやるのは難しいジャン！」とお思いになったかもしれませんね。でも、この本をここまで読んできてくださったみなさんなら、だいじょうぶ！　自分で考えるとするとかなり時間がかかるうえにテクニックも必要とされる組み立ての部分は、もうこの本でバッチリなんですから、それに乗ってご自分の思考を展開していけばいいんです！

あとは、それをどう面接カードに書いていくかです。あれっ？「書いていくか」って、もうさんざん書き方についてお話ししてきましたよね？「何を今さら？」――そう、今までお話ししてきたのは書く「内容」についてでした。「これだけで十分？」――いや、実は、書類の評価では「見場」とか「見栄え」というのが非常に重要な要素になっています。では、次の章で、具体的な書類の作り方、見栄えのする受験申込書・面接カードの作成のしかたを見ていきましょう。

第3章

受験申込書・面接カード（訪問カード）の書き方

そんな書き方でだいじょうぶ!?　実は
受験申込書や面接カードなど書類では
中身だけでなく形式・書き方もチェック
されます。みなさんはオ・ト・ナの
ジョーシキわきまえてますか?

みんなが気づいていないホントのこと

公務員試験のヤマ場は筆記試験!?

受験者のみなさんは、筆記試験の勉強「だけ」を一生懸命やっておけば、きっと試験でいい結果が出ると思い込んでいるようです。でも、本当にそうでしょうか？

筆記試験では、全問正解する必要なんて、さらさらないですよね。3割ぐらい間違えても、十分合格できちゃいます。ノーミスなんて考えられないし、考えなくてもいいんです。でも、その一方、受験申込書や面接カードでは、たとえば誤字・脱字など、たった1つのミスでも面接官や人事の心証を大きく害して、×を食らってしまうこともあります。それこそ、たった1つのミスが命取りになってしまうんです。それに、筆記試験の成績がちょっとぐらい悪くても、受験申込書や面接カードでと面接官や人事に「おおっ！」っと思わせることができれば、一発逆転で内定を勝ち取ることだってあるんです。……そう考えると、ホント**提出書類はオソロシイ！**

筆記試験の成績を1点上げるには、かなりの時間と大変な努力がいりますよね。それに比べて、提出書類の書き方は、これからお話ししていくことのポイントさえ飲み込んでいただければ、そんなに時間と労力を必要とするものではありません。

それなのに、みなさんは、まだ「書類対策なんてムダ！あんなのはテキトーに書いて出せば十分！」なんていうの!?

●**モノがそろえばいいってワケじゃない!!**

受験申込書や面接カードなど、「とにかく中身を書いて出せばいいや」的な安易な受験者が多すぎです！この章でキッチリみなさんにお灸を据えていきますが、公務員受験者はこの点について、民間志望者に比べて、あまりに「無策」で、かつ「無神経」です。

毎年数十億円の買い物って何？

ここに、受験者のみなさんが気が付いていない、面接官や人事の意識との大きな違い、ギャップが潜んでいるんです。

われわれ面接官や人事の立場からすると、

「筆記試験の勉強？それぐらいの勉強はできて当たり前ジャン。ちゃんと学校で勉強していれば、フツーにできる程度のことしか出題してないもんね。それよりも、というか、それは当然の前提として、さらに、**『コイツはどんなヤツなんだ？どれだけ仕事ができるんだ？』**ということのほうがずっとずっ～と大事なんだよね！　だから、あらゆる機会をとらえて、そこんとこ、よ～くよく見させてもらうよ！」と思っているんです。

なにせ、1人、約3億円！……ン？なんの話ですかって⁉　実は、これは職員1人当たりの生涯獲得賃金の総額なんです。公務員の給料って、安いっていわれてますよね（……確かにそうなんだけど……）。でも、毎月の給料、ボーナスを積み上げると、採用から定年退職までの総額は、こんなになっちゃう！　宝くじの1等賞レベルの額なんです。

それに、実はこれだけではなく、その職員1人にかける研修費用、雑費、その他もろもろを加えると、もっともっと使われる税金が増えるわけです。

というわけで、人事や面接官にとって、毎年の職員の採用というのは、何十億円もの買い物をするようなものなのです。それも、ほんのちょっとの筆記試験と、あっという間の面接試験で！

ですから、**面接官や人事も相当に真剣**になるんです。

知らないうちにキミは見られているんだ！

人事はあらゆる機会をとらえてキミを丸裸にする！

というわけで、面接官や人事は、受験者と直接顔を合わせる面接試験では当然のこと、それ以外にも、面接試験会場外の**控室などでの態度**はどうだったか、**面接カードの内容**はどうか、**第1次試験会場**では何かあったか、どんな**願書**を送ってきたか、**説明会**ではどんな感じだったか、**人事の若手の評価**はどうなのか、……などなど、ほんの少しの情報、エピソードでもかき集めて、その受験者の人となりを**徹底的に分析**するのです。

あなたが面接官の前で緊張しながら「はじめまして」といっている頃には、面接官や人事の間では「○○くん、よー来たねぇ。今日まで頑張ってきたね！」とか「ん〜、面接カードのデキはイマイチだったんだよねぇ」とウワサされていたり、場合によっては、もうすでに面接官や人事の間で「□□くん」「△△ちゃん」とアダ名やニックネームまで決まっていたりするんです。

ですから、どんなときも気を抜いてはいけません。また、面接カードのほんのちょっとの記載ミスで「こんなことじゃ、社会人になったら通用しないゾ！」と判断されてしまいます。みなさんが注意を払っていないようなこと、予備校などの受験指導でもまったく触れられていなかったようなところにも、実は面接官や人事は徹底的に目を光らせているのです！　お忘れなく!!

ファーストコンタクトは実際に会う前に済んでいる

なかでもみなさんが気づいていない、そして無神経にやり過ごしてしまっているのは、受験申込書（願書）、面接カード、訪問カードなどの提出書類なんです。

「ど～しよ～かナ～。ま、ここも受けとくか。ちょちょっと書いちゃえ！」と慌てて出した受験申込書、「エーッ、提出期限まで、もう時間ないジャン！とにかく用意してたのをささっと書き写しちゃえ！」と殴り書きした面接カードや訪問カード、これらの文書も、実は、面接官や人事の間では非常に重視されているのです！

面接の指導書や講座で、よく、「面接では、第一印象がとっても大事！だから、最初の数分間は特に注意しましょう」っていわれますよね。確かに、心理学の研究によると、第一印象が決まるまでの時間はほんの3～30秒にすぎないといわれています。これに対し、その第一印象の記憶は、なんと、最低でも約3年も心に残っているのだそうです。というわけで、第一印象は非常に大きなキーポイントです。気を抜いてはいけません。

でも、ちょっと待ってください！　面接試験の前に、われわれ面接官や人事は、実は、すでにみなさんとファーストコンタクトを取ってしまっていますよね！　そう、受験者のみなさんが「本番！」と思い込んでいる面接試験のずっと前の段階、みなさんから提出された受験申込書や面接カード・訪問カードを読むことによって、面接官や人事の心の中で、この大事な大事な「第一印象」が作り上げられてしまっているのです！　**提出書類は、実はプレ面接**なんですね！

この段階から細心の注意を払っている受験者のみなさん、いらっしゃいます？

●面接官や人事の心にもある「初頭効果」

第一印象というものは、つき合いが長くなってもなかなか変わりにくいですよね。

これは、いったんある人の印象を自分の気持ちの中で作り上げてしまうと、その人について、その後は無意識的に、自分の下した判断が正しいことを証明するような情報を選択的に集めるようになるからだといわれています。これを心理学では「初頭効果」と呼んでいます。

面接試験でも、テキトーに書いた書類で第一印象を悪くしていると「アイツはテキトーなヤツだ。ほら、やっぱり回答もシドロモドロでダメじゃん！ハイ不合格！」って面接官や人事の気持ちもマイナス方向に引っ張られてしまいます。

逆に、書類で印象をよくしておくと「あの子は書類の印象よかったよね。……う～ん、なんだか回答がシドロモドロだけど、今日は体調でも悪かったのかな？ま、合格！」とプラスの方向に引っ張られがちになるのです。ん～、オソロシイ。

書類はどういうふうに使われる？

意外に多い提出書類

受験者のみなさんが合格・採用内定までに提出しなければならない書類・文書（紙媒体だけでなく、メールやインターネット申込みで書いた文章だって、これに含まれますよ！）って意外と多いんです。

まず、受験しようかどうかと思いつつ、受験案内やパンフレットを取り寄せますよね。このとき、人事に直接、資料請求の手紙と返信用封筒を送ったりします。なんの気なしに送ったこの手紙や封筒なんかも、いってみれば人事が目にする「書類」ですよね。

それから、受験申込みのとき。受験申込書を提出しますよね。この受験申込書にも、国家総合職・一般職などのように住所氏名など最小限のものだけ書けばいいものから、志望動機や自己PRまで書かなければならない民間企業のエントリーシートのようなところまでいろいろあります。この受験申込書やその封筒も、インターネット申込みで書いた文章もみんな「書類」です。

次に面接試験や官庁訪問のとき。このときには面接カードを書かなければいけません（事前に郵送で面接カードの送付を求められた場合には、またしても、その封筒も）。

そのほかにも、説明会に出席した際に書かされるアンケートとか、面接試験や官庁訪問時に書かされるちょっとした書類、さらには筆記試験の答案などなど……。こうやって数え上げてみると、人事（および面接官）が目にする受験者の提出書類って、けっこう多いんですよね。

8さんは返信用封筒に切手がなかったし、受験申込書もスゴく汚いですよ！
コーヒーこぼしてます！
いくら筆記の成績がよくてもねぇ…

なんでもかんでも保存される

提出された受験申込書や面接カードだけではなく、たとえば、受験案内の請求の封筒・メールや、受験申込書の封筒・インターネット申込みのデータなども、人事は保管しています。というのは、郵便物・メール等が届いた届かないという問題が生じたときの証拠として残しておくという側面が第一なのですが、最後の最後、最終面接に残った受験者については、その**封筒・メール等の書き方などまでちゃ〜んと確認する場合もある**からです。

もちろん、説明会のときのアンケートなど（インターンシップの経験がある人の場合は、そのときの資料まで）も、なんでもかんでも、その受験者の「人物像」を探ることのできる資料としてファイリングしています。人事はかな〜りシツコイんです！（笑）

晴れて採用になった後も、採用活動の際に提出された資料はすべて、受験申込書（脚注のような官公庁の場合）も、面接カードも、内定者履歴書も、内定者アンケートも、健康診断書も、出身校の卒業証明書・成績証明書も一切合切、筆記試験の成績や面接試験の採点表まで全部まとめて、人事課の倉庫に保管されます。

そして、その職員が退職するまで、これらの書類は保管され続けるのです。もちろん、個人情報なので、マル秘中のマル秘、人事課でも限られた人しか見ることはできないのですが、あのいかめしい顔をした局長のアドケナイ写真を見ることだってできちゃうんです。

かくいう私の記録もすべて残されているわけで、将来あなたがわが官庁に入って、任用係に配属されたときには、「大賀はエラソーなことを本で書いていたけれど、アイツの面接カードも大したことないジャン！」といわれるかもしれませんね（ハズカシィ〜）。

●人事院実施試験の特殊性

国家総合職・一般職・専門職など、人事院が試験を実施するけれども、採用はそれぞれの府省が行うという試験もありますよね。こういった試験の場合には、試験時に受験者が提出した資料（たとえば受験申込書や人事院面接時の面接カードなど）や答案類は人事院が保管するだけで、官庁訪問した府省や採用内定した府省に渡ってしまうということはありません。

一方、同じ国家公務員の試験でも外務省専門職員や裁判所事務官の試験など独自に実施している場合や、都道府県・市町村の試験の場合には、本文で書いたようにそれこそ受験申込書から筆記試験の答案までなんでもかんでも保管されることになります。

面接官はすべての書類を見ている

先ほど脚注でもご説明したように、国家総合職・一般職試験など人事院が試験を実施するけれども採用はそれぞれの府省が行うという試験の場合は別として、その他の国家公務員試験や各都道府県・市町村などの採用試験の場合は、面接官は、面接カードだけではなく、受験申込書も見ていると思って間違いありません。

受験申込書と面接カードの記載内容に違いがあった場合には、「受験申込書にはＴＯＥＩＣ®６５０点と書いてあったのに、面接カードでは６８０点になっていますが?」というふうに、必ず突っ込まれます。今の例のような場合なら「その間に試験を受け直して、スコアを上げました」というと格好いいアピールになりますが、「なんだか、受験申込書と面接カードでいってることが違ってるんじゃない?」というものや、単なる書き間違いだったりすると、かなりイメージダウンになってしまいますので、要注意です。

というわけで、どんな書類でも提出しなければならないものについては、必ず提出前にコピーを取っておき、次に書類を提出する際には、前に提出した書類と**整合性がとれているかを確認**しておく必要があります。

さらに、驚かれるかもしれませんが、不合格者の提出資料も、官庁訪問・面接試験までたどり着いた受験者についてはすべて、数年間は保管してあります。わが官庁では、3年分は必ず保管しています。この3年という数字に確たる根拠はありませんが、現役生が1回公務員試験留年し、さらに大学院に行ったとしたら、まあ3年でしょ、っていう感じです。

というわけで、何年か続けて面接まで進んだ受験者の場合は、去年の分、一昨年の分……と

●すべてのことにはなんらかの意図がある!

「○○の書類を出してください」「△△も同封してください」「郵送で」「速達で」「メールで」「持参で」「○日までに」「人事課の□□宛で」「△時までに」など、書類の提出に当たっても、いろいろ条件が付けられることがありますよね。

実はこれらのことにもすべて意味があるんです。いわれたとおりの内容の書類を作成できるか、手段や期限を守れるか、これらはすべて、実際の仕事をしていくうえでもそういうことがいわれたとおりにできるのか、守れるのかという観点から厳しくチェックされているのです。

官公庁側は、どんな些細なことからも、あなたについての有益な情報を引き出そうと虎視眈々とねらっているわけで、なんの意味もなく、ただ適当に書類を提出させているわけではないのです。この人事の側の作戦(意図)を読んで行動しないとイタイ目に遭うことになります!

過去の提出資料もすべて取りそろえられているのです。確かに、面接官は「その年のその面接」の資料（面接カード）だけをもとに判定するのが原則ですから、人事課外から選任された面接官には、そのような他事考慮となる過去の資料を渡したりはしません。

とはいうものの、面接官の中にはわれわれ人事も入っています。人事が面接官に入っているというのは、ほかの面接官とは異なった視点で判定することが期待されているからです。したがって、われわれ人事のほうでは、そういう過去のものも今のものもすべてを見比べて、その受験者の成長の度合いを見るということも一つの判定材料になります。去年の志望動機と今年の志望動機に矛盾はないか、自己ＰＲではどうか、この1年で彼（彼女）はどれだけ精神的に成長したかということがチェックされます。

当然、同じ府省に総合職と一般職の両方で官庁訪問をした場合には、後から実施される一般職の官庁訪問の際には、総合職のときの面接カードも参考にされていると思ってください。なお、聞いた話ですが、同じ官公庁で違う職種の採用試験を実施している場合にも、やはり参考にされているようです。

といったわけで、たとえば、わが官庁では、面接の段階まで進んできた受験者については、過去の提出書類や評価などをすべて詰め込んだ個人ファイルを作って、どんなときでもすぐに引き出せるようにしています。そして、受験者のみなさんが提出した各種の書類は、あらゆる方面から徹底的に分析され、それはもう**「骨の髄まで」しゃぶり尽くされている**のです。

民間志望の学生さんは、ある程度この辺のところまで配慮しているようですが、公務員試験の受験者は、まったくそこまで気が回っていないようです。ご注意を！

プレ申込み段階での書類（手紙・メールのルール）

では、プレ申込みの段階、受験申込書の記入、面接カードの記入というふうに順を追ってステージごとの書類の書き方を具体的に見ていきましょう。まずはプレ申込みの段階です。ここでは、申込書類（受験案内、受験申込書、パンフレットなど）の入手や説明会の申込みなどに当たっての、手紙やメールの書き方について焦点を当てて検討していきます。

申込書類の入手や説明会の申込みは、実際に直接人事課に行って手続きをするという方法もありますが、ほとんどのみなさんは、郵便やメールで済ませてしまいますよね。でも、この手紙やメールの出し方、内容が本当にヒドイ！

手紙・メールの出し方は社会人のキホンのキ

まだ本当に受験するかどうかもわからない、それをどうしようか決めるために、とりあえず受験申込書とかパンフレットを送ってください、ということでメールで問い合わせたり、返信用封筒を人事に送る場合がありますよね。

「こんなときからもシンサされてるのぉ⁉」と思うかもしれませんが、実は、そうなんです。確かに、不特定多数の受験者（候補者）からドッと請求されますので、ぜ～んぶはチェックしきれません。とはいうものの、人事の担当者がいちいちメールチェックをしたり、手作業で1通1通返信用封筒にパンフレットなどを入れて送り返すわけですから、全部がなんらかの形で見られているわけです。そのときに「なんだかナァ？」「こいつはアヤシイ！」という奇人変人の部類は要チェッ

●**書類を手に入れたらとにかくコピー**

試験関係の書類は、何部も請求できるわけではありませんから、なくしてしまったら大変です。入手したら、とにかくコピーしておきましょう。

●**情報収集はネットの世界にも！**

5ちゃんねるやヤフーなどインターネットの掲示板についても、面接官や人事は当然のことながらキッチリ見ています。かつて、ある受験者にだけしか話していなかった話題が掲示板で出ていて、「ああ、あの子が書いたな」ってわかったこともあります。

また、面接の段階までくると受験者の数も相当絞られてきていますので、個々の受験者の氏名などでググって（グーグルなどで検索して）います。

受験者本人がインスタグラ

クボックス（別名・ブラックリスト行きボックス）に取っておくのです。いずれ、面接試験まで進んだときに、こういう所業の数々をしていたというマイナスの例証になります。

なぜかって？　それは、もし採用されたとしたら、仕事上手紙やメールを出すことがありますよね。そのときに、上司や人事が手紙やメールの出し方までいちいち指導しなきゃならないことになったら、たまらないわけです。正直、やってられない。そんな社会人としてのキホンのキ、いや、大人としての当然の常識は、**就職前にわきまえていてほしい**んです。

「筆記試験」や「面接試験」では、この手紙やメールの出し方なんて出題・審査できませんから、こういう機会をとらえて、きっちりチェックしているのです。

なお、この手紙やメールの出し方だけではありません。受験者のみなさんは「筆記試験」「面接試験」の「試験」の部分だけが純粋に審査の対象になっていると思っていますよね。確かにそうです、表面上は。でも、われわれ人事のほうは、「社会人としての常識をわきまえているかどうか」もいろんな場面で見ていて、最終的に採用するか否かの判断材料に加えているんです。たとえば、このようなメールや手紙の出し方だけでなく、「筆記試験」や「面接試験」の前の休憩時間の態度や、さらには説明会のときの態度などなど、およそその受験者に関する集めうる限りの情報を集めて総合的に判断するのです。

おぞましい！受験者の手紙やメールの実態

では、どんな手紙やメールが要チェックボックス行きになるのか、見てみましょう。最近では、特に手紙を出す機会が少なくなったからか、こっちのほうがメチャクチャです。手紙、メールの順で見ていきますね。

ム、X、フェイスブックをやっていたりとか、サークルやゼミなどいろいろなホームページに記録や行動が載っていたりしますので、こんなところからも情報を収集しています。

封筒の書き方

123－4567
△△県人事委員会職員課 御中
△△県△△市△△一－二－三
受験案内請求

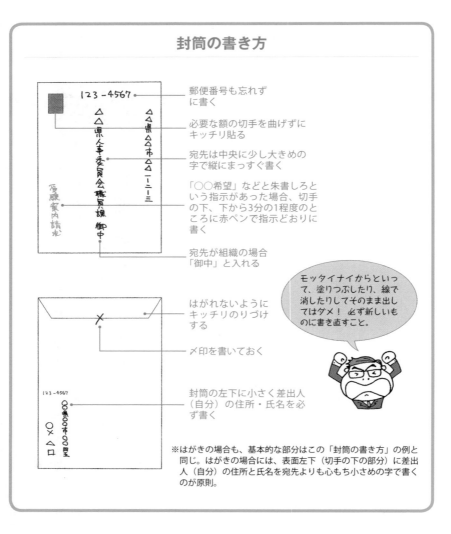

郵便番号も忘れずに書く

必要な額の切手を曲げずにキッチリ貼る

宛先は中央に少し大きめの字で縦にまっすぐ書く

「○○希望」などと朱書しろという指示があった場合、切手の下、下から3分の1程度のところに赤ペンで指示どおりに書く

宛先が組織の場合「御中」と入れる

はがれないようにキッチリのりづけする

〆印を書いておく

123－4567
○○県○○市○○町
○× △口

封筒の左下に小さく差出人（自分）の住所・氏名を必ず書く

モッタイナイからといって、塗りつぶしたり、線で消したりしてそのまま出してはダメ！ 必ず新しいものに書き直すこと。

※はがきの場合も、基本的な部分はこの「封筒の書き方」の例と同じ。はがきの場合には、表面左下（切手の下の部分）に差出人（自分）の住所と氏名を宛先よりも心もち小さめの字で書くのが原則。

●封筒や切手がヘン

どこかの会社や官公庁の名前の入った封筒を、こういうことに再利用して使うのはいかがなものでしょう。また、キティちゃんやポケモンなどのキャラクターが入った封筒を使われると、「アンタ、いくつ?」と思っちゃいます。どういう考え？　さらに、不祝儀用の切手が貼ってあったりなど、もう、オジサンには理解不能の世界……。

鉛筆またはカラフルな色ペンで書いてある

これ、実に多いんです。常識でしょう。何をかいわんやです。手紙を出すときには、消せないサインペンもしくはボールペンで、しかも**黒**ですよ。黒以外のカラフルな色のペンで書かれたものも、ボックス行きです。

宛名書きの間違いを消したまま&隅にクチャクチャ

サインペンで書いてあるのはいいんですが、字を間違えた部分を塗りつぶしたり、線を引いたり、さらには強引に上から書き直したりしてそのまま出されたものもあります。これも相手方に対して、大変失礼です。ちょっとでも**間違えたものはそのまま出してはいけません**。もったいないようでも、新しい封筒に書き直してください。

宛名は縦書きが原則です。宛名は封筒の中心線上に来るように、しかも上下のバランスが取れるようにちょっと大きめに書き、住所はその右側に宛名より少し小さめの字で書く、これが基本です。なのに、Ａ４が入るくらいの大きな封筒の隅っこに、よくもまあこんなにクチャクチャと書いたナァ！という人がいます。それってヘン！ですよ。

切手の貼る位置や向きが違っている

これ、封筒の左上って、だれにいわれなくても当たり前のことだと思っていたのですが、いろんなところに貼ってくる人がいます。さらに逆さま、横向き、斜めに貼ってあるものも。

返信用封筒に宛名が書いてない！

ということは、送ってきた封筒の裏の差出人を見て、こっちが書くことになるわけですよね。これって、常識からするとね～。いかがなものでしょう。それでまた、こういう人のほぼ半分は、差出人も書いてないいんですよぉ。これって、だれに出せばいいのぉ（笑）。１週間ぐらいし

てから、「まだ届かないんですけど！（怒）」という電話がかかってくるんですが、「そう言われてもぉ。お名前なんていうんですか？（ちゃんと控えておきますから〜ブラックリストにぃ）」

違う官公庁の受験申込書や面接カードが入っている！

これも毎年2〜3通あります。自分の人生を決める書類をこんなことでいいんですかねぇ。「違ってますよぉ、どうしますかぁ？」とかける電話代、これも税金なんですけど。

郵便の料金不足

受け取り拒否もできますが、わが官庁ではそれではかわいそうということで、とりあえずこちらで不足代を払い不足代請求の通知を出すことにしています。でも、ほとんどの人が不足代金を送ってきません！　しかるべき期間が経過しても不足代金（当然税金で支払われた）が戻ってこない場合は、要チェックボックス行きです。

あんただれ？（メールに名乗りがない）

SNSに慣れすぎていて、ついうっかりだれだかきちんと名乗らない、あるいは用件をはっきり伝えないメールをしてしまう人がいます。それに、「資料をお願いします」とだけ書かれても、パンフレットでいいのか、受験申込書も必要なのか、どの職種なのかもまったくわかりません。

文章が話し言葉&絵文字入り

メールって、手紙より言葉がくだけてしまう傾向があって要注意なのですが、最近では、みなさんはメールよりもLINEを使っているせいか、より一層ひどい、くだけ過ぎのものが見受けられます。「説明会登録よろしくです😊」と書かれても、ん〜〜です。それに、ときには文字化けしてしまっていて何が書いてあるのかさえわからないときもあります。

●自分の名前に「様」を付ける？

返信用の封筒には、自分の住所と氏名を書くわけですが、その氏名の下をそのまま空欄にしておくべきか、「様」と書き加えておくべきか……。

自分の名前に「様」という敬称を付けるべきではないということで空欄、というのも一理あります。でも、当方としてはいちいち「殿」ハンコ（お役所ですね〜。「様」じゃなくて「殿」なんですぅ）を押さなければならないという手間がかかるので、「様」と書いておいてくれるとありがたい、と思います。でも、まぁ、これはどっちでもいいです。

●説明はよく読もう

こちらに送ってきた封筒（中に入っている返信用封筒ではないですよ）の表の宛名の左側、切手の貼ってあるラインの下のほうに朱字で「受験申込書請求」とか「パンフレット請求」と書いておけば、返信用封筒のほかに「パンフレットを1通請求します」などと要件を書いた

メールの書き方

時候のあいさつは不要だが、
この程度のあいさつは必要

メールの件名は具体的に！「お願い」
など抽象的なものにしないこと！

HTML形式ではなく、
テキスト形式にすること

説明会への参加願い

ファイル(F)　編集(E)　表示(V)　挿入(I)　書式(O)　ツール(T)　メッセージ(M)　ヘルプ(H)

送信　切り取り　コピー　貼り付け　元に戻す　確認　スペルチェック

宛先：abcd@aaaaa.go.jp
CC：
件名：説明会への参加願い

○○省秘書課任用係御中

お忙しいところ、メールで失礼いたします。

来年度御省を官庁訪問させていただきたいと思っております
山田太郎と申します。

○月○日の説明会に参加したいと思っておりますので、
登録をお願いいたします。

（住所）東京都新宿区南新宿1－1－1
（氏名）山田太郎
（電話番号）03－1111－1111
（メールアドレス）efghijk@lmnopqr.ne.jp

以上、よろしくお願い申し上げます。
山田太郎

－－－－－－－－－－－－－－－
山田太郎（やまだ・たろう）
〒123-4567 東京都新宿区南新宿1-1-1
mail：efghijk@lmnopqr.ne.jp
TEL：03-1111-1111
mobile：090-0000-2222
－－－－－－－－－－－－－－－

本文は要件のみを簡潔に記せばよい。

絵文字・機種依存文字は使わないこと！

申込の際に記せと指示があったものについては、本文中にきちんと記すこと

署名も念のために入れておきたい。携帯電話の番号なども記しておこう

紙を入れなくてもかまいません。なお、「パンフレット請求」の部分は朱字で書いておかないと追加料金を取られます。

また、どうでもいいことなので、注意はしませんが、中に入っている返信用封筒のほうにまで「パンフレット請求」と書いてある人が2割程度いるんですが、どこでどう説明書きを読み間違えたんですかねえ。どう考えても、返信のほうには、いらないと思うんですが……。

●親が人事課に電話？

ハタチを過ぎたら、自分の人生は自分で決めないといけませんよね。それに、ご両親のほうの過保護も度が過ぎます。こんなときもチェック！

あー、娘を受験させたいんだけど資料送ってくれるか？

構成を練る

いきなり書かずにまず戦略を考える

では次に、受験申込書等の書類の書き方です。まあ、何の考えも方針も立てずに「とにかく書いちゃえっ！」ってイキナリ本番の書類をペンで書き始めるような、こういう受験者はそうはいないでしょう。いや、そう思いたいところですが、最初っから何行も棒線で消してあったりというような、ノープランで書き始めたとしか思えないような書類も、よく見かけます……。

これは最悪！　後にも書きますが、オトナの提出書類では**「間違い」「書き直し」は原則ご法度**なのです。誤字・脱字の防止にもなりますので、どんな文章でも、いったん下書きをしてから本番を書き始めるという習慣をつけてください。

そこまで無計画ではなくても、とりあえず下書きでアタマに思い浮かんだことをポンポンと書いたり消したりつなげたりして、なんとなくよさげになったらすぐ清書しちゃう……っていう受験者が、実はほとんどではないでしょうか？

さらに、「面接カードなんて、どうせ質問のネタになればいいんだから、カンタンに答えればいいさっ」と高をくくって、たとえば「学生時代の体験で印象深かったこと」という質問に対して「文化祭」とか「カナダに留学したこと」などと単語か一言二言で答えてハイ終わり！　という受験者も多いですよね。

そういう考えだから、内容の薄～い書類ができあがっちゃうんです。どんな提出書類の場合で

●パソコンでの文章作成も同じ

本文では、「手書き」の文章を念頭に書いてありますが、インターネット申込みなどのときのパソコンでの文章作成でもまったく同じことです。

●揺れるとヒラめく？

中国の北宋時代の文学者である欧陽修は、文章作りには「馬上（乗り物の中）、枕上（布団の中）、厠上（トイレの中）」の三上がいいといっています。

モーツァルトは、曲のアイデアがわきやすい場所として、1人で馬車に揺られているとき、散歩をしているとき、おいしい食事をした後、眠れない夜を挙げています。

科学の発見の多くは「B」で始まる場所、つまり、バス（bus）、ベッド（bed）、風呂（bath）で起こっているという研究もあります。

も、必ず事前に「この書類のこの欄で自分のよさをどうアピールしていくのか」そのためには「何を」「どう」書くべきかをじっくり考えてから、取りかかってください。

この構成を練るというのは、時間のかかるものです。ずーっと考えていて、いつかフッと書けるようになります。親鳥が大切に大切に卵を温めてやっとヒナがかえるのと同じように、大切に練って練って練って時間をかけるので、構成を「温める」ともいうのですね。

ですから、書類の提出期限直前になってから、というよりも、なるべく早い段階から、**時間のあるときに少しずつでも考えていきましょう**。それに、机に向かって、「いざやるぞ!」と構えてしまうと、いい発想は出てきません。むしろ、頭の片隅に入れておきながら普通に生活をしていると、学校の行き帰りの電車の中やトイレの中で、突然「おぉ!」と思うことがあるんです。こういう「おぉ!」と思ったときには、忘れないうちに、メモを取っておきましょう。

もちろん、下書きをすることもとても大切なことなのですが、それよりも前の段階の、この「構成を練る」こと、これが文章のできのよしあしを大きく左右するものなのです。

この構成を練るときには、論理の流れを明確にしておくということにポイントを置いてください。とりわけ、面接カードなど受験段階で書かなければならない各種の書類に共通する究極の目標は、**「価値(情報)を共有していない相手にもわからせる文」を書く**ということです。これは、社会人になってから書かなければならない各種のビジネス文書においても共通することですので、これからお話しすることは、今のうちにぜひマスターしておいてください。

構成の練り方

何を問われているか確認する

まず、相手方が何を要求しているのか、質問で問われていることは何か、テーマとすべきは何かをしっかり把握しなければなりません。書き手自身が、書こうとする事柄自体をよく理解していないのではないかと思う文が多く見受けられます。

小難しくて何をいいたいのかわからない文章になっている受験者もいますが、これは、そもそもハナから何を書くべきかがわかっていないからそうなる、もしくは、質問の趣旨はわかっていても（自分としての答えが見つからないので）あえて難解に書いて逃げようとする、のどちらかですよね。**内容をよく理解して、何をどう答えるかをキチンと整理**できていれば、こなれた言葉を使ってやさしく書くことができるはずだからです。

全体のバランスを考える

それぞれの欄ごとに話を完結させただけでは不十分です。面接カードなら、そのカード全体でバランスが取れていて、「あなた」という人物像が一貫して矛盾なく、全体的にわかるような構成にしなければなりません。話の一貫性と配分を考えるのです。あたかも書類全体で1つのストーリーとなるかのように。

たとえば、志望動機の欄で自分のこの性格を強調するんだったら、自己PRの欄ではあのエピソードがいい、あるいはその逆のほうがいい、いや、こっちのストーリーのほうが全体として盛り上がるはずだ、というふうに、それぞれの記入欄と記入欄をリンクさせつつ**全体の調和とかバランス、話の一貫性**を考えておくということが必要です。

●落ち着け！しっかりせいっ！

「西暦で」って指示があるのに「令和○年」と書いてある、「学生時代のエピソードを交えて自己PRしてください」ってあるのにエピソードが入っていない、さらには、自己PRの欄に志望動機が書いてあって志望動機の欄に自己PRが書いてある……などなど、も～っ、いいかげんにせいっ！っていう受験者がたくさん。笑いごとではありませんよ！

なお、面接の前にちょっとした作文のようなものを書かせたことがあったのですが、縦書きの原稿用紙を渡したのに横書きで書いていた受験者もいました。何をかいわんや、です。

相手方にいいたいことが伝わっているか

構成を練る際にとかくみなさんが忘れがちなこと、それでいて非常に重要なことは、「これを読む面接官や人事が理解できるか、どう思うか」ということを考えているかどうか、すなわち相手方（読み手）の視点を意識しているかどうかということです。

みなさんは、自分の頭の中にあるアイデアを文字にするわけですが、読み手は、そのあなたが書いた文字・文面だけから内容を頭の中で再構築するわけです。そのとき、自分のアイデアと相手が受け取ったアイデアとの間にズレが生じてしまうことがあります。ですから、このズレを少しでも埋めるための努力をしておかなければいけません。それが書き手の責任です。そのためには、独りよがりではダメなんです。

この点を構成を練る段階から踏まえておきましょう。どうやったら正確に相手に伝わるか、ズレが生じないかということを意識して、全体の構成の中で、この欄にはこんなことを書いたらいいのではないか、ここではこんな点を強調しておいたら読み手にもいいたいことが伝わるのではないかということを考えておくことも「練る」ことの重要な一部になってきます。

なお、読み手との間にズレを生じさせないテクニックとして、何かいいたいこと、主張したいことを1つ挙げたら、必ずその理由（もしくは例証）を付け加えるという方法があります。いってみれば、1問1答の積み重ねみたいなものです。問いの投げかけがあり、次に簡潔な答えを書き、……と1つずつ相手方の理解を積み上げていくようにするのです。こうすれば、相手方の認識のズレが大きくなる前に、ちょっとずつ微調整していくことができます。

本番の面接のときのように**話しながら補うことができない**分、受験申込書や面接カードにおいては、**一読で理解してもらえる工夫**を心掛けるべきなのです。

ホント最近の受験生はどっかズレてるよな!
何事もズレたらダメ!

課長、ズレてます ズレてます!

メモの作り方

構成を練ったら、すぐに下書きや本番を書き始めるのではなく、まず、メモを作ることから始めましょう。このひと手間が、あなた自身の独自性を出すキーになります。この際には、自己分析シートと官公庁研究ノートを手元に置いておくことをお忘れなく。

発想はアトランダムに

発想を練る、構成を練るときには、まず、白紙を用意して、質問文を書き写しておきます。それから、その質問文から思いついた単語やフレーズをランダムに書き出してみましょう。この段階では、電車やトイレで思いついた「おぉ！」も含めて、関係あろうがなかろうが、なんでもいいんです。とにかくできるだけ細かく書き出してみましょう。

アピールポイントを明確にする（絞り込み）

ここでの中心は、**アピールしたいポイントを明確にする**ことです。話の軸、中心線を定めるのです。1つの質問項目に対して、アピールポイントは原則として1つです。多く分量を書ける場合でも、せいぜい2つか3つにとどめるべきです。その場合でも、1段落に1アピールポイントというふうに段落分けするとわかりやすくなります。

あれもこれも、と思いたくなるでしょうが、いろいろ盛り込みすぎて、何が軸かという焦点がぼやけてしまうと、何をいいたいのか相手方はわからなくなってしまいます。

必ず根拠となるエピソードを添える

前章、前々章でも口を酸っぱくしていってきたことですが、あなたの「思い」が本物であることを面接官や人事に納得してもらうには、なんらかの**「裏づけ」**が必要です。そのために最

●パソコン利用でラクチン

メモを作ったり文章を組み立てたりするときに、紙に書いていく人もいれば、パソコンを使う人もいることでしょう。どちらでもかまわないと思います。

でも、私自身は、最近はパソコンのほうが便利かな?と思っています。何文字書いたかがすぐわかりますし、文章やフレーズを前後に入れ替えながら、あでもない、こうでもないと考えることができるからです。

とはいうものの、注意も必要！　パソコンの場合、文字の変換ミスに気づきにくいので、誤字のまま書き写してしまうこともあるからです。それに、手書きで書いたときのレイアウト（キッチリ枠内に収まるかどうか）もわかりません。

ですから、パソコンで構成を練ったときにも、必ずいったんコピーに手書きで下書きをしてみてから、本番の紙に書くようにしてくださいね。

も有効なのがエピソード、すなわち、あなたご自身の経験談、体験談なのです。

まったくの独自性を強調したいときには、ほかの受験者が経験したことのないような経験・体験をエピソードに持ってくるとよいでしょう。しかし、無理してそのような経験を探し出したり作り出したりする必要はありません。むしろ、だれでも経験したようなこと、そういうことの中からも、あなたが**こういうことを学んだ、習得した**ということがわかったほうが、面接官には好感触です。なぜなら、書き手と読み手の経験や条件がある程度重なり合っているほうが、「ワシもそう思う」という共感を得られやすいからです。

文章への組み立て

思いつく限りのことを雑多に書き並べたところで、それをグループ化してみたり、取捨選択したり、並び替えたりしてみましょう。もし準備不足、知識不足の点があったら、この段階で調べ直します。こういうときに、自己分析シートや官公庁研究ノートが役立ちますよね。

同じ事柄でも、表現を変えたり、並べ方を変えるだけで格段に**違ってみえる**ことだってあります。これが練るということなんです。どうすればだれにでもわかる文章になるか、まったく事情を知らない相手方の心にストレートに入っていく表現になるのか、いろいろ工夫をしてみてください。ときには、いったん寝かし付けて、発想を新たにしてみるのも効果的です。時間がかかるのは当然。「イイもの」に一夜漬けはききません。

さあ、なんだか意味のあるものになってきましたか？　では、構成が練れたところで、次に、それを文章に構成し直していくことになります。とはいっても、ここからイキナリ本番！もダメ。まずは地道に下書きに取り組んでいくことにしましょう。

●アピールポイントの見つけ方

アピールポイントの見つけ方については、第2章で詳しく触れましたが、ここでもう一度簡単にお話ししておきますと、その質問に関連した自分自身の

- 得意なこと
- 好きなこと
- コアになるもの
- 他人から評価されたこと

の中から探し出すと、何か適当な具体例・エピソードが思い浮かんでくるはずです。

●寝かし付ける

こういうふうにして得られた思いつき、発想をためておくということが「練る」ということなのです。後にももう一度お話ししますが、発想とか、文章というのは、「漬物」と同じなんです。ある程度寝かせるとよくなります。いったん離れて、改めて違う気分で読み直してみると、「ああ、ここは言葉足らずだったな」とか「ここはこういう表現にしておいたほうがいいな」ということに気が付くんです。

文章を書く

一言一句ジックリ読んでもらえるわけではない

さて、これからがいよいよ文章を書く段階です。先ほどもお話ししたように、まずは下書きをして、全体のバランスを整えることから始めましょう。

ところで、受験者のみなさんは、自分が一生懸命時間をかけて書いた文章なんだから、すべてをじっくり読んでくれるはず、と思い込んではいませんか？

本来はそうあるべきでしょうし、そうありたいんですが、面接官や人事は限られた時間内にすべての受験者の書類に目を通さなければならないんです。しかも通常の業務をしながら！　ですから、乱雑でいい加減な字、つまらない文章、みんなと同じ内容の文章は読み飛ばしてしまいます。場合によっては、欄の最初のほうだけちょっと読んで、意味不明だったり興味がわかなかったりしたら以下省略、という場合もあります。

社会人になると、仕事の多くは書類を作ること、それも、**「相手方に読んでもらえる書類」を作ること**なんです。したがって、社会人になるための試験＝公務員試験では、受験申込書や面接カードなど受験者から提出されるあらゆる書類から、その人の書類作成能力を見ているのです。

とにかく、一読でスゥッと頭に入る文章が理想型です。名文である必要はありません。わかりやすく簡潔な文章を書くように心掛けてください。

●コピーでバランス配分

下書きする際には、実際の受験申込書・面接カードのコピーを何枚か用意して、これに下書きをしていきましょう。

このときに、字の大きさはどうか？この欄には何行で何字書ける？この欄の記述内容とこの欄の記述内容の整合性は？ということも考えながら下書きしていきます。

結論から書く

その第一歩は、まず、コレです。いまだに、受験指導のマニュアル本を見ると「起承転結をハッキリ書く」と書いてありますよね。これは×。みなさんが面接カードなどで書かなければならない文章というのは、作文でも小論文でもありません。ビジネス文の一種なんです。

確かに、みなさんが学校で習ってきた作文の授業では、結論が最後に書かれるのが普通でしたが（＝起承転結）、**ビジネス文では最初に結論を書く**のが一般的なのです。小説と同じように、作文では、主張やいいたいことを率直に表現するのではなく、そういうものは読んでいるうちにホンワカと感じさせるのがむしろ美文といわれています。一方、ビジネス文では、相手方に自分のいいたいこと・主張を、どれだけ**簡潔・明瞭・正確に伝える**ことができるのかというほうに主眼が置かれています。作文・小説とビジネス文とでは、同じ日本語でも、まったく違う文章作成法だということを認識してください。

受験者のみなさんは、ビジネス文というものを直接目にしたことはあまりないでしょうが、たとえば、新聞の記事なんかがこの要領で書かれています。新聞記事では、最初の「見出し」に結論が書いてありますよね。それから、重要度の高い順に文章が配列されています。これと同じです。雑誌の記事も文章の出だしが結論（つかみネタ）です。

特に受験申込書や面接カードのように１００字から数百字程度で書かなければならない文章では、結論から書き、次にその理由を説明する「ＡなぜならＢ」パターンと、結論とその具体例を示す「ＡたとえばＢ」パターンをマスターすればＯＫです。この超基本的事項を守るだけでも、見違える書類になります。

●学校教育に欠けているビジネスの視点

ちなみに、起承転結というのは漢詩を書くときの手法であって、ビジネス文の中にいきなり「転」が出てくるのはかなり困ります（この辺、ちゃんと小学校で教えてくれないかナァ〜）。

なお、マニュアル本では「長い文章を書くときは起承転結、短い文章を書くときは序破急」なんて指導されていますよね。

この序破急というのも、伝統音楽である雅楽の３部構成、すなわち楽章を表す言葉で、本来、文章作成の手法についての言葉ではありません。

文章作成においては、序論、本論、結論という意味で使われることが多いようですが、本文で見たように、ビジネス文では結論→理由の２段構成のほうがスッキリします。

まねはしない

マニュアル本の例をパクってはダメだと何度もお話ししていますが、そこまでしないまでも、文章を書くのが下手だということで、だれかの文章をまねようとする人もいますよね。でも、これも危険です。文章の流れ、テンポというのはその人独自のものですから、その人とはまったく人生も生い立ちも違うあなたが簡単にまねることはできません。

それに、小説やエッセイのような散文は、ビジネス文とは根本的に異なる文章ですから、いくらまねても、よい受験申込書や面接カードにはなりません。また、簡潔な文章の代表である新聞記事もお手本には程遠いものがあります。そもそも新聞の記事は、第三者的、批判的な観点・立場からのものが多いので、政策の当事者としての公務員の書く文章とは性格が異なっています。それに、限られた字数の中に無理やり押し込もうとしている部分もあるので、そもそも新聞記事の文章は必ずしもうまい文体ではありません。

かといって、みなさんの先輩である公務員が起案した法律・条例や白書も、正直いって悪文の典型だと思います。確かに、時間をかけて厳密に読んでいけば、間違いのない文章だとは思いますが、1文が長くて主語述語・係り受けの関係がわかりづらく、サッと頭に入るものではないのです。面接カードなどでみなさんが書かなければならない文章は、**一読してサッとわかる（再読はされない）**という特性のある特殊な文章であるということをお忘れなく。

とにかく、だれにも頼らずにあなた自身で何度も独自に書き上げていくことによって、あなたなりの味のある文章が生まれるということをお忘れなく。

●合格する文章の第1歩

時間がないとどうしても焦っちゃう！　そうすると、勢い「マニュアル本の例文をパクっちゃえ！」という受験者が出てきます。でも、よく考えてください。マニュアル本に書いてある例文は、国家総合職を受験する人にも、地方上級を受験する人にも、だれでも使えるように設定した表現が多いので、それをまねすると具体性に欠けた記述になりがちです。それに、市販されている本なんですから、その他大勢の受験者も同様にまねをしている可能性がありますし、何より面接官だってすでに読んで対策を講じているということをお忘れなく！

●新聞記事のいい点悪い点

前ページでお話ししたように、新聞記事の構成のしかたは、面接カードに応用すべき点がたくさんあります。でも、新聞記事の文体そのものを、面接カードでマネするのはキケンです。ちょっと高度ですが、この使い分けを。

混ぜるな危険！

「だ・である」調（常体）と「です・ます」調（敬体）を**1つの書類の中で混交させてはいけません。** 1つの文章だけではなく、書類全体を通して統一させておく必要があります。これが混ざっている文は、非常に幼く感じてしまいます。こういうところで、その人の能力や知性の程度がわかってしまいます。

読むほうにとっては、常体のほうが、カタい感じ、ちょっと上からモノをいう感じ、敬体のほうが、穏やかな感じ、丁寧に説明する感じを受けます。そこで、受験申込書や面接カードで、常体と敬体のどちらを使ったほうがいいかといいますと、圧倒的に**オススメは敬体**です。常体で書いてくる受験者もいますが、読んでいて「何をエラそうに」と思っちゃうことがありますので、正直いって、不利だと思います。

蛇足ながら「自己PRについてはこの本から、志望動機についてはあの先輩から譲り受けて」と他人の文章の切り貼りをすると、それぞれの項目はそれなりにまとまってはいても、全体を通して読むとテンポもバラバラ文体もバラバラ、ということになりかねませんので、やめたほうが無難です（というか、みなさんの面接カードにけっこう多い例ですが）。どうしてもという場合には、いったん下書きしてみて、自分の言葉で練り直しましょう。

また、自分で書いた文章でも、この欄は今日、あの欄は明日、と別の日に書いたときには、日によって文章のテンポに微妙な違いが生じてしまうこともあります。書類全体を通して書式、文体、テンポに統一性があるか、最終的に確認する必要があります。ご注意ください。

●**特に文末だけでもそろえよう**

1文の中に「〜だが〜と思います」と常体と敬体が混じっているのはメチャメチャ変です。さらに、「〜である。」「〜と思います。」とそれぞれの文末が違っているのは、もっと変です。

どちらもちゃんと統一しておくべきです（そうじゃないとバッチリ減点します）が、せめて、せめて文末だけでもそろえてください。

●**体言止めもダメ**

なお、本など読み物の場合には、文全体に流れやアクセントを付けるために、ときには「〜という感じ。」などというように文末に名詞を持ってくる体言止めをしたり、「〇〇など。」と文を切ってしまうこともありますが、受験の際の提出書類ではこれらは許されません。

知性の感じられる文

同様に、知性を感じさせる方法としては、**無理して漢字を多用しない**ということです。ひらがなばかりの文章は幼く見えますが、その裏返しに漢字を使いすぎる受験者も見受けられます。「～と言（云）う」「～で在（有）る」「～出来る」「併（しか）し」「蓋（けだ）し」「然（しか）るに」「可成（かな）り」「先（ま）ず」など、できの悪い明治の文章から拾ってきたんじゃないの？というような漢字の用法はやめたほうがいいでしょう（明治の「文豪」の文章は、必ずしも現代文の書き方としてはお勧めできないものが多いのでご注意を）。これでは文章がカタく、読みにくい印象になってしまいます。それに、このような漢字をあえて使って間違えたときはドツボです。

基本としては、名詞と動詞は漢字（常用漢字）を使いますが、それ以外の接続詞や助詞・助動詞などにはあまり漢字を使わないほうがきれいに見えます。

また、同じ単語が隣り合わせに出てきてしまうと、読み手は、なんでもない文章でもわかりにくいと感じてしまうという研究結果があります。ですから、受験の際の提出書類のような短い文章の中では、努めて**同じ単語・言葉は繰り返さない**ように注意しましょう。面倒でも、同義語を探すようにしてください（そうはいっても、専門用語や固有名詞などは途中でいい換えてはいけません。読み手が不安になってしまいます）。

さらに、**一般的に読み手の知らないような略称**（たとえば自分の所属するサークル名をKWHと略すなど）**や固有名詞**（友人の○○さんなど）**は使わない**でください。こういう言葉が突然出てくると不安になります。と同時に、「独りよがり」「相手の気持ちになっていない」と憤慨してしまいます。

●同義語・反対語と知性の関係

アメリカの研究によると、知的水準の高い人は、同じ文章の中で同じ単語を何度も使わないそうです。したがって、いかにたくさんの同義語を知っているかどうかが知性の判定基準になっているとか。どおりでTOEIC®もTOEFL®も同義語や反対語の設問が多いんですね。

●外国語や専門用語を使えば知的なのか!?

「成長に貢献するイノベーションの創造に向け、……テレワーク人口の倍増を目指すなど、世界最高水準の高速インターネット基盤を戦略的にフル活用し、……アニメや音楽などのコンテンツ、食文化や伝統文化などについて、……日本がアジアと世界の架け橋となるアジア・ゲートウェイ構想を推進……」これ、ある年のあるお役所の書いた文章ですが、ハッキリいって何をいっているかサッパリわからないと新聞などでも酷評されていました。

無駄のない文

まず、文（センテンス）は長くてはいけません。書く欄の小さな受験申込書などでは、1文は20～30字程度、面接カードや作文など比較的書く欄の大きい（長い）場合には、**1文が40字程度、長くても60字程度**までに収めたいところです。これ以上長い文になると、読み手が理解しにくくなります。

短い文というと、みなさんがよく使っているメール文に思い当たるでしょうが、これではダメです。なぜなら、メール文では、互いの関係をよくわかり合っているどうしであることが前提ですので、説明すべき肝心の部分が欠落していて、初めて見た人にはわからないからです。

特に、**主語と述語の対応関係をハッキリ**させておかないと、初めて見た相手方には意味が伝わりにくくなってしまいます。ビジネス文の場合には、そこに書かれている内容にだれが責任を負うのかが問われることがあります。それが社会人のシキタリです。そんなとき、あなた自身を守るという意味でも、責任の主体を主語という形で明らかにしたほうがよいのです。その訓練だと思ってください

受身形をなるべく避けるというのも1つの工夫です。受身形（受動形）と能動形とでは、能動形にするほうが、文が短くなり、主張がストレートに表れ、生き生きした感じになります。中学校の英語の時間に勉強したと思いますが、日本語でも同じなんです。

なお、受験の際の提出書類では、あまり長い文章を書くわけではないし、小説を書くわけでもないですから、修飾語はなるべく削って、簡潔に書くことを心掛けましょう。どうしても修飾語が多くなるときには、文を分割してしまったほうが読みやすくなります。

外国語を訳さずにカタカナ表記をしたら知的なのか？専門用語を羅列すれば高度な内容なのか？この辺は改めて考え直していくべきことだと思います。

すべての国民・住民を対象にして仕事をしなければならない公務員という立場からすると、だれにでもわかるように、ごまかしなく、キチンとした日本語で、専門用語もかみ砕いて書くこと、説明することが求められているのです。

これから公務員になろうとしているみなさんも注意してくださいね。

●**業界のテクニック**

あるCMプランナーは「いい企画は20字で説明できる」といっていました。たとえば、新聞のテレビ欄の番組説明がほぼ20字だそうです。そのわずかな字数の中で、番組の説明に加え、視聴者の心に響く何かが書かれているかどうかが勝負の分かれ目になるとのことでした。

小細工は不要？自分らしさの工夫？

本人としては工夫してアピールしたつもりなのでしょうが、「公務員には愛がキ・ホ・ン！」とか「ニッポン一の責任漢(おとこ)、登場!!」とか「～しちゃいましたぁ（笑）」みたいな書き方をしてくる受験者もいます。これは公務員試験の場合はすべてマ・イ・ナ・ス！というかゼロ以下。みなさんが公務員として就職してから書くことになるビジネス文は、セールスのキャッチコピーではないわけですから、自分のいいたいことを飾り気なく簡潔かつ的確に書くことが求められているのです。きちんとした普通の（おちゃらけない）日本語で説明できる能力、ここの部分を見ているんです。あなたの人柄、特に**「誠実さ」という面が素直に表れる文章**を心掛けてください。

そうはいっても、ただただ書き連ねているだけでは「読ませる」文章にならないというところがアタマの痛いところ。ちょっとした「自分らしさ」の薬味がほしいところです。吉本興業の芸人さんであるキム兄こと木村祐一さんも「客をこのネタでKOしたろと思って真剣勝負するには、自分だけのスタイルというか主張みたいなもんにこだわらんと弱いねん。そういうかっこエ自分を楽しんどることが大前提になんねんな」といっています。難しいですよね。

というわけで、ちょっとした工夫のヒントをご紹介しておきましょう。まずは、何より文章作成上の小細工よりも視点のユニークさです。これは、構成の段階でしっかりやってください。

文章構成上のテクニックとしては、1つは、強調したいところをこの本のようにあちこち太字やゴシック体にしたりするという方法です。自己PRや志望動機の欄などで使うと効果的です。でも、これもあまり多すぎると「遊びすぎだ！」と思われてしまいますので、せいぜい1つの欄

●書き方にも人と違った工夫

ちなみに、簡潔な文章で有名な文豪ヘミングウェーは、立って原稿を書いたのだそうです。私自身、急ぎの用で郵便局のカウンターで手紙を書いたときに、無駄のない文が書けた記憶もあります。そういえば、立って行う会議は結論が出るのが早いということで、導入している会社もありましたよね。みなさんも、ときには立って下書きを書いてみるなどの工夫をされてはいかがでしょうか。

●文章には人柄が表れる

18世紀フランスの博物学者ビュフォンはアカデミーへの入

に1〜2か所程度にとどめておきましょう。

もう1つはレイアウトを工夫するということですが、これは後ほどお話ししましょう。

さらに、面接カードならでは、という手法があります。面接カードは、これから行われる面接試験の資料になるものですよね。面接官や人事は、あなたと直接対面する前に、当然、これを読んでいるわけです。そのときに、面接官や人事に「これは何？」「もっと聞きたい」と思わせたら、ある意味「勝ち」です。そこで、**あえてすべてを書かないでおく**、という方法があります。これを心理学では、「セイガルニイク効果（＝連ドラ効果）」と呼んでいます。セイガルニイクとは、旧ソ連の臨床心理学者の名前ですが、彼によると、「完結直前に中断された情報は、中断されない情報より記憶に残る」そうです。盛り上げるだけ盛り上げておいて、チョンと切る、ということなのですね。クサくならない程度に試みると（その加減が難しいのですが）、面接官を「釣る」ことができます。

なお、志望動機を問われているのに「入省させていただきましたら、たとえ火の中水の中、死ぬ気で頑張ります！お願いします‼」というクサい迷言を書いている受験者もいます。でも、目立たなくてはいけない、印象に残らなければいけない、と焦ってこんな変なことをする必要はありません。

そんなことより、実は、社会人（面接官や人事）の**要求することにストレートに答えてくれている学生（受験者）のほうが少ない**んです。ストレートに答えれば、つまり、いっとうまともに答えてくれさえすれば、実は、それが最も目立つし、一番印象に残るんだということを肝に銘じてください。

会演説の中で「文体は人間そのものである」といっていますし、言語学者のフンボルトは「人間はただ、言葉によってのみ人間である」ともいっています。

志望動機など
詳しくはホームページをご覧ください！
http://www.suzuki-taro....
レッツ！アクセス！
鈴木太郎
なにこれ….

ペンの暴走は御法度

「書けない、書けない」と悩むことがある一方、「今日はやたらと書けるゾ！」というときもあります。特に、深夜までウンウンいっていると突然「！」とひらめくことがあります。こういうとき、気分が乗っているときには、とりあえず、思いついたことをバーッと書いておくことが肝心です。でも注意しておかなければならないのは、こういうのを専門用語で「午前2時のワオ！効果」というそうですが、とにかくナチュラル・ハイになっているだけで、さめてみるとなんてことはない、ということがあるんです。

また、感情の起伏が激しいとき、怒ったり、泣いたりしているときにペンを握ると、文章の調子も強くなり、語気の強い（荒い）言葉を使ってしまったりします。ですから、昔から、「感動したときはペンを握り、**興奮しているときにはペンを持たない**こと」が大事であるとよくいわれています。

寝かし付ける

というわけで、いったん下書きを書いてみたとしても、できあがったからといって、すぐに本番の用紙に書き写してはいけません。**いったんさめた目で見直してみる**ということが肝心なんです。これが「寝かし付ける」という作業なんです。

文章は漬物、いやワインやウイスキーにたとえたほうがいいかもしれません。先にもお話ししましたが、1週間ぐらいたってから見直すとまた修正点が見えてきます。こういう作業を何度も繰り返して「熟成」した文章にしておきたいものです。

●文章の原点

以上、いろいろお話ししてきましたが、「読み手に負担をかけていないか」「この文章を初めて見た人でもわかる文章か」ということを常に意識して書くように、心掛けてください。それに、誠実さ、ぬくもり、温かさを感じさせる文章、これが何よりです。

下書き&チェック

先ほどから何度か「下書き」といってきましたが、重要な書類を書くときには下書きしてから清書するのが基本です。どんな書類についても、必ず事前に何も書いてないもののコピーを何部か取って、何度かひととおり**下書きをしてみてから本番**に臨んでください。

そして、下書きが書き上がったら、この段階で（すなわち本番に移る前に）、チェックと推敲をしておきましょう。まずは、自分で**音読**してみてください。人に聞かれるのが恥ずかしかったら、自室で1人でしてもいいですよ。

目で見た文章と耳で聞いた文章は、かなり印象が違うことにお気づきになったでしょうか？耳で聞いても心地よい文章かどうかは、実は、「間」の取り方に関係しているようです。間がうまく取れていると、自ずからリズムが生じてきます。テンポ・調子がよくなるんです。そうすると、今度は目で見た（読んだ）ときにも、意味だけでなく、調子も読み取れて、なんとなくおもしろい、という印象の文章になります。

次に、ご家族、友人・知人、学校の就職指導の職員、受験予備校の先生などに、**第三者の目（と耳）でチェック**してもらうといいでしょう。しかも、できるだけ多くの人にチェックしてもらい、さまざまな角度から見てもらったほうが、よりよいものになると思います。

何度も書く、何度も推敲することが、「よい文章」を作るための秘訣です。前にもお話しした欧陽修は、文章上達の秘訣として「三多」を挙げています。「三多」とは、看多（多くの本を読むこと）、做多（さた）（多く文を作ること）、商量多（多く工夫し、推敲すること）だそうです。みなさんも実践しましょう。

●本は耳で読む!?

イギリスの文豪バートランド・ラッセルは自叙伝の中で「私は耳で本を読んだ」といっています。ラッセルは、自分で書いた文章をほかの人に音読してもらっていたのだそうです。また、彼は「若いときは文章が下手だったが、こういう耳の読書をするようになってから、ずいぶんと文章がうまくなった」という趣旨のこともいっています。

書類を書く作業の基本のキ

実際に本番の書類に記入するのは、このように、十分構想を練って、下書きも何もかもすべてが出来上がってからの「作業」です（内容を考えながら書類を書いてはいけません！）。そこで、今度は書類を書くときの基本中の基本についてお話ししておきましょう。

受験申込書、面接カードは、**見た目が7割**です。内容は3割にすぎません。パッと見で「キレイ」「読みやすい」と思わせることができるかどうかにかかっています。いかに「見た目」をウックシクするかが合否を左右するといっても過言ではありません。

指定は必ず守る

まず、第1の前提として、記入の際に指定されていることは必ず守るということを忘れないでいてください。

みなさんの書いた受験申込書、面接カードを見ていると、チェックしなさいって書いてあるのに○を付けていたり、フリガナの名字と名前の間は1字空けて書いてくださいと書いてあるのに空けていなかったり、この欄には記入してはいけませんって書いてあるのに書いてあったり……というような不注意がたくさんあります。

とにかく、**いわれたとおりにシゴトができるか**、ということを提出書類では見られているわけですから、指定されたとおりにできないというのはサイテーです。わかっているようでも「記入上の注意」「記入のしかた」をよく読んでから書くようにしましょう。

いくら書道四段でも…
サッパリ読めませんね…
毛筆で面接カード書くかね…

適切な筆記用具を選択する

「記入上の注意」に「ボールペンで」とか「鉛筆で」と筆記用具の指示がある場合には、その指示に従って筆記用具を選択してください。

特にそのような指定がない場合には、用紙全体を見回して、各欄を記入するときにどの程度の太さの文字を書けば適当かを判断して、使う筆記用具を決めます。極細の線よりも、なるべく太い線のほうが安定して見えます。ただし太すぎて全体の見た目がゴチャゴチャになるのはいけません。**消えないボールペン、万年筆またはサインペン**を使うのが鉄則です。鉛筆はゼッタイに許されません。色は**黒**。そのほかの色は不可です。

途中で筆記用具の種類を変えるのは×です。同時に2～3種類の書類を提出しなければならないときも、すべて1つの筆記用具で統一してください。インクが途中でなくなったからというのも理由になりませんので、そうならないようなものを最初から使ってください。

字はハッキリと濃く書く

面接官は何人かいるわけですし、人事も課長、課長補佐、係長と何人もいるわけです。ということは、受験申込書にしても、面接カードにしても、その提出された書類はすべてこういう人たちに渡さなければいけませんので、何部もコピーされているわけです。

というわけで、**コピーされることを前提に**、これを意識して書くという必要があります。具体的には、細い線、薄い線の字はダメ。コピーに写りません。ということは、読んでもらえないということです。要注意ですよ！

●**インクのにじみに要注意**

紙の質とインクの種類によっては、にじみが出すぎて字が読みづらくなってしまうことがあります。

また、インクが乾かないうちに、手で擦ってしまったりして汚くなってしまうことがあります。

同じ内容のものでも、どんな筆記用具を使うかによって「見栄え」が違ってきてしまうので要注意です（同じ紙がなければ、用紙の裏の目立たないところで、ちょっと試してみてから使うというのも一工夫です）。

●**論文試験の採点もコピーしてから**

本文と同じことは論文試験にもいえます。論文試験の採点も複数の採点者が行っていますので、答案用紙はコピーされます。物理的に読めない答案は、点数の付けようがありません。ということは……。

下手でもいい、丁寧に

文字は下手でもいいんです。今さら急にうまくなるものではないですものね。でも、**雑に書いた字か丁寧に書いた字かは、初めて見た人にも伝わります。**乱暴な書き方や崩し字、それ以上に悪いのは、なぐり書きや走り書きです。

人に読んでもらう字を書くことが大前提。とにかく心を落ち着けゆったりした気持ちで、丁寧に、楷書体で書きましょう。楷書体というのは、1点1画を略したり続けたりしないで書く字、つまり、この本でも使っている活字のような字体のことです。

なお、「字は体を表す」、すなわち、字を見れば、その人の性格がわかるんです。グチャグチャに書く人は仕事も乱雑でしょうし、線がぶれていてヨレヨレの字の人はいつも自信がなく人の意見に流されやすいなど、100%当たっているとはいえないかもしれませんが、当たらずとも遠からずということを面接官や人事は経験則上知っています。

とはいうものの、これだけで判断することはありません。自信がなさそうだな、と思う人には面接で厳しいツッコミを入れてみるなどして確認していくので、そこで挽回してください。

字はその人のすべてを表すということで、あなたがどういう字を書くか、レイアウト（見た目）にどれだけ配慮をしているのか、というところを面接官や人事は見たいと思っています。こういうことから、提出書類は手書きが原則であり、印刷された字は特にそれをしてもよいという断り書きのない限り不可です。最近は、公務員試験でも、民間企業のようにウェブで受け付けるところも出てきましたが、実は、民間企業のほうは、むしろ、こういう基本的なところを見るために手書きに回帰しているところが多くなってきています。

●キミの本気度が見られている！

本当に読んでもらいたい！本当に採用してほしい!!と思ったら、自然と丁寧に書きたくなるはずですよね。少なくとも、面接官や人事はそう思っていま す。「まさか、テキトーにはしないよね」って。

だから、乱雑な字、汚い字、走り書きというのを見ると「真剣さが足りないね！」「本気じゃないね」という判断をするのです。そう考えるの、当たり前だと思いません？

●いつもの1.5倍の時間をかける

戦国時代の知将、小早川隆景も「急ぐことはゆっくり書け」といっていますし、幕末の外交家、川路聖謨も「これは急ぎの御用だからゆっくりやってくれ」といっています。

字の大きさのバランスを取る

記入欄の大きさに合わせて、文字の大きさを変えます。あらかじめ罫線が引かれている場合や、氏名欄のようにその欄に1行だけ書けばいい場合には、その**縦幅の8割**程度の大きさで書きましょう。あまりに小さいとか、大きすぎてはみ出しているのも変です。また、横も均等割りしようとして、字と字の間隔が開きすぎているのもオカシイと思いませんか？　この辺も常識的に判断してください。

1つの枠の中に数行書かなければならない場合には、自分の書きたい字数、行数を勘案して、あらかじめ薄く鉛筆で線を引いておいて、その縦幅の8割原則で書いてください。とはいえ、たくさん書きたいことがあるからといって、あまり字を小さくするのは考えもの。どんな書類でも、5ミリ角以下の字を書いてはいけません。こういうことがあるからこそ、コピーを取った紙に下書きをしてみて、分量を増やしたり削ったりしてみることが大切なのです。本番の紙に何度も書いたり消したりしていると、クシャクシャになって汚くなってしまいます。

なお、書き終わった後、あらかじめ鉛筆で引いておいた線はキッチリ消しておきましょう。また、消しゴムのカスをそのまま紙に付けたままにしてはいけませんよ。

プロのテクニックを1つ。同じ大きさで書いても画数の少ない字は大きく見えます。というわけで、漢字もひらがなも同じ大きさで書いてしまうと、読みづらくなってしまいます。ここが活字と大きく違うところです。一度ご自分で試してみてください。**ひらがなは、漢字よりも1回りか2回り小さい字で書く**と、非常にバランスが取れて見えるんです。字の下手さは、こういう心遣いでカバーできます。

下のように
枠幅の
8割程度
の大きさで
ひらがなを
少し小さめ
にすると、
読みやすい
でしょ？
誠意をもって一生懸命に仕事
に取り組み、市民のみなさん
誠意をもって一生懸命に仕事に取り
組み、市民のみなさんの縁の下の力持ち

文全体の縦横のラインを崩さない

文末に行くほどだんだん尻上がりになっていくとか、上がったり下がったりしているというのは非常に見苦しいものです。**必ず同じ一直線上になるように**気を付けて書いてください。先ほどお話ししたように鉛筆で薄く線を引いてから書くという手もあります。

また、最初は字が大きくて、最後になるほどだんだん小さくなっていくというのも×です。常に一定の大きさの字で書いてください。

枠からはみ出さない、ギッチリ詰め込みすぎない

書きたいことが多いからといって、枠からはみ出して書き続けてはいけません。熱心なのはわかりますが、読みづらくては逆効果です。枠からはみ出した部分は読まれません。審査対象外になってしまいます。

かといって、小さな字でゴチャゴチャ詰め込まないでください。用紙を作成する際には、最小5ミリ角の字で書いてもだいたい○字と計算しています。およそ**その字数の範囲内で書くことを要求している**わけです。

なお、一面に字がギッチリ詰まっていて見た目が真っ黒というのは、どうにもいただけません。1つの枠に複数行書く場合でも、上下の字の線がピッタリくっついてしまっているようなものは読みづらいものです。こういうときは、行間をちょっと（ほんの1ミリ前後）空けておくだけでずいぶん見やすくなります（逆に、あまり行間を空けすぎるのも読みにくいものです）。そもそも、見た目がきれいでないと読む気になれません！

●臨機応変に

本文では5ミリ角が原則と書きましたが、これは、あまり小さい字では読み手のほうが読みづらいから、通常の大きさの欄の場合は、このくらいが適当だということです。

たとえば、ふりがななんかはもっと小さく書くべきですし、欄が小さい場合には3ミリ角ということもあるでしょう。この辺は、欄の大きさを見て臨機応変に対応してください。

●別紙添付の有効性

特に指定がないのに、書ききれない部分を別紙に書いて添付するとか、紙の裏に書くというのは認められていません。

ただし、「書ききれない場合は、別紙を添付してください」と許可されている場合には、別紙を添付してもかまいません。

とはいっても、何がなんでも無理やり別紙を書かなきゃアピールにならないっていうことではありません。

本当は極力欄の中で収めるように書いてほしいけれど、「どうしても」というメチャメチャア

レイアウトに工夫をする

与えられた空間をどう生かすか、その中でどう表現するか、というセンスも評価要素です。欄の最初から最後までギッチリ書きたくなる気持ちはわかります。でも、この本を読んでいただいていてもおわかりだと思いますが、4～5行に1回は改行（改段落）していないと読むほうが疲れるでしょう？　というわけで、**1結論1段落**を目安に、効果的に改行をしてください。10行ぐらい書くのであれば2～3段落、4～5行の短いものであっても2段落ぐらいに分けるのが目安です。

さらに、自己PRや志望動機に関しては、**箇条書きを使う**というのも1つの方法です。アピールポイントをちょっと大きめの字で箇条書きにして、また、そこをちょっとゴシック体にしたりして目立たせて、それぞれの箇条書きの下にそれぞれの理由や説明を書いたりなんてすると、非常にウツクシク、かつ読みやすくなります。また、キーワードに下線を引いたり、枠囲みするという方法もあります。

レイアウトというと、「図を描いたり、写真を貼ったりして、ポスターみたいに作ってもいいんですか？」という受験者もいますよね。確かに、民間企業のエントリーシートでは、そのような作り方をする人もたくさんいます。ですが、公務員の場合には、そこまでしなくていいと思います（私は過度にコリすぎてなければいいと思うんですが、まだ、ほかの面接官のオジサンたちの意識がそこまで行っていないんで……）。

ただし、枠が10センチぐらいと広い場合には、単語やフレーズをポンポンと置いて、簡単な図や矢印とかを使って表現する「ポンチ絵」程度のことはしてもいいと思います。

ピールになることがあるんだったらどうぞ、という程度です。

●余白もコピーのため

用紙の枠の上下左右に余白がありますが、ここにはみ出して書くのは禁物です。

なぜなら、紙の端ギリギリまで書いちゃうと、コピーのときに複写されないことがありますよね。その防止のために余白があるんです。コピーに写らなかった部分は当然読んでもらえなくなっちゃいます。

●お役人のギョーカイ用語

「ポンチ絵」とは、イメージ図、概要図、もしくはイラストというような意味のことで、お役所では必須用語です。みなさんには、「パワーポイントで作ったような図」といったほうがわかりやすいかもしれませんね。

空白・空欄を作らない

書くことがないからといってまったくの空欄にしてしまう人、「特になし」で終わってしまう人、記入欄は広いのに一言二言しか書かない人もいます。こういう受験者は、「やる気がない」と判断されるので不利です。というより、人物像が見えないので選考のしようがないのです。メキシコの諺（ことわざ）にも「話さなければ、神様も聞きようがない」というのがあります。

とにかく「何か」を書く工夫をしましょう。これまで生きてきて「何にもない」なんてありえないでしょ。ご自分のやってきたことを丁寧に振り返るのは就職活動の基本中の基本です。こういうときこそ、もう一度ご自分の自己分析シートや官公庁研究ノートを読み返して何か書くべきことはないか探してみてください！

字数が定められている場合には、その**8割以上書く**必要があります。字数が特に定められていない場合でも、欄の8割以上が埋まっていなければ、審査対象外です。まあ、この場合には、字を若干大きくすることでごまかすこともできますが、そうはいってもあまり大きな字で書いていると「コイツ、書くことないからだな！」と見透かされています。通常の書類であれば、字はどんなに大きくても7～8ミリ角までです（氏名欄の氏名の記載は除く）。

書き損じ、誤字・脱字は許されない

ゼッタイにダメ！です。ですから、どんな書類についても、**必ず事前にコピーを取って、ひととおり下書きをしてみてから**本番に臨んでください。本番の紙に鉛筆で下書きをして書きなぞるという方法もあるにはありますが、鉛筆の下書きの消し忘れ、下書きを消

●ウソやデッチ上げは書かない

空白・空欄を作らないといっても、たとえば仕事なんてしたこともないのに職歴欄に無理やりウソやデッチ上げを書いたりする必要はありません。こういう事実記載欄に関しては、ないならないで「特にありません」と書けばいいのです。

本文で問題にしているのは、「学生時代に力を入れてきたこと」とか「達成感を感じたこと」といった質問に関しては、空欄にしてはいけませんよ！ということです。

●変しい変しい……

これ、みなさんのご両親（もうちょっと上の世代かな？）の人だったらわかるネタですが、ラブレターをもらっても、「変しい変しい」って書かれちゃってたら幻滅するでしょ。やっぱりクサくても「恋しい恋しい」

したときにインクまで擦れて汚れる、鉛筆で強く書きすぎているので消しても紙がデコボコ、さらにはそのデコボコのせいで本番の線までよじれてしまっているなど、1つもいいことがありません。

もし何枚か用紙を手に入れることができるようでしたら、間違った場合には、最初から書き直してください。「これ1枚しかない!」というときは、しかたがありませんから（くれぐれもいっておきますが、本来はダメなんですよ!これで読んでもらえなくなっても文句はいえないのですよ!）書き損じを消すことになります。

この際、「修正液を使えばソコソコきれいになるジャン」と思う人もいるでしょうが、修正液の使用は正式な書類においては絶対に不可です。もし消せるのであれば、砂消しゴムできれいに消してください。でも、紙が破れたり、穴が空いたりしてはダメです。

そこの部分に上から紙を貼るというのもダメです。かといってグチャグチャ塗りつぶすというのはよくありません。適当に手書きで線を引いて消すのも見苦しいものです。必ず、定規を当てた2本線で消してください。本来ならば、小さな訂正印があれば、それをその消した部分の上に押してください。まあ、そこまでしなくてもいいですが、丁寧に消してください。

誤字・脱字、記入漏れを後から直す場合には、決められた記号を使って直してください（みなさん、小・中学校で習っていますよね）。その際、ここでは上に文字を書いて、こっちでは下に書くというような統一性の取れないことはしないように。

なお、2本線で消した部分がかなりあるからその分欄外にはみ出してもいいかというと、そういうことはありません。自分の誤りも何もかも含めて欄内に収めて書く能力が見られているのです。

と書いてくれなくちゃ! 誤字・脱字をされると百年の恋もさめてしまいます。そんなもんです。

関連して、ちょっとブレイク。「二つ文字　牛の角文字　直(す)ぐな文字　ゆがみ文字とぞ　君はおぼゆる」さあ、これ、どういう意味だかわかります? （答えは次ページ）

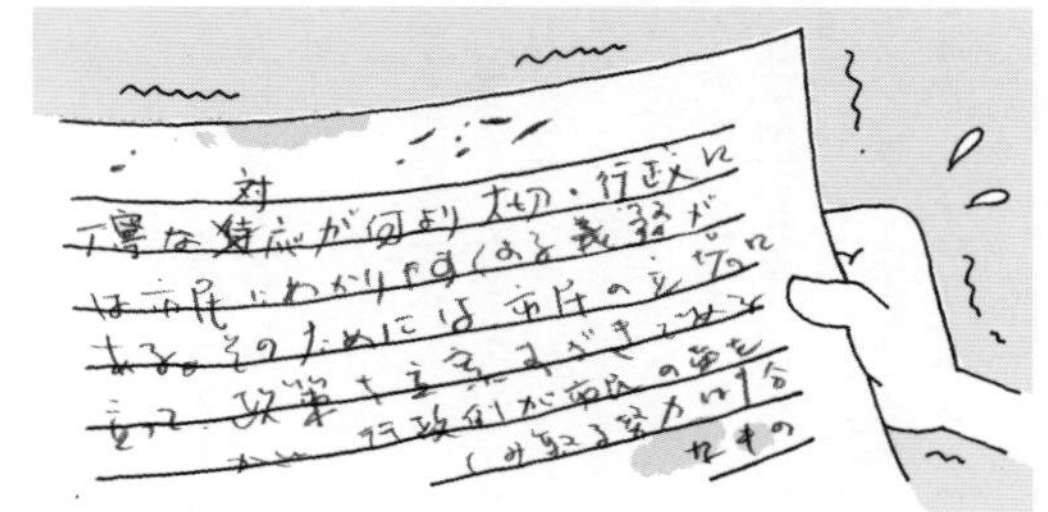

出来上がったら必ず読み直す

書き間違いや書き損じは最悪ですが、それをそのままにしておくのはもっと最悪です。必ず読み直して、ご自分で**チェックしてから提出**してください。

そのほかにも、書き忘れはないか？空欄のままにしていないか？日付も入れたか？誤字・脱字・記入漏れや捺印漏れはないか？何かそれ以上の致命的な勘違いをしていないか？複数の書類を提出する場合に互いの記載内容に矛盾する点はないか？不適切な表現やわかりにくい表現はないか？など、何度も何度も読み直してみてください。

できれば、ここでも、ご家族、友人・知人、学校の就職指導の職員、学校や受験予備校の先生などに、第三者の目でチェックしてもらうといいでしょう。できるだけ多くの人にチェックしてもらい、さまざまな角度から見てもらったほうが、よりよいものになると思います。

最近では、民間企業と同様にウェブでエントリーする場合も出てきました。このような場合にも、できたからといって慌てて送信ボタンを押さずに、よく読み直してからにしましょう。

なお、受験申込書でも面接カードでも、出来上がったら、提出する前に、必ずその完成バージョンのものをコピーして保管しておきましょう。

提出する書類には折り目を付けない

乱暴に扱ってしわが寄ってしまった書類、いろんな折り方をしてクシャクシャになった書類などには、やはり好印象は抱けません。余計な折り目などがつかないように細心の注意を払ってください。

●奥ゆかしい

前ページの答えは「こ・い・し・く 思う」ということです。後嵯峨天皇の皇女悦子内親王が幼い頃に父君に贈った歌だとか。

●定番誤字一覧

面接カードを読んでいてよくお見かけする誤字を拾っておきます。どこが間違っているのかは、ご自分でご確認ください。

「専問」「価値感」「精心的」「撤底的」「完壁」「決果」「講議」「成積」「訪門」「部所」「衆議員」「卒先」「温好」「適格な」「脳み」「心よい」「今だに」「感心がある」「急がしい」「コミニュケーション」……。

こんな感じの「正しいと思い込んでいる誤字」は、自分ではなかなか間違いに気づかないものですので、第三者に指摘してもらうのが一番ですよ。

●脱字が多い！

最近、提出書類だけでなく、論文、作文も含めて、脱字が非常に多くなっています。たとえば、「志望してい（る）職業」「周郵送で提出する際には、その書類を折らないで提出することができる大きさの封筒に入れるのが原則です。ちなみに、封筒に書類と一緒に厚紙を入れている、書類をクリアファイルに入れてくるという受験者もいます。自分の仕事を大事にしているなということで、好印象です。

なお、民間の就職活動で書類を提出する際には、「お受け取りください」という趣旨の添え状を付ける人もいるようですが、公務員試験の書類の提出の場合には特にそこまでは必要ありません。添え状があれば確かに好印象を持ちますが、せっかく添え状が入っていても、そこに誤字・脱字があったり、汚かったりすれば、マイナスです。ン〜、あえて付けてプラスをとるか、付けずに万一のマイナスを回避するか、これはみなさんの選択にお任せします。

書類をパソコンで作ってプリントアウトしたものを提出してもよいとする官公庁・職種もあるようです。そのような場合にも、インクのかすれ・にじみ、紙に対して印刷が曲がっていないかなどには細心の注意が必要です。特に、何度でもプリントアウトできることがわかっているだけに、このような要件に関しては相手方＝面接官や人事の要求度も高く厳しくなっているわけです。きちんとした仕上がりになるように心掛けましょう。

受付期間・方法は最低限のお約束

必ず受付期間や受付方法が設定されています。何月何日から何月何日までなのか、当日消印有効か必着か、受付方法はネットか郵送のみか持参も可かということには十分すぎるほど注意してください。こういうことは**社会人の基本中の基本**です。これが守れない、ここまで注意が至らない人は、社会人不適合という烙印を押されてもしかたありません。

り（の）人から」「人間（関）係」「学校（の）先生」（いずれもカッコの部分の文字が欠落）なんていう感じです。ほんとヒドイでしょ！　丁寧に読み返せば、自分でも必ず発見できるものですから、注意してくださいね。

●メッチャ気の早い受験者

受付期間終了後の到着の場合は、一切受け付けません。開封もしないで送り返します。

その一方で、そもそも受付期間が始まるずっと前に出してくるメッチャ気の早い受験者もいます。これも約束を守れていないことには変わりがありません。

でも、こういう受験者には、若干の配慮はしてあげます。電話で注意を与え、受付期間が始まってから、もう一度受験者側から自発的に受験の意思を来訪もしくは電話で伝えてきた場合に限り、「特例として」認めるというものです。

でも、この場合でも、ブラックリスト行きであることはお忘れなく。

受験申込書の書き方

個人を特定する重要書類

これ、採用試験のシーンだけでなく、人事をやっていると、いろんな場面で生じる問題なのですが、「私は○○である」とか、出頭してきた人物に対して「あなたは大賀英徳である」ということを認定・証明するのは、非常に困難なことです。それで、銀行などに行くと、パスポートや運転免許証なんかの提示を求められるわけなんです。

しかし、公務員試験の受験申込みのようにたくさんの人数を一時に処理するときには、ワザワザそんなことはできません。そこで、受験申込書を提出させて、そこに書いてある氏名などや写真で、「仮に」その試験中の個人を特定しようというのが、受験申込書の目的なんです。いってみれば、受験申込書とは、その公務員試験のパスポートみたいなものです。そう考えてみると、あだやおろそかにはできませんよね！

1字1句も誤りなく、怠りなく

人事院が主催する各種試験（国家総合職・一般職・専門職など）では、受験申込書は純然たる試験手続きにしか使いませんから、とにかく誤字・脱字や間違いなく丁寧に書いておけば、それで事が済みます（といっても、これだけのことができない受験者がかなり多いわけですが）。問題は、地方自治体など独自に試験を実施しているような場合です。受験申込書に、いろいろ

●受験申込書の例
実際に使われていた受験申込書については、11ページに弘前市の例を載せましたが、237ページには実際に先輩が記入した例もありますので、ご参考になさってください。

●見ながら書く
実際に受験申込書を書く際には、ここの各項目を見ながらやっていくと便利だと思います。

な事項を書き込んで、**まるで履歴書**みたいになっていますよね。ここではそういった受験申込書を記入する際の注意点についてご説明することにします。

そうそう。ここで最初に注意しておかなければならないのは、改めていいますが、公務員試験の受験申込書はその公務員試験のパスポートであり、たとえば民間企業に出す履歴書と同じなんだということです。つまり、これを見て個人を特定し、評価・審査し、採用されれば永久に保管される、そういう文書なんです。でも、最初っからそういうことに思い至っていれば、こんなことはしないんじゃないのぉ！というような、あまりに稚拙な、気の抜けたものが多いことが最大の問題だと思います。

試験を受ける、それ以前の段階での、わずか数枚の提出書類で、あなたのこれからの人生を変える可能性があるんですよ！

冒頭欄の書き方

冒頭欄には、日付、氏名、住所などを記入することになっています。いずれも比較的すらすらと記入できるだけに「**ここに人柄が出る**」と考えている人事は多いものです。実際、普段から書き慣れているせいか、とかく粗雑になりがちなので、心して書いてください。

日付

日付を記入する欄があることがあります。この場合には、記入した日もしくは提出した日を書くわけです。本来は記入したその日に提出するのが筋でしょうが、どちらと指定していない場合には、どちらがどうでもあまり気にはしていません。ただし、提出期限後の日付となっている書類は受理できませんので、これだけはご注意を。

●市販の履歴書

国家一般職［大卒・高卒］の採用面接や、地方公務員の最終面接では、指定された履歴書や市販の履歴書に書いて提出を求められることもあります。この場合にも、本文で指摘したようなことをきちんと守って、かつ空欄を作らないように書いてください。なお、市販の履歴書の場合には、職歴欄がやたらと大きかったり、通勤時間とか家族の有無など、公務員試験には不必要な記載欄のあるものもあります。市販の履歴書にも数種類あるので、なるべくシンプルなもので面接カードの記載事項に近いものを選びましょう。学校の就職部で学校指定の履歴書を配布しているような場合もあります。学生のアピールに過不足のない欄構成になっていますので、こういうものを使ってみてもいいかもしれません。

あらかじめ「令和」と記入されていれば元号を書いてください。特に指定がなければ、元号でも西暦でもかまいませんが（最近はお役所でも元号じゃなきゃダメ！ということはありません。西暦でもOKです）、そのほかの欄で日付を書く場合に合わせてください。1つの書類の中で、こっちは元号、こっちは西暦、というのは許されません。

氏名

当然のことながら、戸籍に届け出ている氏名を書いてください。字も戸籍で使われている字を使ってください。たとえば普通の字ではハネていないところがハネているとか、横に1本余計に棒が入っているなどまでちゃんと。いつもは自分でも略字体を使っているけれど、というときにも戸籍で使われている字です。

なお、その後のあらゆる書類、試験時の解答用紙や面接カードなどすべて、このときに使用した字を使ってくださいね。場合によっては、同一人物とみなされない場合があります。なお、採用後の発令もすべてこの字が用いられます。どの文字か、ということが個人の特定に非常に重要になりますので、人事課ではハネ1つ棒1本にとてもこだわるんです。

ふりがなを付ける欄がある場合には、面倒がらずに必ず記入してください。名前がひらがなだからいらないだろう、と勝手に判断してはいけません。もし欄に**「ふりがな」とあればひらがな**で、**「フリガナ」とあればカタカナ**で書くのも常識です（これができていない人が多いんです……）。

年齢

その官公庁によって、記入時点での満年齢を書かせる場合もあるし、採用時の年齢（たとえば翌年の4月1日現在）を書かせる場合もありますので、注意書きに従ってください。

●漢数字？　算用数字？

最近の受験申込書はすべて横書きですから、記入は漢数字ではなく算用数字（アラビア数字）が適当です。なお、住所欄の番地やマンションなどの部屋番号、電話番号についても、すべて統一して算用数字にしておいたほうがいいでしょう。

●個人の特定

人事が氏名の漢字にこだわるのは、個人をキチンと特定できるか否かにかかわるからです。たとえば、「キミの給料上げるよ！」という発令のときには、だれも小さなことにはこだわりませんよね。でも、「オマエは懲戒免職だ！」という辞令で、漢字の横棒が1本足りなかったとしたら、「これ、ボクじゃないも～ん！」といわれちゃうかもしれないからです。ウ～ン……と思いますが、本当の話です。

この欄は、受験資格を満たしているかどうか、すなわち年齢制限内であるかどうかを判定するために、**イの一番でチェックされる項目**です。毎年必ず、数人の方が年齢制限不適合で引っかかってしまっています。今までの勉強のためにかけてきた時間がまったくの無駄になってしまいますので、各官公庁から発表される受験案内をよくよく確認しておく必要があります。

性別

性別などについては、○で囲む方式のものが多いのですが、こういう○の付け忘れが意外とあります。また、○を無造作に乱雑に書いていると、その程度の心構えかと思われてしまいますので、こういう簡単なところにも気を抜かないでください。

住所

現住所は、省略せずに都道府県から書くのが基本です。番地やアパート・マンション名、部屋番号までキッチリ書いてください。田舎から上京して下宿しているので住民票は田舎のままという人も、**今現在実際に住んでいるところ**を書いてください。とにかく、官公庁側からその住所に郵便を発送しても届かないという場合には、当方は責任を負いかねます。

なお、現住所以外に連絡先を書く場合もあります。特に現住所以外の連絡先がない場合は、省略して「同上」と書いてもかまいませんが、あるのであれば、連絡の取れるご家族やご親戚などの住所を書いておいたほうがよいでしょう。

住所には、面接官や人事がかなり関心を持ちます。というのは、別に「○○県人の性格は△△だから……」とかそういうことではなく、就職の場合にも地元志向はないのか、東京で働きたいのか、本人の意向とご両親の意向との衝突はないか、通勤可能な圏内か、宿舎の手配は必要かなどを判断する指標として使いたいと考えているからです。

●住所のふりがな

「東京都」なんてだれでも読めるジャン！と思っても、ちゃんとふりがなは付けましょう。「○丁目△番×号」もです。漢字の部分についてはすべてふりがなを付けてください。

たとえば「みどり野1丁目2番地3号ハイツ青山101」の「ふりがな」は、それぞれの該当部分の上に「みどりの　ちょうめ　ばんち　ごう　はいつあおやま」とするのが普通です。「1」に「いち」というふうに数字にふりがなをつける必要はありません。

電話番号

ともかく確実に連絡のつくところを書いてください。**携帯電話**でもかまいません。数字も丁寧に書いてください。「9」か「7」かわからないようでは、電話がかけられません。

ギョーカイの秘密なので、「いつ」とはいえませんが、その「ある時期」に関していえば、早朝であろうと、授業中の時間であろうと、深夜であろうと、いつでも電話をかける可能性があります。そのときに、なかなかつながらない、どこにかけても出ない、というときには、次の人にチャンスが回ってしまう可能性もあります。最低限、携帯電話を買っておく、常に電源を入れておく、常に電波の届く範囲内にいる、留守電機能を付けておくというのは忘れないでください。

今までにも「バイト中で出られなかったんですぅ」「今ですか?ちょっと飲み会中で……」などいろいろありましたが、とにかく、この「ある時期」はとにかく電話がつながるように、しかも**鳴ったらできるだけすぐ出る**ようにしておいてください。知らない番号だから出ない!?いいえ。この「ある時期」は、とにかく知らない番号の電話にも、とりあえず出てみましょう。志望先の官公庁からの電話かもしれませんから。

なお、下宿生で、連絡先として郷里の住所・電話番号などを記す場合もありますよね。こういうときには、ご家族に「○○を受けているんで、いつ連絡が来るかわからないから、そのときはお願い!」と事前に説明しておくことが必須です。今までの経験でも、耳の遠いおばあちゃんが出てきてまったく要領を得なかったとか、ちっちゃな子しかいなくて伝言もできなかったということがありました。それはそれでしかたのないことですから、次に回るなんていう無茶なことまではしませんが、人事のほうもかなり焦ります。

●コールバックできない?

コールバック機能があるから、留守電はいらない?いいえ。役所の場合、費用を節約しているので回線数が限られていますから、空いている回線をコンピュータ操作でアトランダムに選択して電話しています。したがって、ディスプレイされた番号にコールバックしても、かけた部署につながらないこともあるんです。ですから必ず留守電に「○○番に至急かけてください」と入れています。

●メアドも要チェック!

なお、最近では、メールアドレスを書く欄があることもあります。パソコンでもケータイでもけっこうですので、最も頻繁にチェックできるアドレスを必ず書いておいてください。そして、こちらも「ある時期」には必ず1日何度も頻繁にチェックしておくようにしてください。

写真はけっこう笑えるものが

説明会などで顔を合わせていない限り、面接官や人事があなたの顔を見るのは、写真が最初になります。それに、受験申込書とか、面接カードを見たときに、最初にどこに目が行くか？というと、やっぱり、まず写真です。ということは、写真が**本人の身代わりに「面接」を受ける**ことになっているようなものです。

まず、写真自体ですが、スピード写真は人相が悪く見えるうえに「お手軽な応募」の印象を与えがちですので、避けたほうがいいと思います。また、最近は精度がいいのでご自宅のカラープリンタで打ち出したものを貼り付けるという受験者がいますが、現在の社会では正式なものとしては受け入れられていませんので、これもやめておきましょう。

こういう証明写真は、だいたい**胸から上**、肩口から上が写っているものをいいます。腰から上全部とか、逆に首から上だけというのは、この時点で常識を疑われます。頭の上にも数ミリの余白があるのが当たり前です。頭の上が切れているというのは論外です。**背景は無地**です（単色の色が付いていてもかまいません）。背景に物が写り込んでいるとか、スナップ写真の拡大は×です。

正面向きが原則です。人の顔は左半分のほうが若干いい顔をしているようですので、お見合い写真や、選挙ポスターでは、ちょっと斜めに構えたポーズで撮ることも多いようですが、受験用（就職用）の写真では、やめておきましょう。

写真のサイズ・大きさにも、その官公庁ごとに指定があります。必ず守ってください。大きすぎても、小さすぎてもいけません。大きさに指定がない場合でも、写真を貼る枠にピッタリ納ま

●カラーか？白黒か？

特に指定がなければ、どちらでもかまいません。ただし、コピーされるということを考えると、白黒写真のほうが有利です。なぜなら、カラー写真では、コピーした際になんとなくオリジナルと印象が違ってきてしまうからです。

●責任逃れの小細工

昔、某官庁では、私服姿の写真の受験者が最終面接まで進んだときには、人事が、面接官用の面接カードのコピーをとるときに、首から下をスーツ姿の他の受験者のものと切り貼り合成してからコピーをとっていたそうです。

なんでも、かつて私服姿のままの写真のコピーを渡したら、管理職の面接官に「オマエらこんな非常識な受験者を最後まで残したのか！」としかられたことがあったからだそうです。

ン～！なんと無責任、かついいかげんな人事！

今では、この官庁も、人事担当者が「真っ当な」人に替わったそうですが。

るように切らなければなりません。定規を当てて切らなかったのか、カットのしかたが曲がっていたり、切り口がギザギザだったり、ちゃんと直角じゃなかったりというのは、いいかげんな性格と思われてしまいます。

また、写真を貼るときには、裏全面にきっちりのりづけし、枠のとおりに貼ってください。斜めに貼ってあったり、のりが回りからあふれて用紙や写真自体を汚したり、封筒とくっついてしまったりというのでは、仕事の細部まで神経が行き届いていないと思われてしまいます。なお、特にただし書きがなくても、万一はがれ落ちてしまったときのために、写真の裏に名前をフルネームで書いておくのが、見えない心遣いです。

髪型については、個人の自由ですから、コレということはいえません。せいぜい、清潔感があることと、乱れていないことは常識です。寝ぐせや乱れ・ほつれはどんな髪型でもダメです。**額、眉、頬が出ている**ほうが明るい印象を受けますので、顔のこれらの部分が隠れてしまうような髪型は損です。茶髪もいただけません。後はみなさんの常識にお任せします。というより、むしろ、面接官は、みなさんのご両親ぐらいの年輩（またはそれ以上）が多いですから、その年齢層の人の常識に合わせたほうがいいでしょう。

服装、これもけっこう笑えます。「あなた、これから社会人になろうとしているんでしょ⁉」と思われてしまうような服装では、1発アウトです。アルバイトの履歴書じゃないんですから、セーター、スウェット、キャミソールなんかは論外です（そもそも、アルバイトでも、ちゃんとしたところでは、これでは受け付けてくれません）。特に、司法試験などの資格試験の受験経験のある人は、「単なる写真照合のためなんじゃないの？顔がわかればいいジャン」と考えている人が多いようですが、ア・ウ・ト。男性の場合も女性の場合も、**就職活動の際に使う**

●写真を貼る時期に注意
地方自治体によっては、受験

志望動機など
詳しくはホームページをご覧ください！
http://www.suzuki-taro....
レッツ！アクセス！
鈴木太郎
なにこれ....

スーツが無難です。逆にいうと、受験申込書の写真を撮るときまでには、リクルートスーツを用意しておくべきです。高校生などのように学校の制服がある場合には、制服でもかまいません（私はあまり好きではありませんが）。この際、シャツ（ワイシャツ）は、白の無地が基本です。専門学校生に多く見られるのは、成人式のときにでも使ったのでしょうか、黒のワイシャツで写っている人もいますが、「?」です。なお、写真においては、（夏真っ盛りの面接の際に提出する面接カードの写真でも）クールビズではダメです。男性はちゃんとネクタイを締めた写真にしてください。

そのほか、イヤリング、ピアス、ネックレスなどの装飾品はすべて外しておきましょう。メガネをかけている人は、普段使っているメガネをかけたままでけっこうです。ただし、学生のときのままの装飾性の高いメガネ（デザインに凝ったものなど）は社会人には受け入れられません。コレも、写真を撮るまでに作り直しておきましょう。なお、写真を撮る直前には、メガネのズレに注意し、正位置にキチンとかけているかを確認しておきたいものです。

疲れた表情、悩んだ表情、極度に緊張した硬い表情では、採用する気が失せます。**明るく健康な表情**になるように、前日から体調を整え、撮影の際にも明るい気持ちでいましょう。撮影の直前に、ニッと笑ってみると、顔の筋肉が緩みます。かといって、選挙ポスターのようにニタッと作り笑いをしているのはいただけません。自然体で、かつ自信と余裕にあふれた自己ベストの顔つきをしましょう。

男性の場合は、無精ひげや顔のテカリにも注意しましょう。ネクタイ・メガネのゆがみや髪の乱れも写真を撮る直前に直しておきます。女性の場合は、V字の襟開きのほうがスッキリした印象を与えるようです。長い髪の場合は、後ろで束ねておきましょう。肩の前に出すのはダメです。

申込書に写真貼付欄があっても、申込みのときには写真を貼る必要はなくて、筆記試験や面接試験の際には写真を貼ってきなさいという指示をしているところもあります。

こういう指示にちゃんと従っているかどうかというところもチェックされますので、受験案内などをよく読んで対応してください。

●写真はすべて同じものを

地方自治体などの受験申込書では、受験申込書本体の部分と筆記試験の際の写真票の部分の2か所に写真を貼ることがありますよね。この場合には同じ写真を貼るのが常識です。写真代を浮かせたいのか、たまたまあったからなのか、はたまた筆記試験の際はこのTシャツで受験しますよということの意思表示なのか、写真票のほうはTシャツの写真で、などという受験者もいますが、これはダメです。必ず、同じ写真、キチンとした服装の写真を貼ってください。

なお、受験申込書に貼る写真

以上のことに注意して、清潔感があり、健康的で誠実であるように見えるかを念頭に置いて写真を撮りましょう。なお、写真に関しては、どこの官公庁でも使い回しできますし、官庁訪問の際にも各官庁で要求されることがありますので、一度キチンと専門の写真屋さんで撮ってもらって、大量に焼き増ししておきましょう。焼き増しには時間がかかりますので、官庁訪問の途中で写真がなくなってしまってからでは後の祭りです。

学歴・職歴欄

学校名を書く場合には**正式名称**を記入します。たとえば「慶応大学」ではなく「慶應義塾大学」、「○○一高」ではなく「○○第一高等学校」と文字も名称も略さずに正式に記入するのです。「国立○○大学」とか「私立○○大学」というふうに「国立」とか「私立」とかを書く必要はありません。「学校法人○○専門学校」の「学校法人」も不要です。一方、高校とか中学の場合には、「○○県立」とか「△△市立」と書いておいてくれたほうが、人事は助かります。

よく受験者のみなさんが間違っているのは、高校、大学（もしくは専門学校）の順に書くのか、あるいは最終学歴から大学（もしくは専門学校）、高校の順に書くかです。それぞれの官公庁によって順番が違うので、思い込みで書いてしまう受験者が多いようですので、もう一度確認してから、指示されたとおりの順番で書き込んでください。

なお、学歴欄に書くことができるのは、中学校、高等学校（中等教育学校を含む）、専門学校、高等専門学校、短期大学、大学、大学院のみです。大学浪人時代の○○予備校、△△ゼミナールを書き込んでいる受験者が少なからずいますが、笑い者になってしまいます（しかし、うまくしたもので、内定者にはこういう人はいないものです）。これは書かないのが当たり前です。な

と面接カードに貼る写真も、できれば同じものにしておきたいものです。

●学歴欄はいらない！

私自身は、「学歴は採用時にわかればいいだけだから、面接試験（面接カード）の段階では、学歴欄はいらないんじゃないの？」って提案したんですが、わが官庁もまだまだオクテで、各方面から賛成を得られないでいます（この点、地方自治体の中には学校名を記載させないなど、進んでいるところもありますよね）。

いずれにしても、採用が決定してからは、何年学校に行っていたか、何年どんな仕事をしていたかは給与の格付け（何級何号俸にするか）で非常に重要な事項になりますので、学歴・職歴は正確に記載してください。

●職務経歴書

民間の場合、転職する際には、特に指定がなくても履歴書に加えて前職の職務内容や就業期間を詳細に記入した職務経歴書を付けて申し込むのが常識です。

お、専門学校生の場合ご注意いただきたいのは、いわゆる「専門学校」の中には、学校教育法上の「専門学校」とそうでないものがあるということです。学歴欄に記載できるのは、学校教育法上の「専門学校」である場合のみです。

専門学校・短大・大学などの場合は、学部・学科・専攻なども正式名称でキチンと書きます。また、途中、留学している場合には、留学した期間、国名、学校名などを記入します。休学した場合は、時期（○年次）や期間（△年間）を明記してください。欄に余裕がある場合には、短く理由を付します。中退（中途退学）した場合にも隠さず書きましょう。なお、**入学年、卒業年**は間違いのないようにしてください。かなり間違っている人がいます。また、卒業見込みなのか、卒業なのかも欄の指示に従って、忘れずに書き加えて（もしくは○囲みして）ください。

面接官や人事は、いつ何年浪人・留年したとか、中退したとか、卒業後何年たっているということにけっこう目を光らせています。ここで計算間違いや隠し立てをしていると、面接の際に突っ込まれて、この部分だけで貴重な時間をかなり費やしてしまいます。もったいないことです。むしろ隠し立てしないで、中退した理由などからアピールして話が弾むということもあります。前向きにアピールポイントととらえましょう。

職歴に関しても、以上と同様です。勤務先は正式名称できちんと書いてください。どんなに短期間であっても（たとえ1日でも！）正社員だったものについては、書いてください。なお、自営業の場合も同様に記入します。ちょっとしたことで安易に辞めたんじゃないか、人間関係に問題があったんじゃないかと思われるのがイヤで、隠し立てをする人がいますが、面接で突っ込まれて墓穴を掘ります。その一方、単なるアルバイト（パートを含む、社会保険に加入していないようなもの）の場合は、特にアルバイトについても記入しなさいとの指示がない限り、どんなに

しかし、公務員試験の場合には、特に指定がない限り、受験申込書の記載だけで十分ですから、職務経歴書を添付する必要はありません。

なお、公務員の場合でも、経験者採用試験の場合には、職務経歴書の添付が求められることが多いようです。

●専業主婦（主夫）は職歴？

社会人試験を受験される方で専業主婦だった方もいらっしゃいますよね。そういうとき「専業主婦」を何とか職務経歴欄に書き込めないか？って悩まれると思います。これは民間でも同じですが、専業主婦は職務経歴欄に書かないことになっています。ですが、これがマイナスになることはありません。面接で職務経歴を聞かれた際に、空白の期間について「専業主婦（主夫）をしていました」とちゃんと説明できれば何の問題もないのです。どうしても心配なら、最後の職歴の退職の理由に「結婚のため退社」などと一筆添えておけばよいでしょう。

長期間継続したものであっても書かないのが常識です。

職務内容を書く必要がある場合には、欄の大きさにもよります。欄が小さい場合には、「経理」「人事」「一般事務」程度、比較的大きい場合には、もう少し具体的に職務内容を説明するように書きましょう。

なお、**学歴詐称、職歴詐称は許されません**。内定後、卒業証明書、在職証明書の提出が求められます。証明できなければ、内定取消事由になります。

その他の記載欄

自己PRや志望動機およびこれらに類する事柄に関しては、前章、前々章と後ほど記載の「面接カードの書き方」をご参照ください。その他の記載事項については、各官公庁によってまちまちですので、ここではその主だったものについてコメントを付すことにします。

免許・資格欄

受験の際に特定の免許・資格を取得(もしくは取得見込み)であることが必須の職種もありますので、受験案内をよく読んでおきましょう。

それ以外の場合、免許・資格欄には、あくまでも志望する官公庁の仕事や職務に関連した公的資格を記入してください。行政書士、宅地建物等取引主任者、教員免許などです。普通自動車運転免許は、特に必須となっている場合以外は、書いても書かなくてもけっこうです。

語学関係の資格(英検、TOEIC®、TOEFL®など)は**スコアと取得年月まで**詳しく記入します。国際化の時代ですので、面接官や人事も語学資格にはビンカンです。

簿記検定、秘書検定、パソコンなどの資格に関しても、取得していれば、記入しておきましょ

う。面接試験の際の話のとっかかりになるかもしれません。ただし、趣味やスポーツのライセンス（小型船舶操縦士免許とか剣道○段など）は「免許・資格欄」ではなく、「趣味・特技欄」や「健康欄」に記載するのが適当です。

所属クラブ・サークル欄

面接官や人事は、この欄の記載をきっかけに質問をして、その人の経験・体験、それによってどのように人間的に成長したかという面を知りたいと思っています。

事実を正確に記載します。ウソ、ハッタリはやめましょう。何か賞を取った（関東選手権優勝など）とか、役職を務めていたという場合には記載しておきます。

特にない場合でも「特になし」としてしまうと、面接でのせっかくの話の接ぎ穂をなくしてしまいます。「学校のサークルには所属していませんでしたが、地域の○○活動をしています」とか「サークルには未加入ですが、△△に熱中していました」などと、**何かを書いておきましょう。**

卒業論文・ゼミナール欄（得意な学科欄）

ここでは、学業関係でどんな努力をしていたかを聞きたいと思っています。ただし、面接官や人事もだいたい同じような学部・学科出身者が多いわけですから、書いた以上、**ある程度専門的な質問にも答えられるようにしておく**べきです。

卒業論文の表題だけではなく、「○×△に関する考察――○×△について、□□という視点から、××手法を用いて研究していく予定です」などと簡単に1行程度でメインテーマを書いておくとよいでしょう。

ゼミナール名を書くときには、「○山△雄ゼミナール（環境法）」とか「環境法ゼミ（○山△雄

●**多ければイイってもんじゃない**

ないよりアピールになるんじゃない？っていうことで、すぐに取れる○○4級、△△5級などの検定試験をボコボコ取って書き連ねる受験者もいます。

しかし、多ければいいってものではありません。面接官や人事は、その仕事・職務にとってプラスになるかどうかという点で見ています。ですから、たくさん資格・免許を持っている場合には、その申込先の仕事・職務に見合ったものを厳選・取捨選択して載せるようにしましょう。

教授)」というふうに指導教官名と専攻分野の両方を書いておくべきです。

特に卒業論文やゼミナールへの参加を必要としない学校もありますが、その場合にも空欄にはせずに、「ゼミナールには加入していません」と記載した後に、必ず「学校では特に憲法の立法の不作為について関心を持って勉強をしました」など、**自分の関心を持った科目・分野**を書いておきましょう。

高校生、専門学校生の場合には、卒業論文とかゼミナールがありませんから、得意な学科(もしくは不得意な学科)を聞くことになります。この際に、公務員試験の分野、たとえば「判断推理」とか「資料解釈」を答えるのはタブーです。あくまでも、高校までの科目で答えてください。特に、面接官が懸念しているのは、予備校・専門学校の受験指導が徹底しすぎていることです。その学校の受験者みんなが判で押したように「生物が得意です。最先端のバイオテクノロジーや医学などとも結びついており、関心を持って勉強してきました」と科目も理由もまったく同じように答えるのを聞いていると、正直イヤになってきます。もっと、自分の考えを話してくださいね。

趣味・特技欄

これも面接での話のとっかかりを探るための設問です。自分の関心事項、アピールできそうな事項ならなんでもかまいません。ただし、面接官や人事としては、この話題から、社会人としての適性・能力を感じさせるようなエピソードを聞けることを期待しています。ということは、1人だけで内にこもるような趣味とか、競技の結果というよりは、**「他人と共同で何かをやった」という経験・体験**に結びつくエピソードを語ったほうが有効だといえるでしょう。

ゼミナールですか?
ハイ! 代々〇ゼミナール
に2年ほど通って
おりました!
要するに
2浪です!
あのねぇ…

つまり、柔道3段というのは、公安系の職種であればそれ自体で強力なアピールですが、一般事務の場合には、さらに「関東学生選手権の企画運営を担当し、○○ということに努力してきました」というような努力体験などを具体的に語れるように準備しておきます。

最近の関心事

これまた面接での話のとっかかりのためのものです。ということは、ごくごく私的な関心事、たとえば「○○鉄道の1000系車両の制動装置について」とか「入浴法」とか書かれても「?」なわけです。ここで知りたいのは、**社会的な事柄、話題について、あなたがどう考え、どう対処したいと思っているのか、もしあなたが当事者ならどうするか**という点です。

とはいっても、注意すべき点があります。1つは、その年のあまりに有名なトピックス・事件を挙げるのであれば、ほかの多くの受験者も同様に指摘しますので、よほど自分なりの独自の切り口を見せるとか、深い分析を示さないと、ほかの受験者と差がつかなくなって埋没してしまいます。

2つ目は、(日本の就職試験に独自の傾向なのですが)自身の思想信条や政治理念、宗教にかかわることには、あえて触れないほうがいいということです。

日頃から新聞などを読んでおいて、おもしろそうな記事についてちょっと図書館などで背景などを調べておく、ということをしておきましょう。こういう得意ネタを2~3個は準備しておくべきです。

健康欄

短く「良好」とだけ答えておけばいいです。逆にいえば、そう答えた人以外は採用したくなく

●すべての回答をアピールの場に変える

得意な学科でも、趣味でも、最近の関心事でも、面接官や人事にとっては、単にその答えだけを知ってもなんの意味もメリットもありません。

そこからあなたの人間性が感じられない答えであれば、「なーんだ」「フーン」となんの感動もなく終わってしまいます。

面接カードに書いた答えをきっかけに、面接試験の本番で「へぇ~、こんな努力をしたんだぁ」「なるほど、こういう見方もあるよね」と面接官や人事に思わせるような回答を準備しておいてください。

そのためには、受験申込書や面接カードに書いた事項については、どんな小さなことに関しても、想定問答集を事前にシッカリ作っておかなければなりません。

なるし、自ら「最悪」と答える受験者はいないわけですから、この欄自体をなくしている官公庁も多いようです。

なお、業務に支障を生じるわけではないけれども、特に配慮してほしい身体的条件、病気、障害がある場合には、書いておきましょう。これを書いたからといって、**マイナスに働くものではありません**。ただし、どんな方法でか採用までに申告しておいてもらわないと、採用時の実際の配置を考える際に配慮できなくなってしまうおそれがあります。

併願状況欄

併願状況から、「本当にウチに来てくれるのか」という採用可能性を探ろうと思っているのです。公務員試験は「採用試験」ですから、どんなに成績優秀でも採用に結びつかない人には合格を出しません。「絶対に採用できるかどうか」ということで、受験者と面接官や人事で駆け引き、化かし合いをすることになるわけです。

ただし、これも素直に書きましょう。ウソをついても人事の併願状況調査ですぐにばれてしまいます。面接官や人事のほうが、受験者のみなさんより相当上手であることをお忘れなく。正しく書いても特にプラスにはなりませんが、ウソをついていてそれがバレたときには決定的なマイナスになります。

そうはいうものの、面接試験の本番では「**絶対につくべきウソ**」が1つだけあります。それは、どんなに内心は志望順位が低くても、志望順位を尋ねられた際には、**必ず「第一志望です」と答える**べきだということです。そもそも「第二志望です」「第三志望です」という受験者に対しては、面接官や人事は戦意喪失です。だって、せっかく内定を出しても、第一志望が合格を出したらそっちに行ってしまうのが明らかですものね。

●身体的要件

公安系の職種の場合、身体的要件を必要とし、受験申込書や面接カードに記入させる場合もあります。この場合には、事実を記載してください。ウソをついても、いずれ身体検査がありますので、そこでばれてしまいます。ビミョ～なときはどうするか、これはもうチャレンジですね。とりあえず要件ギリギリの線で自己申告しておき、身体検査で引っかかったら素直に引き下がる、これしかないでしょう。

●その他の記載欄の例

本文で記載したもの以外にも、家族歴（続柄、氏名、年齢、勤務先・学校名など）、最近読んだ本、当省（庁）内の知人・先輩関係などを記載させる官公庁もありますが、思想良心の自由、プライバシーおよび個人情報保護の観点から問題が指摘されるようになってきており、これらの記載欄については削除する動きが広がってきています。

ただし、家族歴については、相当に絞られた段階、もしくは

「あなたもカレも大好きよ！でもカレの返事を待ってからにして！」って言われたようなものです。男女の間柄であれば、「それでも！」という押しの強さが新たな展開を生むこともあるのでしょうが、どこの官公庁もプライドが高いですから、「第一志望の結果を待ってからでもいいよ」とは言ってくれません。

「第一志望です」と答えた人についてのみ、さらに、ほかの併願状況や、出身校、出身県、その他諸々を加味しながら、「本当はどうかな？」「こっちなんじゃないの？」ということを探っていくのです。

注意事項

用紙の表面だけではなく、**裏面にも**記入しなければならない場合があります。また、受験票、写真票など、何箇所も住所や氏名を書かなければならないこともあります。用紙によっては、「ここは記入してはいけません」という欄があるものもありますので、こういう場合には逆に記入しないようにしなければなりません。**受験案内や「記入上の注意」をよく読んで、**記入漏れや過剰な記載が1箇所もないように注意してください。

なお、受験票や切手貼付欄に切手を貼るという指示がある場合には、忘れずに貼ってください（貼り忘れが実に多い！）。貼るときには、はがれ落ちないようにシッカリ貼ってください。また、印鑑を押さなければならない場合もあります。かすれないようにキッチリと曲がりなく押すようにしてください。最後に、と思っているうちに忘れがちです。ご注意を！

採用内定になった段階で提出させられる場合があります。

ネット申込みの注意点

公務員試験でも一般化してきたネット申込み

今までは通常の郵送・持参申込みのやり方についてお話ししてきましたが、最近は国家でも地方自治体でもほとんどの公務員試験でネットで申込みができるようになりましたので、その方法と注意点についてもお話しておきましょう。

この「ネット申込み」というのは、インターネットを通じてパソコン上で行う受験申込みのことで、「インターネット申込み」「オンライン申込み」「電子申請（受験申込み）」「ウェブエントリー」などと呼ばれるものです。受験申込書（願書）に書き込む手間も省けますし、郵送代もかからないのでお得です。

ただし、パソコンがなければできません。スマートフォンやタブレットではうまくできないところがあったりするので、これには十分注意してください。

公務員試験の場合、民間企業のように「ネット申込みだけしか認めない」と限定していることもありますが、従来どおりの紙ベースでの郵送・持参申込み方法と併用している場合も多いです（ただし、両方での二重申し込みはできません！）。また、受験申込みだけパソコン上で操作すればいいところだけではなく、加えてその後も第1次試験合格者に対して**パソコン上での面接カードの作成を求めたりするところも**あります。

●もうここで自己PRと志望動機

試験によっては、ネット申込みの段階で自己PRや志望動機を書かせるところもあります。いきなり入力欄に書き始めてしまうと、文字変換のつもりでエンターキーを押したら入力完了になってしまったり、誤字のまま気づかずに送信してしまったりなど、さまざまなミスを犯しがちです。別ウィンドウでメモ帳か文書作成ソフトを開いて、そこで文章を練ってから、コピペしたほうが間違いありません。

●自分で入力してよね！

紙ベースの申込みだと、字を書かなければならないので、さすがにだれかが勝手に書いてしまうとか、代筆という事態はあまり起こりえないのだろうと思いますが、ネット申込みだと顔が見えませんし、データの入力だけなので、本人が操作したか

思いのほか事前準備が必要

インターネットだと簡単にチョチョイっとできそう！と思い込んでいる受験者も多いようですが、意外と面倒くさいですし、実際に、間違い・ミスを犯す受験者が絶えませんので、手続きを順を追って見ていきながら、ポイントをチェックしていきましょう。だいたいどこの試験でも同じような手順ですので、ここでは国家公務員の試験を例にとってお話していきますが、ご自身の受験するところ独自の操作手順もありますので、よくよく注意してください。

パソコン、メールアドレスの準備

繰り返しますが、**スマートフォンでは申込み手続きができない**ところもありますので、必ずパソコンを準備してください。自分のパソコンでなくてもよく、学校などの共用パソコンでもかまいませんが、インターネットに接続されていること、ご自身のメールアドレスがあること、要求されている利用環境が整っていること（ＯＳ、ソフトのバージョンに注意）、が絶対条件です。メールアドレスだけは携帯電話のでいいだろうと思ってはダメです。携帯電話のメールアドレスには対応していません。なお、共用パソコンを使う場合には、個人情報の管理には十分注意してください。

パソコンさえあれば、プリンターがなくても手続き自体はできますが、受験案内には重要な事項が書いてありますし、試験実施機関から送られてきたメールには、**ユーザーＩＤ、問合せ番号など忘れてはいけない重要情報**が書かれていますので、ぜひプリントアウトして、保存しておきましょう。また、いずれ受験票もプリントアウトしなければならなくなります。というわけで、あらかじめプリンターも用意しておいたほうがよいでしょう。

どうかはわからないんです。ウワサによると、「息子を公務員にさせたい！」という親御さんが勝手にエントリーして「ハイ受験票。ここも受けに行ってきなさい」といきなり手渡すこともあるんだとか……。どんなもんでしょうね。

●ゴッチャゴッチャでヤヤコシイ！

パスワードやらユーザーＩＤやら問合せ番号やらパーソナルレコードやら、１つの試験でいろんな覚えておかなければならないものがあって、かなーり面倒です。しかも、ユーザーＩＤとか事前登録ＩＤとか、同じものなのに、説明書きによって書き分けていたりしますので、ナニガナンダカわからなくなっちゃいそうです。

さらに、同じ試験機関でいくつかの試験を受ける場合には、それぞれ別にユーザーＩＤを取得しなければならないなど、受験者側にとってはかなりわかりづらい、面倒な作りになっていたりします。何とかならないものですかねえ。

学歴・職歴メモの準備

当然わかっていることだし、何で？とお思いの方も多いでしょうが、何年入学・何年卒業とか、学校・会社の略称は覚えてても正式名称・漢字はなんだっけ？なんていうことが意外と多くあります。慌てて探しているうちに、タイムアウトエラーになっちゃいます。

申込み先によって違いますが、だいたい**入力開始から30分**を経過すると、エラーになってしまい、すべて最初からやり直さなければならなくなってしまいます。通常の履歴書や受験申込書に書くような事項については、**メモ書きを作っておいてから作業に取りかかる**のが賢明です。

受験案内と注意事項をよく読む

すぐにエントリーに取り掛からないで、**まずは受験案内やネット申込みの説明・注意事項やQ＆Aをよく読みましょう**。なお、ウェブ上で「開く」とか「こちら」となっている部分は丹念に1つずつ実際に開けてみて内容を確認しておくことも必要です。さらに、ウェブ上で読むだけでなく、**プリントアウトして**ポイントに**ラインマーカーを引きながら**読んでいくことをお勧めします。

というのは、いったんエントリーの画面・ページに入ってしまうと、戻るボタンで戻って改めて確認していくことができない設定になっていることが多く、また、複数のウィンドウを開いて見ながらやろうとすればやってやれないことはありませんが、上下左右にスクロールして注意事項を読んだり、書き込んだりするのは面倒くさいうえに、大きな間違いの元になってしまうおそれがあるからです。ウダウダ操作している間にタイムアウトになっちゃいます。

●電話で問い合わせながら入力するのはやめて！

操作がわかりづらいというのは確かだと思います。でも、「じゃあ……えーっと、ここのところはこうやって。……んで、次のここはどう書けばいいんです？」と、明らかに電話をかけながら入力している人がいますが、これはやめてください。長電話になってしまって、他の問合せに対応できなくなってしまいます。

●問合せは電話オンリー

事前登録完了通知、申込み受付完了通知、受験票発行通知等はすべてメールで来ますが、このメールに折り返し返信しても回答してくれない仕組みになっています。問合せの受付は電話オンリーで、メールでの問合せには応じてくれていません。確かに、メールだと何往復もしないと解決できないので、電話のほうが手っ取り早いですものね。

●意外と大事なスクロール

ウェブのページを見ていると、つい、画面に書かれたことだけを読んで次のページに移っ

操作も意外とメンドイ！

さてさてやっと申込みのための操作開始です。受験案内はプリントアウトしていつでも読めるように置いてありますか？履歴メモは準備できましたか？　試験によっては志望動機や自己ＰＲなども入力しなければなりませんので、事前に作成した原稿案を手元に置いておきましょう。

事前登録はインターネット通販ソックリ

多くの国家公務員試験の場合は、まずは事前登録からになります。クリックして事前登録の画面を開くと、氏名（漢字）、氏名（カタカナ）、性別、生年月日、現住所（郵便番号、市区町村、地名・番地等、建物名および部屋番号等）、メールアドレス、パスワード、パスワードを忘れた際の質問、上記質問の答えといった入力項目があります。インターネット通販を利用した方はわかると思いますが、入力項目がソックリですよね。**「全角」とか「半角数字」という指定**もありますので、これに注意しながら、１つずつ、間違いのないように入力してください。すべて入力したところで、いったんすべての項目を見直して、**間違っていないことを再確認**したうえで、「次へ」ボタンをクリックして確定させてください。なお、パスワードとパスワードを忘れた際の質問については、忘れてしまっても問合せには応じてくれませんから、必ず何かにメモしておきましょう。こういうときには、**プリントアウトした受験案内にメモ**しておけば、他の試験のパスワードと混同してしまう危険を回避できます。

確定させると、事前登録完了通知がメールで「ユーザーＩＤ」とともに送られてきます。パソコン画面では「メールを見てね」とはどこにも書いてありませんが、いったんメールボックスを開いて、メールが着信していることを確認しておきましょう。このメール自体もプリントアウトしてしまうことがあります。でも、よくよく見てみると、当初の画面には出ておらずスクロールして下のほうになっている部分を見てみると、そこに重要な事項が書かれていたりします。どの画面についても、その下にも書き込みがないか、上から下までスクロールしてみてから、次の画面に移るようにしてください。

●クリアファイルで整理

プリントアウトした受験案内、メールなど、いろいろありますよね。しかも試験ごとにあるので、どれがどれだかわからなくなっちゃう。直前になって慌てて探すと焦ってしまいますので、それぞれの試験ごとにクリアファイルに入れて整理しておきましょう。

仕事場を見ていても、デキル人は整理が上手な人です。今のうちからいいクセをつけておきましょう。

したうえで、ユーザーIDもキチンとメモしておくことが肝心です。
これで受験申込み手続きまで終わったつもりになってはいけません！　受験申込み手続は、別途改めて行わなければなりません。なお、事前登録を誤って2回行ってしまった場合については、どちらかを取り消すということはできませんので、以後は正しい内容で登録したほうのID・パスワードだけを使うようにしてください。

事前登録とは別に申込み作業が必要！

今度こそ、申込み手続きです。最初のページでご自身のユーザーIDとパスワードを入力するところから始まります。国家公務員の場合、試験区分、第1次試験の試験地、志望先などを入力します。なお、身体障害等で、拡大文字の使用とか試験時間の延長等のなんからの措置が必要な場合には、ここで申請しておく必要がありますので、特に注意してください。

みなさんが一番迷われるのは、学歴欄の入力のようです。機械はおおかたの人が歩むであろう学歴に対応したシステムとなっていますので、中等教育学校を卒業した場合、飛び級・飛び入学をした場合、転入・編入をした場合、（医学部や薬学部のように）6年制の学部を卒業した場合など、ちょっと変わった学歴の場合には、通常の操作ではエラーになってしまうことがあります。説明書きやQ&Aも参考にしながら操作してみてください。

必要事項を入力し終わったら、確認画面で必ず隅から隅まで再確認してください。**いったん送信してしまったら、申込み内容の変更には応じてくれません！** もう1回やっちゃえ！と思って最初からやり直そうとしても、二重登録エラーになってしまい、2度と受け付けてもらえなくなってしまいます。ネット申込みで失敗したから、郵送でもう1度、というのもアウトになってしまいます。「**ちょっと待て　そのエンターキーが　地**

●最終学歴と受験資格の学歴とは違う

試験によっては、受験資格の中で特定の学歴を要求していることもありますよね。こういう場合、あなたの最終学歴と受験資格上で必要されている学歴が異なっていることがあります。たとえば専門学校卒の人が高卒程度の試験を受験する場合、最終学歴では専門学校卒にチェックをしても、受験資格上の学歴は高校卒ですから、機械はちゃんと判定してくれません。「受験資格の学歴が異なる」欄にチェックをして、再度、高校も卒業していることの入力をしなければならなかったりもします。

●受験票は自分で作る!?

申込み手続きを完了していい加減忘れてしまったころに受験票発行通知のメールが届きます。ちょうど試験勉強真っ盛りの時期でメールチェックがおろそかになりがちですが、こまめにチェックしておきましょう。

第1次試験の日に持っていく受験票はそのメールに添付されているファイルをプリントアウ

獄行き」です。
最後に、「以下の内容で受け付けた」旨の画面が出ますので、これは証拠のためにプリントアウトしておきましょう。その後、申込み受付完了通知がメールで来ますが、これもプリントアウトし、その中に書かれている問合せ番号は受験案内等に書き写しておきましょう。以後、万一、受験票発行通知のメールが届かない等の事件が発生した場合には、あなたのパスワードやユーザーＩＤでは対応してくれません、この問合せ番号での対応だけになります。なお、ネット申込み自体は真夜中でも土日でもできますが、**問合せに応じてくれるのは通常の勤務時間内だけ**ですので、くれぐれも余裕を持って手続きしておきましょう。ちゃんと申し込みができているかは、申込み手続きの最初の画面の下のほうにあるパーソナルレコードのところにログインすることでも確認できます。

なお、ウェブでの受付期間は、最終日の23時59分59秒までに受信完了でないとアウトです。たとえ入力開始時には受付期間中であっても、**入力中に日をまたいでしまうと受け付けてもらえません**。意外と盲点ですよ！

以上、ネット申込みについても見てみました。確かに、受け付ける側の試験実施機関にとっては、ずいぶん手間が省けるようになりましたが、申込む側の受験者にとっては、入力自体、結構面倒な作業だし、申し込んだ後も、ちゃんと申し込みがされたのかとか、受験票のメールが来るかなどと気をもんだり、クソ忙しい時期に受験票の作成をしなければならないやらで、今まで以上に手間がかかってしまうこともあります。今までの説明を参考になさって、郵送がいいか、ネット申込みがいいか、ご自身で判断してください。

ト（しかも、カラーじゃダメ、白黒でとかいろいろ条件がついている）したうえで、指示に従って切ったり貼ったりしたり、顔写真を貼ったり、穴あけをしたり、必要事項を記入したりとかなり面倒ですので、試験日前の余裕のある時期にやっておいたほうがいいでしょう。

受験票がダウンロードできない場合、届いていない場合には、速やかに試験機関に電話で問い合わせてください。この問合せにも期限があって、期限を過ぎたら受け付けてくれませんし、まして当日試験会場に行ってから申告してもアウトになってしまいますので、注意しておかなければなりません。

また、経験者採用試験の場合、第1次試験当日に職歴書を作成して（同じものを2通）持参しなければならないことになっています。不親切なことに、この職歴書のファイルは、受験票発行通知のメールには添付されてはいません。ウェブ上の、しかも申込み画面ではなく、受験案内一覧の画面の下の下のほうにあったりします。

面接カードの書き方

実は受験者にとって最大の武器になる

面接カード（訪問カード、自己紹介カード、調査票、身上書などともいう）とは、面接試験・官庁訪問の前に提出が求められる書類で、自己PRや志望動機など、その受験者の人物像がわかるような質問項目が並んでいます。この面接カードは、実際の面接・官庁訪問時に面接官に渡されるほとんど唯一の資料です。したがって、面接官はほとんど**8、9割この面接カードに書かれていることをもとに質問**をすることになりますので、事実上、その出来具合が面接の成否のカギを握っている重要な書類ということになります。

ということは、面接カードに何を書くかということによって、面接試験を**自分に有利なフィールドに導くこともできる**し、逆に墓穴を掘ることにもなるのです。受験者のみなさんは、面接試験っていうと、いつも、受けさせられている、質問されている、って受身に考えがちですよね。でも、面接カードの書きようによっては、面接官や人事に「こういう質問をしてほしい」というふうに誘導・コントロールできる能動的な武器になるんです。

せっかくのこんな機会を逃すことはもったいないですよね！　ですから、以下にお話しすることをご参考にしつつ、面接カードの書き方をしっかりマスターして、面接官や人事を自分の得意分野に引き込んでください。

●**面接カードの例**
　実際に使われていた面接カードについては231～234ページにいくつかの例を縮小して掲載しています。また、238～252ページには実際に先輩が記入した例もありますので、ご参考になさってください。

●**提出時期もいろいろ**
　面接カードは、実際の面接試験の前に郵送・持参などで提出が求められる場合もありますし、面接試験・官庁訪問の当日に出頭してから書かされる場合もあります。

●**人事院面接時のカード**
　国家総合職・一般職のように人事院面接があって、その後に各府省に官庁訪問をすることになる場合の話ですが、「人事院面接のときの面接カードって、志望官庁の人事も見ているの？」って気になりますよね。

「あなた」のアピールになっているか

書類の書き方については、今までお話ししてきたことと重複する部分は省略します。ここでは、面接カード特有の自己PRや志望動機について、実際にまとめ、書く際の注意点をお話しします。第1章、第2章の自己PRと志望動機の部分と密接にかかわりがある話ですので、その中身の練り方については重複するところが多々あると思いますが、「ああ、そうだったなぁ」と思い返しながら読み進めて、面接カードを書き上げていってください。

確かに、あなたの書いた面接カードは唯一無二のものです。でも面接官や人事にとっては、**たくさんの面接カードのうちの1枚にしかすぎない**、ということを認識しておいてください。同じような文章を何十枚も読むのは**退屈**なんです。ですから、どこかに「おおっ！」「ほほ～」というものがないと読み飛ばされてしまいます。「あと○枚かぁ～。ふぅ～」といっているうちに、えっ⁉△△くんのなんて読んだっけ⁉ってなってしまいます。

そういわれると、ものすごく目立つようなことを書かなきゃいけないんじゃないかと焦ってしまうかもしれませんが、そんなことはありません。面接官や人事は、面接カードをチェックしながら、「面接ではこんなところを聞きたいな？」「これってどういうことなんだろう？」「ここをもっと突っ込んでみよう」というところをチェックしているんです。まずはこういう**チェックできるようなところが欲しい**んです。

みなさんの面接カードを見ていても、7割程度の受験者のカードには、チェックをしようしようと思って見ているのにもかかわらず、どこにもチェックができないんです。それが面接官や人事に「特徴がない」「おもしろくない」と思われてしまう原因なのです。

でも心配ご無用。人事院面接時の資料が、各府省の人事に出回るということはありません。各府省の人事は、受験者がその府省に提出した面接カードのみを見ています。（ただし、各府省の人事が人事院面接時の面接官として駆り出されているときもあるのでご注意を！）

●目立ってナンボ？

特に事前に指定はしていませんが、面接カードは黒のペンで字だけ（せめてポンチ絵程度）で、というのがお約束。

でも、自分の学生時代の活動記録の写真を何枚か貼ってあったとか、4色も5色ものカラーサインペンを使って図解してあったとか、マンガで説明してあったなどという面接カードも実際にありました。

特に指定がないので、やっちゃイケナイ、というものではありませんが、アタマのカタいオジサン面接官がいる可能性が高いので、かなりの冒険です。

そんなキケンを冒すより、やはり中身・内容の充実を最優先させたほうがいいと思います。

アピールポイントは意欲と職務適性だ

面接試験が社会人になるための関門である以上、面接試験でアピールすべきは、「どんなに自分が社会人になりたいと思っているか」（意欲）と、「自分には社会人として働いていける、とりわけ、その職場で能力を発揮できる」（職務適性）ということの2点です。

これが前提条件のうえでの、人柄のよさであり、リーダーシップであり、協調性であるのです。どんなに人柄がよく「結婚相手には最適！」でも、この意欲と職務適性が感じられなければ、採用はしないんです。面接カードは単なる自己紹介文ではありません。

そう、みなさんの大間違いはココ！

みなさん、単に、自分のリーダーシップ、協調性、頑張りやさんであるところなどなどをアピールすればいい、と思っていませんか？　これでは闇夜に鉄砲、どこをねらってるんですか？　ということになります。みなさんがねらうべき標的は面接官や人事のココロ。ということは、すべてに関して、この**「意欲」と「職務適性」を加味したアピール**にしなければ、いけないんです。

「意欲」と「職務適性」に適合した人柄であり、「意欲」と「職務適性」にマッチしたリーダーシップであり、……とアピールしていかなければ、なんの役にも立たないのです。

自己PRと志望動機は使い回しできない

以上のことがわかれば、自己PRも志望動機も使い回しできないということがおわかりになったでしょう。○○省の求めている人材と△△県の求めている人材は違うんですから、○○省用に作った自己PRと志望動機では△△県には通用しないんです。

●「どこでも通じる」は「どこにも通じない」

どこの官公庁にでも通じるような志望動機は、面接官や人事が最も嫌います。常に「ここじゃなきゃ」っていう気持ちを説明することが志望動機の第1歩です。

●仕事は一人ではできない

どんな仕事も一人ではできません。ということは、どんな仕事においても、他人と話ができる、コミュニケーションが取れよく、マニュアル本に「自己PRと志望動機は1つ作って使い回ししろ」と書いてあったり、予備校でもそのような指導をしているところもあるようですが、面接官や人事からしてみれば「?」なわけです。

自己分析シートと官公庁研究ノートをフル活用せよ

というわけで、前章、前々章であれだけ枚数を割いて自己分析シートと官公庁研究ノートの重要性をお話ししてきたわけです。せっかく努力して作ってきたわけですから、この2つをフル活用してください。

その官公庁の求める人材を分析する

具体的な志望官公庁ごとに、

●どんな人材および能力が求められているのか
●どんな人材が活躍するのか
●どんな風土・雰囲気なのか

を再確認しておきましょう。これがターゲットの絞り込みです。これを正確に知るために、説明会への参加やOB・OG訪問が必要だったわけです。

面接官や人事から見てどんな受験者が理想的かを考えてみる

みなさんの視点の欠落はココにもあります。自分が求められる人材に適合しているかどうか、ということにすぐに飛びついてはいけません。そこに進む間に、もう1ステップ必要なのです。まずは、そういう能力を求め、そういう風土にいる面接官や人事だったら、どんな受験者が理想的なんだろうか?あるいはどういう部下が理想的なんだろうか?という**「面接官や人事の視点」になってみる**ということが大事なんです。

るというのは最低の条件だといえます。

ですから、これを十分にアピールするものでなければなりませんが、かといって、それだけではアピールポイントにはなりません。ご自分の性格の中から、これにまつわるプラスαのアピールポイントを探すようにしましょう。

私のどこが
公務員に
向いてないって
いうんです
か!?

つまり、あなたがそこの官公庁の面接官や人事だったとしたら、どんな服装やどんな態度をした受験者に好感を持ち、どんな言葉遣いをし、どんな受け答えの内容にしたら○を付けたくなるのか、ということを今一度、自分自身で考えてみるということです。

「相手の気持ちになってみる」というのは、社会人の基本中の基本です。特に、公務員は「公僕」なのですから、常に国民・住民の気持ちになってみるという視点が重要なのです。

面接官や人事の理想像、求められる人材との適合性

そのうえではじめて、それに自分がマッチしているかどうかを判断し、マッチしているとすれば、自分の持っている能力のうちの**どれをどの順番でアピールするのが適当か、**ということを考えるのです。

たとえば、官公庁研究ノートを手がかりに、この職場では調査力よりも対人交渉力を期待しているなという特徴がわかったとします。そうだとすれば、対人交渉力、調査力の順だから、まずは、サークルでイベントを企画したときにいかにしてスポンサー企業を獲得したかというエピソードを語り、次に、卒業論文を書く際に机上の空論ではダメだということで自分でフィールドワークを企画したというエピソードを語るようにしようと決めるのです。

ここで、自分の考えていた、思い込んでいたこととのちょっとした違いに気づき、手直しすることができたら、合格に1歩近づくことができます。

エピソード「を」語るのではなく、エピソード「で」語る

何度もあちこちでいっていることですが、エピソードが大切であるといっても、ただただ無目的に羅列していたのでは、戦略性がないのです。

そのエピソードを語ることで、あなたの資質と経験が応募した官公庁の職務適性の要件に合っ

オレ、スケールのデカい男なんで
目先の利益ではなく、もっと長期的な視野で、国益の増加を図るスケールの大きい政策を…

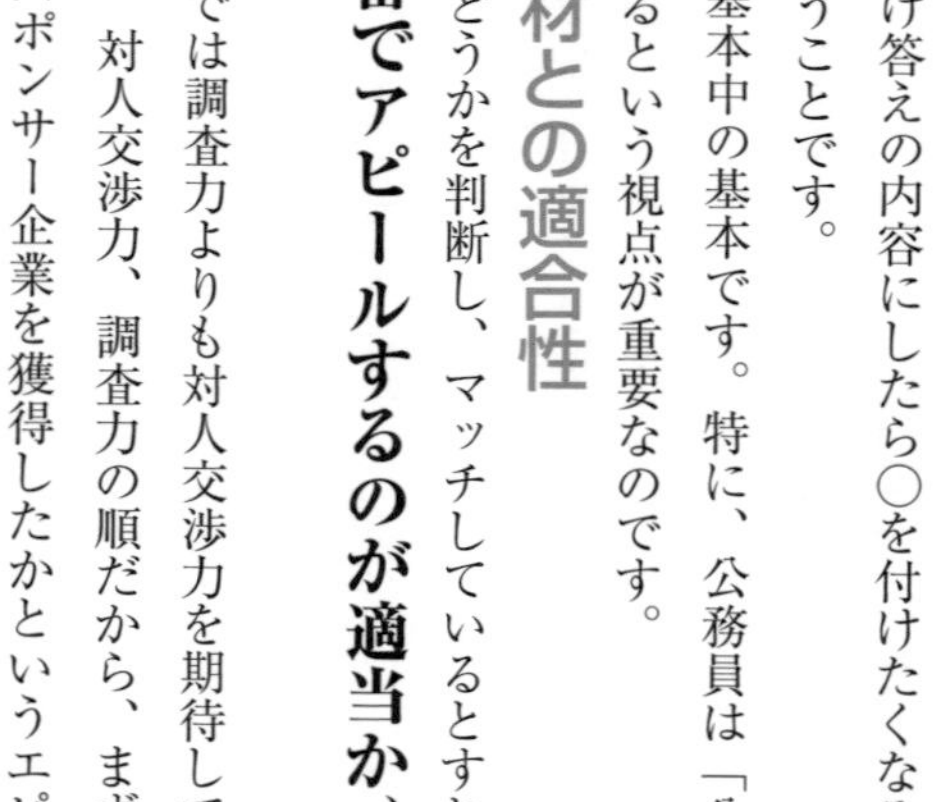

●サイトからダウンロード

最近では、ウェブサイトから面接カードをダウンロードさせるところも増えています。こういうときには、できるだけ、インク染みのしない、書きやすい用紙にプリントアウトするというのも1つの作戦です。

ていることが示せなければなりません。**相手方が要求している職務適性に最も関連する能力と知識が強調されるように、**適合する体験・エピソードをピックアップし、大きなスペースを割いて詳しく語る（記述する）ことが肝心なのです。たくさんの官公庁を受験する場合は、当然それぞれの職務適性も異なっていますから、それぞれに応じたエピソードを探さなければならないということになります。だからこそ、自己分析シートをシッカリ作ってエピソードをたくさん抽出しておかなければならないわけです。

どんなに「これ使いたいなぁ」というエピソードであっても、意欲や職務適性をアピールできないものであれば、使わないようにしましょう。取捨選択できるかがカギなのです。

このように、エピソードを選択する際には、職務適性をはじめとするあなたがアピールしたいポイントに適合するものを選択すべきなのですが、さらに次の点にも注意しておくことが肝心です。

まず第1に、社会人というものは、1人だけで仕事をするわけではなく、必ずほかの人と共同で仕事をしていくわけです。ですから、1人で頑張ったという体験よりは、**だれかと共同して何かを成し遂げたという体験**のほうが有効であるということです。

第2点は、社会人というものは、どんなにつらいこと嫌なことがあっても、あきらめずに、粘り強く1つの仕事をやっていかなければならないものなのです。というわけで、単発の出来事で頑張ったというよりは、**継続的な活動をしてきたという経験**のほうが好まれます。

第3点は、社会人というものは、仕事を任された以上、途中で多少の失敗をしようが困難に遭おうが、めげずに任務を完了しなければなりません。そこで、あまり努力せずにすんなりうまくいった経験というよりも、**困難を乗り越え、失敗を克服した経験**のほうに関心を寄

●過程が重視される

何度もお話ししていますが、体験やエピソードそれ自体が評価の対象ではありません。その中であなたがどのように成果を上げてきたかというプロセスのほうに注目しているのです。そのプロセスに、求めている能力・資質が備わっていることを感じさせる受験者を、面接官や人事は高く評価します。

●誇張とウソはダメ

最近の面接では、コンピテンシー評価型面接の導入など、受験者の体験・エピソードをきっかけとして、深く突っ込む質問方法が多くなってきています。

面接官や人事もプロですから、受験者のつくようなウソや誇張は、このように突っ込んで質問していくうちに、すぐに見破ってしまいます。

ですから、面接カードの段階でも、面接カードの見栄えがいいというだけでウソや誇張を書き込んでしまうと、本番で大変なことになってしまいます。

せます。

第4点は、社会人というものは、どんな職務であろうとも、その与えられた職務については自分が主人公なんです。たとえ補助的なサポート的な仕事であっても、その「補助する」「サポートする」という行為の主体なんです。「責任者はあの人だからぁ～。ワタシ、手伝ってるだけだもん。知らな～い」という逃げは許されません。というわけで、中身はともかく、**「当事者として」「主体的に」頑張ってきた体験**であることを望んでいます。

第5点は、最近の公務員を巡る環境は激変してきており、今までの仕事を今までどおりにやっていればいいという安易な「お役所仕事」は通じなくなってきました。そこで、現状を丸々是認するのではなく、**何か変革したり工夫を試みたというような経験**を持っている受験者、今までの発想を打ち破り独創的な考えをした経験のある受験者を待っています。

話に1本筋が通っているか

しかも、受験申込書や面接カードを見て、一見して「なるほどな」と納得できるような志望動機の説明のしかたになっているかどうかも肝心なところです。「法学部出身なのになぜ経済官庁?」「理工学部出身なのになぜ行政事務で受験?」「○○のアルバイトで好成績を上げていたのに、なぜ公務員?」という当然されるであろう質問に対してまでシドロモドロになる受験者がいます。

さらに、そういう学校を選択したこと、そういうゼミに入ったこと、そういうサークルに入ったこと、そういうアルバイトをしてきたこと、こういったことすべてに表れているあなたの**人生観と、その自己PR・志望動機に整合性があるかどうか**という観点から、組み立てができているかどうかも確認しておきたいところです。

キミたちには輝く未来が待っているんだっ!
ウィ〜〜〜〜ス

「明るい未来」を感じられるか

ちょっと世間にくたびれてきたオジサン面接官や人事にとっては、若い世代に期待し、かつあこがれるのは、何よりも明るさ、希望、広がる未来、そんなものです。若いっていいなぁ……。だから、そういった「明るい未来」が感じられない受験者は採用したくありません。ということで、プラスイメージとしては、夢（特に仕事・職務と関連した）や今後の発展を織り込むというものが欲しいところです。ですから、「10年後のあなたは？」みたいな質問をすることもあるわけです。「頑張りたい」「努力したい」「やってみたい」なんていう言葉も好きなんです。

その一方で、マイナスを感じさせる表現は嫌います。「〇〇しかできません」「～だけ」「△△は頑張りました」のように、内向きで自分の関心のあることだけしかやらないような、そういう陰にこもった感じは拒絶してしまうのです。

同じことをいっているつもりでも、ちょっと表現を変えることで、相手方の受ける感じが違ってきてしまいます。できるだけ「明るい未来」を感じさせる表現をしましょう。

配列、優先順位にも配慮

同様に、同じことをいっていても、エピソードの配列順序を間違っていたら、アピール度が下がってしまいます。たとえば、同じような中身のアピールであれば、**できるだけ最新のエピソード**を優先させるべきです。

同じエピソードでも、大学生が「リトルリーグの選手だったときに～」とだけいわれても「はぁ？」となってしまいます。でも、「大学3年の頃、アルバイトで～。同じような経験として、リトルリーグの選手だったときに～」とすれば、「ああ、この子は何度もそういう経験を積んで成長してきたんだ」と好印象になるわけです。

●社会とはキミらが思っているほど甘くはないぞ！

下手にアルバイト経験があるからか、本当に社会っていうものを知らないのか、社会人になることの厳しさがわかっていない、ナメている人が多くなっているような気がします。

どこの官公庁でも、年齢別の「心の病」率を取ってみると、若い世代ほど率が高くなっているようです。

どんなときにもめげない、明るさを失わない、そういう人材を面接官や人事は望んでいます。

●短いほど難しい！

やってみればわかると思いますが、実は、文章を書く場合、長い文章よりも短い文章のほうが断然難しいんです。１０００字の文章よりも、１００字の文のほうが数倍も時間がかかります。とにかく簡潔明瞭に、いいたいことを絞らなければいけませんから。

具体例を「生かす」工夫が足りない！

今までさんざん「具体例」「具体的エピソード」と指摘してきましたが、みなさんの面接カードを見ていると、この具体例・エピソードの提示のしかた、表現方法が下手なものが多いようです。せっかく自己分析シートを作ってじっくり抽出した具体例・エピソードなのですから、面接官や人事にもその馥郁（ふくいく）としたアロマが感じられるように、表現方法にも磨きをかけておきましょう。

そのための注意ポイントは、次のとおりです。

1 何のアピールのための具体例か、エピソードかをハッキリ

ただ漫然とエピソードや体験を語られても、「それって、何を訴えたいの？」「これで何をアピールしたいのよ？」と面接官や人事に思われてしまうようではダメです。

「自分のこんな性格を訴えたい！↓だからこんな具体例」「ワタシのこんな『思い』をわかって！↓だからこんなエピソード」ということが（自分本位ではなく）**だれにでも「ああ、そうだよね」と思ってもらえるように**書かなければならないのです。

というわけで、具体例・エピソードの抽出と同じくらい、イヤそれ以上に、**「↓だから、こんな」という結びつけの部分**、のりづけの部分をしっかり考えて練っておかなければいけないのです。

2 どんな事柄か、何をしたのかをハッキリ

小学生のときに「作文では『いつ、だれが、どこで、何を、どのように、どうしたのか』とか、『5W1H』が大切ですよー」って教わりましたよね。それなんです。ここがはっきりしていな

「学生時代に打ち込んだこと」
バイトもサークルもとっても楽しかったです！ あこがれの仕事なので一生懸命がん

●深刻化する文章力の低下

最近、霞が関・永田町に流布しているある雑誌にこんな記事が書かれていました。要約すると、某省では、係長以下の若いクラスのキャリア公務員（総合職試験採用者）の文章力が極度に低下してきていて、何を書かせても、何が言いたいのかわからない意味不明の文章が多く、結局、課長補佐クラス以上の職員が、手直しというよりすべて書き直すようなことが多くなってしまって、業務に支障を来している……。ン～確かに、わが官庁でも同じようなことが……。

いと相手に状況が飲み込めません。**まったく何も知らない人が初めて読んでも理解できる程度に詳しく書く**、これが基本です。

3 詳しく・カンタンは程度の問題。必要のない情報はバッサリ切り捨てる

記載欄の大小によって、どの程度詳しく書くかというのは決まってくると思います。でも、どんなに短く詰めたとしても、「この部分を外しちゃうとわからなくなってくる」というキーポイントだけはキチンと書いておきましょう。その一方で、欄の穴埋めにどーでもいいことをダラダラ書いてしまうとポイントがぼやけてしまいます。たとえば、

「○○大学の2年生のときに、△△という、フットサルをやったり飲み会をやったりしながらなんだかみんなで楽しいイベントもやっていこう的なサークルを、同級生の○×君や他大学の△□さんたちと一緒になって立ち上げ、そんなときにたまたま○×君の地元の□□神社で宮司をされている××さんと飲み屋で知り合って、今度の○月○日に△△祭というお祭りがあるというのを知ったので、そのお祭りに私たちのサークルも参加しようということになって、出店の企画を考えることになったのですが……」

なんていうのをず～っと読ませられるのは苦痛なんです。これと同じことなら

「イベント企画のサークルを立ち上げ、地元の神社の祭礼に出店を企画しましたが、……」

の1行で済むでしょ。で、空いた行に、「それでどんな苦労をした」のか「どんな失敗をした」のか、さらに、「その体験をしたことで、こんな能力が身に付いた」や「その能力は、今後の仕事をしていくうえで、こういうふうに役立つと思う」ということを盛り込んでいけばいいんです。というか、こちらのほうが重要なんです！

●相手の気持ちになる

相手（＝読み手＝面接官や人事）が何を知りたいか、自分が読み手（＝面接官や人事）だったら、どんな情報を知りたくて、どんな情報はいらないのか、それを常に考えていましょう。サイキンの受験者のみなさんは、この「相手の気持ちになる」ということが特に不得手のようです。これは、面接試験のときにもご注意あれ。

トラップを仕掛ける

面接カードの記載欄は、そんなに広くありません。民間企業のエントリーシートのように、何枚も書かせるというところもそんなにありません。数十字、欄が大きくてもせいぜい数百字程度で収めなければならないわけです。

ここには逆に、面接カードならではのテクニックも存在しています。それは、面接官や人事に**「ここのところ、もっと聞きたいな！」と思わせる**こと、すなわち、あえて全部を語らず、アピールポイントと簡単な説明を付すだけにとどめておくという方法です。

たとえば、「学業以外で努力してきたこと」という問いに対して「学習塾でのアルバイト」とだけ書くのではなく、「学習塾でのアルバイト（算数の不得意な生徒でも計算が得意になる工夫を考え、好評を得ました）」とたった1行加えるだけで、「それってどんな工夫？」「成功した？」「子供を教えるときには、どんなことが大変だった？」……と面接官や人事が身を乗り出して聞きたくなってくるわけです。

ちょっとしたワナ（トラップ）ですよね。でも、オジサンたちは単純ですから、必ず引っかかってくれます。マーカーで線を引いちゃいます。

「学習塾でのアルバイト」を書いてくる受験者なんて、掃いて捨てるほどいます。これだけではまったく目立ちません。でも、この1行のコメントで、「あなたらしさ」が光ってくるのです。これが、本当の意味で、「面接カードで目立つ」ということなのです。特に人と変わった経験を書く必要は一切ありません。むしろ、掃いて捨てるような経験の中で、あなたが何を工夫し・努力してきたのか、そういうことを書けばいいのです。

アルバイトで つかんだコツ
どうしても ひっかかっちゃう んだよなぁ…
ワナは バレバレ だけど

面接本番とのリンクを考える

みなさん、受験申込書や面接カードに書いたことには、すべて責任を持ってくださいね。面接で「そんなこと、書きましたっけ!?」と答える受験者がいますが、論外です。

面接カードに書いた以上、**すべて面接の「ネタ」になる**のだと覚悟しておいてください。面接本番で、突っ込まれることを想定して、何をどうアピールできるか準備しておくべきなのです。先ほどお話ししましたトラップを仕掛けておくというのは、これを積極的に行った例です。それ以外にも「エッ!?こんなところにも食いついてくるの?」ということもありますので、書いたことに関してはすべて、どんな質問が飛んでくるのか、想定しておきましょう。

質問が飛んできたときに、面接カードの主張の裏づけをきっちり話して、質問に対して踏み込んだ受け答えができるようにしておけばグー！です。

「隠しネタ」を用意しておくと、さらによいと思います。それぞれの項目に関し、面接カードには記入しなかった、**もう1つのマイ・エピソード**を用意しておくのです。これを、面接本番で、面接官や人事の反応を見ながら「この質問には食いつきがいいゾ！もっとアピールしちゃえ！」とか「どうも、あまり盛り上がっていないな。じゃ、これでどうだ！」という感じで繰り出していくのです。これは、自己分析シートや官公庁研究ノートをジックリ作り込んで、読み返しながら事前にリストアップしておけば、そんなに難しいことではないと思いますが、かなりの有効打になること必定です。

こうした臨機応変の態度も、面接試験では評価対象となっています。ですから、面接シートを作成する際には、慎重かつ巧妙に、戦略的に記述内容を構成しておくことが大切なんです。

●見えない努力

人を饗応することを、ご馳走（ちそう）するといいます。なぜごちそうすることを「馳せる&走る」というかというと、それは歓待する自分の心の深さを、自分の「労苦」を供えることによって表そうとするからだそうです。

結局使うことがないかもしれない「もう一つのマイ・エピソード」探し、こんな面接官や人事の目に見えないところでの努力が「ご馳走」になるのです。

●相互リンクでパワーアップ

それぞれの記入欄をどう書くか?ということばかりに気を遣いすぎて、記入欄どうしの相互関係、面接カード全体の整合性・調和まで気が回らない受験者もいるようです。

ですが、それぞれの記入欄の内容をリンクさせるとさらにパワーアップします。面接カード全体で、自己PRと志望動機がガッチリ結びついていることを表現しましょう！

面接カードの完成と想定問答の作成

面接カードの作成が完了し、本番の紙に書き終わったら、提出……おっと、その前に、コピーを取っておくことを忘れないでください！　このコピーをもとに、もう一作業しなければなりません。

まず最初に行うのは、**書いたことを覚える**という作業です。本番の面接で「志望動機は？」と聞かれて、面接カードとまったく違う話をしてしまうと、面接官や人事も「？」となってしまいます。ですから、書いたことはすべてアタマに入れていなければなりません。

とはいっても、丸暗記するのはやめましょう。面接官をしていて一番退屈に感じるのは、目が宙に浮きながら、思い出し思い出し話すのを聞いている瞬間です。「自分のコトバ」になっていない、消化しきれていない、という感じがして、評価する気が失せます。「ハイハイ。頑張って覚えてきたのねー。とりあえず早く言っちゃって！」と思っちゃうんです。

というわけで、「自分のコトバ」に「消化」しておかなければなりません。そのためには、**キーワード、キーポイントだけを覚える**ことにするというのが、いいと思います。キーワード、キーポイントにだけ、マーカーでチェックを入れます。あまり長くマークしてはいけません。本当にポイントだけ。ポンポンポンと覚えます。

あとは、本番のときに、この覚えたキーワードを適当にちりばめて話せばいいんです。面接カードと一字一句同じでなければダメ、というものではありません。むしろ、要所要所が同じであれば、ちょっと違っている部分があってもスラスラしゃべったほうが、「自分のコトバで話せている」という高い評価になるものです。

●面接試験は待たされるものと覚悟して

面接試験には時間がかかります。ですから、運悪く最後のほうになってしまうと、まる1日控室で待たされる可能性もあります。

次には、想定問答集を作成するという作業も忘れずにしておかなければなりません。面接官や人事になったつもりで、各欄に書いたものを読み直してみましょう。そして、こんな質問がされるだろう、そのときはこう答えるというのを書き加えておきましょう。質問は単発で終わるとは限りません。ドンドン突っ込んで聞いてくることも想定して、ご自分で考えられるだけの質問とその答えを準備しておいてください。特に、コンピテンシー評価型面接では、ここが重要です。

このコピーしたシートに書き加えていると、小さな字でグチャグチャしてわからないというのであれば、別の紙に書いてもかまいません。ただし、散逸しないように、面接カードのコピーにホチキスか何かでとめておいたほうがいいでしょう。

とにかく想定しうる限り、問答ともに書いておいてください。また、先ほどお話しした、もう1つのマイ・エピソードがあるのであれば、それも書き出しておきましょう。

そのうえで、またまたですが、ご家族、友人・知人、学校・予備校の先生・就職担当の職員など、できるだけたくさんの人に見てもらって、いろいろと質問してもらいましょう。このときに、想定外の質問項目が出たら、想定問答集に書き加えていきます。

こうやって、何度も何度も、この想定問答集を見ながらイメージトレーニングをしたり、友人達と模擬面接をしてください。やればやるほど中身に磨きがかかりますし、これもひとつの「場慣れ」になります。

そして、面接試験の本番の際には、自分で作成した三種の神器、すなわち、**自己分析シート、官公庁研究ノート、想定問答集**の3点は、忘れずに必ず持って行きましょう。お守りみたいなものです。それに、時間があれば、控室で読み直すこともできます。

ときどき控室をのぞいてみると、何も準備してこなかったのか、ただただボーっとしている受験者もいれば、準備してきた想定問答集や白書、新聞などに目を通している人もいれば、本を読んだりほかの受験者とだべっている人もいます。

どう過ごすのも自由ですが、何か面接試験の準備になるようなものを読んでいるのが一番落ち着くと思いますよ。

その場で書かなくてはいけないとき

官庁訪問の際の訪問カード、調査票の場合は、行った先でその場で書かされることも多いですよね。しかも、「書き上がった人から、面談を始めますよ！」なんて言われるとメチャメチャ焦っちゃう。その時間だって、せいぜい20分ぐらいしかないし！

というわけで、こういう場合には、過去の例などを参考にして**ひととおり前もって回答案を作っておくべき**です。作り方は、前述したとおりです。現場では作っておいた回答案の内容を書き写すだけ、という状態にまでしておけばいいのです。ただし、毎年同じ質問とは限りませんから、よくよく注意して書き写してくださいね。それに、事前に準備しておく際に、去年と質問が変わってしまっている場合に備えて、ほかにも質問されそうなことの回答案までいくつか準備をしておいたほうがいいでしょう。

こういう場合の筆記用具はどうすればいいか？　この場合も、消えないボールペンかペンが原則です。人事が「鉛筆でもいいですよ」といった場合だけ、鉛筆可です。万一間違った場合の修正についても今までと同様に行ってください。というわけで、筆箱の中には、定規も忘れずに入れておきましょう。

なお、そのほかの試験実施団体でも、事前に面接カードを郵送してくる場合と、面接試験当日に現場で書かせる場合とがあります。特に、現場で書かせるのは、ちゃんと事前に準備をしてきたか、必要な筆記用具を持参してきたか、書き損じなど不慮の事態にどう対処するか、短時間で要求された仕事を完遂できるかなど、いろんな意味で「仕事力」「ビジネス能力」の判定になるという意味合いもあります。こういうところも、見られているんですよ。

●方眼紙の下敷き

ある受験者が方眼紙のようなマス目の書いてある下敷きを面接カードの下に敷いて、透けて見えるその縦横の線に合わせながら字を書いているのを見かけました。

その場で字を書かなければいけないようなときは、いちいち線など引いていられませんものね。これも一工夫かな、と思いました。

●フリクションペンは使ってもいい？

便利ですよね。でも、こすって消せるボールペン（フリクションボールペン）を面接カード・履歴書のような正式な書類に使用するのはNGです。理由は、誰にでも簡単に修正、改ざんができてしまう可能性があるからです。

東京都Ⅰ類B、静岡市の場合

これから４ページにわたって、過去の面接試験や官庁訪問で実際に使われた面接カードの例を挙げておきます。本文に記載した注意事項を実際にどうやって当てはめて書いていけばよいか、この面接カードをもとに実際の面接試験ではどう答えていけばよいのかなど、さまざまに想像をめぐらせながら、ご覧になってみてください。

まずは典型的な面接カードの例です。面接官や人事にとって、コンピテンシー評価型の質問をしやすい構成になっています。逆にいうと、受験者のみなさんとしては、このカードに記載した事項から、どんなふうに質問が展開されていくか、ある程度予想がつきます（拙著『面接試験・官庁訪問の本』をご参照のこと）ので、その部分を予測しながら書いていきましょう。

→東京都Ⅰ類B

令和●年度
Ⅰ類B　面接シート【１】
一般方式　行政（新方式）

フリガナ
氏　名

※土木（新方式）の方は「Ⅰ類B 面接シート【２】」、ICT（新方式）の方は「Ⅰ類B 面接シート【３】」を使用してください。

受験番号	2次　月　日　組	

1　あなたがこれまでに学習したこと又は研究した内容などを書いてください。受験する試験区分に関係するものがある場合は、そのことを中心に書いてください。

2　あなたがこれまで力を入れて取り組んだことについて、取組期間も含めて書いてください。
（３つ以内・箇条書き）
①
②
③

3　これまで取り組んだことのうち、成果や達成感を得た経験（１つ）について、あなた自身の行動を中心に具体的に書いてください。

4　東京都を志望した理由について書いてください。

5　東京都に採用されたらやってみたいことについて、具体的に書いてください。

職歴	□在職中（経験　社/在職期間　年　月）□離職中（経験　社/在職期間　年　月）□職歴なし	
希望する行政分野	1	2

※ 出身学校名（留学先学校名を含む。）や、それが分かるようなことは記入しないでください。

※東京都ホームページより

→静岡市

事務（A・B）・小中学校事務・消防士
令和●年度静岡市職員採用試験【夏日程】 面接シート

試験区分		受験番号	氏　名
試験の種類	職種		
大学卒程度			

※　分かりやすく簡潔に書いてください。（枠内に収まるように書いてください。）
※　この面接シートは、第１次試験グループワーク試験当日に必ず提出してください。提出されない場合は、第２次試験を受験できません。

1　この2年から3年の間で、学生生活や仕事等の場面において、あなたが積極的にチャレンジし成果を挙げた経験について、その過程におけるあなた自身の努力・工夫や周囲の人（友人・チームメイト・同僚など）との関わりに触れながら、具体的に記入してください。

2　1で記載した経験を通して、あなたが身に付けた強みは何ですか。
また、あなた自身の課題や不足している点は何ですか。それぞれ具体的に記入してください。

<身に付けた強み>	<課題や不足している点>

3　この2年から3年の間で、チームやグループなど他者と協力しながら物事に取り組んだこと（集団活動）の中で、あなたが直面した困難なこと（失敗談、苦労話など）について具体的に記入してください。

4　あなたの得意なこと、苦手なことは何ですか。また静岡市職員に採用された場合、得意なことをどのように仕事に生かしていきたいですか。具体的に記入してください。

※静岡市ホームページより

国家一般職［大卒］、青森県の場合

履歴書的な記入欄があるパターンです。履歴書的な部分が加味された分、前ページの例に比べて１項目当たりの書く分量が少なくなっています。まず、履歴書的な部分については、受験申込書と食い違いがないように注意してください。その他の部分については、典型的な面接カードを書くときよりもエッセンスを抽出してコンパクトにまとめることが必要になります。

→国家一般職［大卒］

面接カード（一般職大卒）　20■

このカードは人物試験の際に質問の参考資料とするものです。直接入力してＡ４で３部印刷、又は、Ａ４で用紙を印刷後ボールペンで記入して３部コピーのいずれかで、人物試験当日に持参してください。（様式の変更は禁止）
なお、出身校や会社名などが特定されるような記入は避けてください。（該当する□には✓を付けてください。）

試験の区分	第１次試験地	受験番号	ふりがな 氏名

［最終学歴］　※西暦
□ 大学院（□博士・□修士・□専門職）　□ 大学　□ 短大・高専・専修学校　□ その他（　　）
□ 修了・卒業（　　年　　月）　□ 在学（　　年　　月 修・卒見）　□ 中退（　　年　　月）

［職歴］　□ ある　□ ない
主な職種

［専攻分野］

［志望動機・受験動機］

［志望官庁等］

［これまでに取り組んだ活動や体験］達成感があったと感じたり、力を入れてきたりした経験について、簡潔に記入してください。
○ 学業や職務において
○ 社会的活動や学生生活において（ボランティア活動、サークル活動、アルバイトなど）

［関心事項］最近関心を持った社会問題や出来事、日頃興味を持って取り組んでいることなど

［趣味、特技など］

［自己ＰＲ］長所や人柄について

※人事院ホームページより

→青森県

第１次試験合格者のみ提出対象

令和 ●年　月　日作成

面接カード
（大学卒業程度用）

・写真は６か月以内に撮影したもので、正面からの脱帽写真とします。
・写真の大きさは縦４cm横３cm程度とします。
・写真の裏面に試験職種と氏名を必ず記入した上でこの欄にしっかりのり付けしてください。

職種　受験番号　年齢　現住所（都道府県・市区町村）
ふりがな
氏名　歳　都・道・府・県　市・区・町・村

最終学校：在学期間（年 月～ 年 月）　学校名　学部　学科　卒・卒業見込　在学・中退
職歴：在職期間（年 月～ 年 月）　勤務先名　仕事の内容

本県職員を志望する理由・受験動機

県行政で携わりたい施策・部門

最近関心を持った事柄についてのあなたの考えとその理由

あなた自身の性格・人柄（具体的なエピソードを交えて記入してください。）

学生生活、社会的活動等で達成感が得られた経験（場面、行動等を具体的に記入してください。）

※専攻学科を選んだ動機　※卒論、ゼミ又は演習のテーマ

資格・免許　趣味・特技

この試験以外の就職活動の状況（今後申込予定を含む）
□国家公務員（総合職）　□国家公務員（一般職）　□その他国家公務員（　　）
□県外自治体等職員（　　）　□県内自治体等職員（　　）
□教員　□警察官　□独立行政法人等（　　）　□民間企業（　　）
□その他（　　）　□大学院等進学

注　「記入要領（受験申込・コード入力欄、面接カード）」をよく読んでから記入してください。

※青森県ホームページより

京都府警察官の場合

これは普通の履歴書とほとんど変わらないパターンです。とにかく記載事項に誤りがないことと、受験申込書との同一性（貼付する写真なども）に心がけましょう。なお、面接試験では、趣味、所属クラブなどの欄からも質問が飛んでくる可能性がありますので、安易に書くだけではなく、そこからどんな質問がなされるのか、そこからどんな自分のイイトコロをアピールすることができるのかについてまで考えながら書きましょう。

なお、国家一般職の採用面接の際には、市販の履歴書の持参を要求する官公庁もありますので、この例と同様の準備が必要です。

→面接カード1

京都府警察官採用試験　面接カード1

試験区分		受験番号		氏名	

第1問　あなたが京都府警察官を志望する理由は何ですか。

第2問　あなたにとって「理想の警察官」とはどのような警察官ですか。

※　A4サイズで印刷してください。
※　消すことのできない黒色のペンで記載してください。
※　訂正するときは二重線で訂正し、訂正印は押さないこと。
※　このカードは、試験当日までに完成させ、第1次試験（筆記試験）会場で提出してください。

令和◎年度第◎回京都府警察官採用試験

→面接カード2

面接カード2　（令和　年　月　日作成）

記入上の注意　1　必ず自筆すること（消すことのできない黒色のペンで記入してください。訂正は二重線とし、訂正印は押さないこと。）
2　該当のない場合は「なし」と記入すること。　3　男・女、1、2・・・などで区分している項目は該当するものを○で囲むこと。　4　A4サイズで印刷すること。

試験区分		ふりがな 氏名		男・女
受験番号			平成　年　月　日生	（満　歳）
現住所	〒 メールアドレス　Tel（　）－			
現住所以外の連絡場所	〒 Tel（　）－			

当府警察官採用試験以外に受験中又は受験予定の官公庁及び民間企業の状況

1 受験しない 2 受験する(した)	官公庁名・企業名					
	職種					
	試験時期					
	合否					

進学試験	1 受験しない 2 受験する(した)	大学（院）　科（修・博）

志望順位	1	2	3	4	5

学歴※	大学、高校等の別、学部、学科名	在学期間	卒業(見込)等の別
	最終	年　月～　年　月	
	その前	年　月～　年　月	
	その前	年　月～　年　月	

職歴※	業種（職種(アルバイト含)）	所在地	在職期間
	最終		年　月～　年　月
	その前		年　月～　年　月
	その前		年　月～　年　月

所属クラブ等 （高校以降の履歴、クラブ内の役職、成績等）	
趣味	
資格 （特技等）	

本人の健康状態	
現在の健康状態	ア きわめて良好 イ 普通 ウ あまり無理できない
身長	cm
体重	kg
自己啓発の状況	

・印象体験 ・感動体験 ・努力体験 ・成功体験　等	
自己PR	
長所	
短所	

※　学歴・職歴の欄は、「大学法学部法律学科」や「保険会社（営業）」といった形で記入し、学校名・企業名等の固有名詞は記入しないでください。
・　このカードは口述試験実施時の質問の資料として使用します。

令和◎年度第◎回京都府警察官採用試験

※京都府警察ホームページより

面接カードの例

佐賀県（特別枠）の場合

こ、これは！　書く欄の多い、最も受験者泣かせのパターンですよね。

書く欄が多い場合には、適切に段落分けができていたほうが、面接官や人事にとっても読みやすく理解しやすくなるものです。

たくさん書けるからといって、あれもこれもとアピールポイントをてんこ盛りにしてはいけません。この量でもアピールポイントはせいぜい１～２に絞り込み、それを多角的にじっくり書き込んでいきましょう。

→面接カード

令和●年度佐賀県職員採用試験
特別枠（行政・教育行政）、スポーツ特別枠用

面接カード

試験の種類	試験区分	受験番号
特別枠・スポーツ特別枠		

1．氏名　ﾌﾘｶﾞﾅ

2．生年月日
（※年齢は令和●年４月１日現在の満年齢を記載）
平成　　年　　月　　日（　　才）

3．現住所　〒　　　　（電話　　－　　－　　）

4 学歴	学校名	学部	学科	専攻（卒論、ゼミ）	在学期間	卒業等の区分
高校					年　月から 年　月まで	卒・卒見込 在　学年・中退
短大 大学					年　月から 年　月まで	卒・卒見込 在　学年・中退
大学院					年　月から 年　月まで	修了・修了見込 在　学年・中退

5．上記最終学校卒業後の状況

6．本県志望の動機

7．資格・免許・特技（修得中を含む）

8．自分の性格

9．学校で加入したクラブ・サークル活動

	クラブ等名	期間	クラブ等での役員等経験
高校		年　月から　年　月まで	
短大 大学 大学院		年　月から　年　月まで	

10．趣味・好きなスポーツ

11．希望する仕事内容（本県職員としてやりたい仕事）

12．関心がある本県の事業について

13．自己ＰＲ

他の就職先の受験等の状況※					
	官公庁・会社名	①	②	③	④
	現在の状況・予定（受験・合格状況等）				

※　他の就職先の受験状況は受験予定も含めて記入してください。結果発表日が分かれば、現在の状況に付記してください。

→アピールシート

令和●年度佐賀県職員採用試験
特別枠（行政・教育行政）、スポーツ特別枠

アピールシート

※受験番号

フリガナ
氏　名

生年月日
平成　　年　　月　　日（　　才）
（年齢は令和●年４月１日現在）

1　あなたが、高等学校卒業後からこれまでの経験を活かして、今後、佐賀県職員として取り組みたいことについて具体的に記載してください。（300字程度）

2　あなたが、高等学校卒業後からこれまでに、リーダーシップを発揮して、何らかの成果を生み出した経験を具体的に記入してください。（300字程度）

3　あなたが、高等学校卒業後からこれまでに、課題を解決するために、意見の異なる人たちを巻き込み、新たな取組を始めた経験を具体的に記入してください。（300字程度）

4　１～３以外であなたがアピールしたいこと（社会貢献活動、スポーツ・芸術、海外体験（留学経験含む）、語学資格等）があれば、簡潔に記入してください。（100字程度、箇条書き可）

-1-

※佐賀県ホームページより

第4章
合否を分ける
ポイント！

とうとうみなさんもヒミツの扉にたどり着きましたね。禁断の木の実を手にしたからには、極意を悟って内定を勝ち取りましょう！

センパイの実例メッタ斬り！　受験申込書・面接カード編

総合ゲージュツだ

さあ、ここまで、自己PRや志望動機の考え方と書き方、受験申込書や面接カードなどの提出書類の具体的な記入のしかたについてひととおり見てきました。これでもう、みなさんも、面接試験において、いかに受験申込書や面接カードが重要かということがおわかりになったことでしょう。

特に、受験申込書や面接カードでは、見た目と内容、この両方が、とりわけ、**見た目→内容の順で重要**だということが認識できたと思います。そういう目で見てみると、受験申込書や面接カードって、一種の総合芸術みたいなものだと感じませんか？　パッと見で一瞬にして相手に感動を与え、なおかつ、よくよく見てみても（読み込んでみても）奥が深い、そういうものが理想型なんです。

そこで、総まとめとして、先輩たちが実際に書いた書類はどんなものかということをここで見てみることにしましょう。これまでと同様に、まずはみなさんも面接官や人事になったつもりで、どこがいい点か、どこを改善すればよりよくなるのかを考えながら、「鑑賞」してみてください。

よい点は見習って、悪い点は他山の石として、よりよい受験申込書、面接カードを作成する手引きとしてみてください。

●実例集

ここでも、受験者のみなさんから実務教育出版に情報として提供された受験申込書、面接カード（官庁訪問カードの例を含みます）をお借りして、掲載させていただくことにしました。

私が指摘するまでもなく、コピーを取っている受験者は取っているものですねえ……。

なお、個人情報保護のため、提出先の自治体名や、個人を特定されそうなところは伏せてあります。

また、ホンモノの書類はA4判やB4判ですが、本書の判型がA5判なので、かなり縮小して掲載しています。読みづらいかもしれませんが、ご了承ください。

地方上級（政令市）志望の鈴木さん

●●●年度　●●市職員採用試験受験申込書

※太枠内のすべての欄について，記入要領にしたがって記入してください。　受付

① 試験の種類	② 試験区分	③ 資格・免許（名称）	取得年月日	受験番号
1 0 1	1 0 0		□済　□見込	●●●●
大学卒程度	事　務		（___年___月）	

④ 氏名		⑤ 国籍
フリガナ	すずき ●●	✓ 日本国籍
氏名	鈴 木 ●	2．外国籍（永住者または特別永住者）

⑥性別	⑦ 生年月日（昭和・平成　年　月　日）	⑧ 会場希望
（男）・女	昭和・平成	※該当する試験を受験する場合のみ記入してください。
1	2 ●●●●●●	☑ 東京会場希望

⑨ 住所・電話番号

☑現住所	〒167－●●●●
1 3	杉並区●●●4-2-7-301
	電話（090）●●●●－●●●●
□帰省先	〒989－●●●●
	川崎町●●字●●103-4
	電話（0224）●●　－●●●●

⑩ 学歴

	学校名	学部・学科	在学期間	卒業・卒業見込等
最終（現在）	3 9 9　私立●●大学	0 5　商	●●●年 4月から ●●●年 3月まで	□卒業 ☑卒業見込　2 □___学年在学中 □___学年中退
その前	県立●●二高	普通	●●●年 4月から ●●●年 3月まで	☑卒業 □___学年中退
その前	市立●●●中	普通	●●●年 4月から ●●●年 3月まで	□卒業 □___学年中退

⑪<志望動機>

人の役に立つ人間になりたいと思い、私は公務員になろうと考え、さまざまな自治体の資料に目を通し、その中で●●市に興味を持ちました。"縁"縁の下の力持ち"的存在の公務員が具体的にどんな仕事をしているのかよく知らなかったのですが，先輩職員のインタビューを読んで、こんなにもやりがいのある仕事なんだと知り、とてもワクワクした気持ちになり、私も●●市で仕事がしたいと強く思いました。

⑬<申込者アンケート>
あなたはこの試験があることをどのような方法で知りましたか。該当するものの番号をすべて○で囲んでください。

1．募集ガイド
2．ポスター
3．試験案内
4．市政だより
✓5．ホームページ
6．●●市の採用試験説明会
7．学校での就職説明会
8．情報誌
9．その他（　　　　）

私は，●●市職員採用試験案内の記載内容を了承のうえ，同試験を受験したいので申し込みます。

なお，私は，試験案内に掲げる受験資格をすべて満たしており，地方公務員法第16条の各号のいずれにも該当しておりません。

また，この申込書の記載事項はすべて事実と相違ありません。

⑭●●●年 ●月 ●日

氏名　鈴 木 ●

※

注）日付及び氏名は必ず自署してください。

鈴木さんの講評

中身を読むまでもなく、一見して超テキトー人間だというのがアリアリと伝わります。どんなところからそれを感じるかというと、

- ・「フリガナ」と書いてあるのにひらがな。
- ・国籍とか申込者アンケートのところは○囲みの指示なのに✓を入れている。
- ・写真の切り方・貼り方が雑。
- ・志望動機欄の字の縦横のラインが乱れている。間違ったところをグチャグチャに消している。最後のほうが入りきれずにはみ出している。

などなど。ほかにも書き方や形式的な問題点に関しては、ツッコミどころが満載です。

志望動機の中身に関していうと、「さまざまな自治体の資料に目を通し」たうえでどうして○○市に特に興味を持ったのか、先輩職員のインタビューを読んでどういう点に「ワクワクした気持ちに」なったのかという点こそを掘り下げて書かなければ、鈴木クンの個性が出たアピールにはなりません。

国家総合職志望の佐藤さん

面接カード（総合職）

このカードは人物試験の際に質問の参考資料とするものです。**事前にボールペン（自筆）で記入してコピーを2部とり，原本と併せて3部を人物試験当日に持参**してください。（様式を変更しないでください）
なお，出身校が特定されるような記入は避けてください。（該当する□には✓を付けてください）

試験の名称	試験の区分	ふりがな ●●● ●● ●
大卒程度試験	法律	氏名 佐藤●●
第1次試験地	受験番号	
東京都	●●●●●	

[最終学歴]
□ 大学院（博士・修士・専門職）
☑ 大学
□ その他（　　　）

☑ 修了・卒業（● 年 3月）
□ 在学（　年　月 修・卒見）
□ 中退（　年　月）

[職歴]
□ ある　☑ ない
主な職種

[専攻分野]
国際公法（政治統合・経済統合）
1年間豪州に留学していた経験から、環太平洋地域の政治的経済的統合について関心を持ち、研究を進めている。

[これまでに取り組んだ活動や体験] 達成感があったと感じたり，力を入れてきたりした経験について，どのような状況で（いつ頃，どこで，誰と等），どのようなことをしたのか，簡潔に記入してください。

① 学業や職務において

環太平洋地域のEPA/FTA締結の問題点とTPP・FTAAPの未来像について卒業論文をまとめる予定であり、書籍や海外の文献に当たり、関係省庁などにも直接伺うなどして、積極的に情報収集を進めている。先日の研究計画発表においては、ゼミナール内で高評価を得ることができた。

② 社会的活動や学生生活において

4年間塾講師をしていた間、信頼関係の構築をモットーにしてきた。その結果、講師間や父兄との連携強化により生徒個々人の細かい問題点を発見し、総合的に学力を伸ばせるようになった。2年連続で第1志望合格率90%以上という実績を達成し、業務で多大に寄与貢献するとともに、生徒や父兄、講師仲間との絆もできた。

③ 日常生活その他（資格，特技，趣味，社会事情などで関心のあること等）において

ゆとり教育の弊害と教育制度改革に関心がある。他の先進国に比べ、基礎学力が低下しているとのデータがあるが、塾講師の業務での経験からそれを日々実感している。いかに生徒に問題意識を持たせ、自分で努力し解決できるようなモチベーションを植え付けることができるか、実践の中で試行錯誤している。

[志望動機] これまでの体験や自分の長所などを踏まえ，国家公務員としてどのような貢献ができるのか，具体的に記入してください。

留学先の高校生と議論した際、わが国の国民が平和で豊かな生活を享受するには、国内的な安定はもとより、国際的な平和と安定を考えなければならないということを実感した。このような体験を踏まえ、国内的な問題と国際的な問題をマクロに検討していく国家公務員になりたいと思った。現在私が研究している程度のことでは実社会ではほとんど役には立たないであろうが、これを契機に研究を深め、また、持ち前の探求心と実行力を活用して、わが国の発展のために貢献していきたい。

[志望官庁]（複数可）

外務省、経済産業省、農林水産省、文部科学省

佐藤さんの講評

難しげにひねくり回した文章ですね。中身を整理し練り直したうえで、テンポよく流れるように1文を短くし、もう少し字を丁寧に書けば、読みやすくなります。

塾講師や留学時のエピソードも書いてあるし、全体的に志望官庁と関連のありそうな事柄で埋めているので、本人的にはOKと思っているんでしょうが、総合職志望者としては陳腐でいまいちアピール不足です。合格率の実績よりも「こんなことに気づいた」とか、留学先での議論での実感よりも「だから自分はこう行動する」という、自分なりの“その先”を書かないと、アピールになりません。“その先”の部分こそが、総合職として求められている能力なのですから。

国家一般職[高卒]の小林さん

面接カード

・ボールペンでていねいに記入してください。
・該当する□の中には✓印をつけてください。
・このカードは人物試験の際に話題のきっかけとして使用するものです。記入した内容が直接合否に影響することはありませんので、ありのままを簡潔に記入してください。
ただし、出身校が特定されるような記入は避けてください。

職種・地域	第1次試験地	受験番号
行政事務 関東甲信越	東京都	●●●●

ふりがな　こばやし●●●
氏名　小林●●●

＜最終学歴＞
□ 高校
☑ 短大・高専
□ 専門学校
□ 大学
□ その他

＜在学期間＞
●●●年4月～●年3月
☑ 卒業見込
□ 卒業
□ 在学
□ 中退

＜職歴＞
□ある
→主な職種内容
(　　)
☑ない

＜受験の動機＞　公務員になりたい理由
国民の意見や要望を大切にしながら、皆が幸せな社会であるように奉仕していきたいと思い、志望しました。特に国民生活の日常に関わる、様々な社会問題の改善などに貢献していきたいと考えています。

＜志望官庁等＞
□未定
☑ある　→具体的に
・●●●
・●●●●

＜印象に残っている体験＞　学校生活、ボランティア活動その他での体験
短大でのクラブ活動です。チアリーディング部に所属していました。土曜日・日曜日もなく、夏休みもないくらい厳しい練習でしたが、仲間とお互いに励ましあって皆で乗り越えることができました。また、練習方法やフォーメーションなどについて、部員の意見が衝突することもありましたが、そのようなとき私は、なるべく相手の意見を聴いてみんながよりよくできる方法を提案するように努めました。結果として、大会で全国制覇できたことは、自分の中で大きな自信となっています。

＜趣味・特技＞
読書、ウォーキング、ショッピング。
料理。1人暮らしで自炊をしているので、日常の食事は作ることができるようになりました。

＜好きな学科＞
社会学
児童心理学

＜自己PR＞　自分の長所について
温厚で前向きです。失敗をきちんと受けとめて反省しますが、後には引きずりません。他人が困っているのを見ると放っておけない性格です。相手の立場や気持ちを考えながら話すことができます。また、友人からは責任感が強いと言われます。

小林さんの講評

全体的に好印象です。印象をよくさせているのは、
・丁寧に書かれた読みやすい字
・縦横のラインが崩れていない
・行間が適度に開いている
・漢字とひらがなの大小のバランスが取れている
・分量も適度
・誤字も脱字もない
などの点です。

中身としては、「受験の動機」も「自己PR」もいかにもありきたりの内容なのですが、「印象に残っている体験」欄はなかなかよく、「面接で話を聞いてみたい」「会ってみたい」と思える内容になっています。自己PRは、欄が余っているので、具体例を交えて語るように練り直すべきです。

センパイたちの 訪問カード実例

国家一般職［大卒］経済産業局志望の中村さん

官庁訪問エントリーシート

太枠内のみご記入下さい　　　　経済産業省●●経済産業局

（ふりがな） 氏　名	なかむら ●●●● 中村 ●●	試験	一般職大卒程度試験
		区分	行政
生年月日	●年●月●日（　歳）	受験番号	
現住所	〒470●●●●　●●市●●5-7-1-102 TEL（0565）●●－●●●●		
連絡先	〒 TEL（090）●●●●－●●●● E-mail：●●●●●●●@docomo.co.jp　携帯（　　）　－		
最終学歴	●●●●大学法学部 年入学、　年卒業・卒業見込		
職歴（最終）	勤務先名： 在職期間：　年　月～　年　月　職種：		
国家公務員を志望した理由	私が国家公務員を志望する理由は仕事の幅が広く多様な経験を積む事が出来て自分自身を成長させていきたいと考えるからです。企画立案等まで幅広く行政に携わっていきたいと思います。		
経済産業局を訪問した理由	経済構造改革を通じた新たな成長の実現に向け経済社会システムを支える制度を構築するべくさまざまな政策に取り組んでおられ、中でも●●経済産業局は地域経済の再生に積極的に取り組んでおられたので。		
自己PR	私の特徴は、前向きにあきらめずに物事をとらえる姿勢です。このような姿勢はアルバイトや部活動を通じて得ることができました。公務員になり、仕事をしていく上で厳しい状況になったときや行き詰まったときにこのような姿勢が役立つと思います。		
外国語	英語・　語：TOEIC560点、　TOEIC　○○○点など）		
その他の資格	（例　情報処理技術者○○○など）		
サークル・クラブ活動（役職）	体育会足球部		
最近関心をもった時事問題と理由	格差是正		
ゼミナール・卒業研究等のテーマ	刑法ゼミ（●●先生）		
趣味・余暇活動	体を動かす事（サッカー水泳）		
他の就職試験受験先（1次合否等も記入）	国家公務員： 地方公共団体：●●県（1次不合格） 民間企業等：		

備考

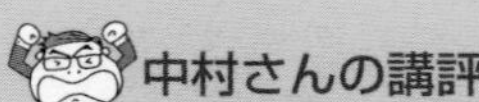

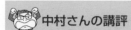

中村さんの講評

全体的に丁寧さが感じられないので、この訪問カードだけで「やる気あんの！（怒）」と思われてしまう損な例です。

どの欄もバランスが悪く、レイアウトもバラバラで、字も汚いうえに誤字・脱字もあるなど、ツッコミどころ満載です。

ところどころにある、記入漏れや空欄はとても印象を悪くさせてしまいます。ないならないで「なし」とか「特にありません」などと書くべきです。

訪問理由欄は明らかにパンフレットのパクリで、訴えるものがまるでありません。官公庁研究ノートと自己分析シートを読み直して志望動機を練り上げましょう。

最近の関心事欄には「理由」も記載するようにとあるのに、理由が書いていません。こういうところでも、要求された仕事ができるのかどうかチェックされます。

市役所上級志望の内田さん

●●市

面接シート		職種	事務職	受験区分	大学	受験番号	●●●●
ふりがな 氏名	ウチダ ●●● 内田 ●	最終学歴	学校名	●●大学		職歴	有（業種　　　） (無)
			学部・学科	教育学部			

●●市を志望した動機

私自身が生まれ育った町で、その中で感じたことを活かして住民の立場から見た「●●市」というものと、今までに私が学んできたことをこれからの●●市のまちづくりに使いたいと思い志望しました。

採用されたらしてみたい仕事

私はぜひ災害対策の仕事をしてみたいと思っています。●●市は、かつて洪水で多くの避難民を出したことがあります。私の家も、1週間小学校の体育館に避難しました。そのときに防災計画を事前に作っておくことの必要性を感じました。また、そのときの市役所の方がたの活躍を見て、市民のために奉仕するという仕事をしてみたいと思いました。

今まで経験した中で印象深かったことや努力したこと、打ち込んだことなど

学生のときに経験した海水浴の監視員が印象深かったです。海水浴に来るお客は海のルールをほとんど知らず、その人達に一から教えることの大切さや大変さを実感しました。この経験から何事も誰かに支えられているからよりよくスムーズに進んでいくということを改めて学びました。

自身のセールスポイント

幼少の頃から野球をやっていてリトルリーグや部活動を通じて団体行動をしてきたので協調性があります。また、部長や学級委員などを経験してきたので責任感もあります。あと、性格的に几帳面なほうなので細かい作業なども苦にならずに根気よくできます。

最近の●●市政で関心を持ったこと

・●●株式会社との間で災害時における応援協力に関する協定を締結
・小・中学校の耐震補強工事が全て終了するには七年かかってしまうこと。
最近は自然災害が多く市民の安心のためにも大切だと思い関心があります。

自由記入欄（自由に記入してください。）<　自己PR　について>

●●市に二十三年間暮らしてきたので住民の立場で感じた●●市の良いところや悪いところを考えてこれからの●●市に活かしていきたいです。

内田さんの講評

字が弱々しく元気が感じられないうえに、薄くて読みづらいし（ところどころカスレていて見えない!!）、ふりがなと書いてあるのにカタカナで書いてあるし……。こういうところで面接官や人事はすでにマイナスイメージを持ちます。

内容としては、全体的に「生まれ育った町で働きたい」と「災害対策」の２つにテーマを絞った書き方です。このうち「生まれ育った町」については、ほかの多くの受験者でも同じことなので、まったくアピールにはなりません。

むしろ、それに割いていた行数で「災害対策」の話を膨らませたほうが内田さんなりのアピールになります。ただし、それ以外の幅広い業務にも対応できるとの一言を添えましょう。

自由記入欄で自己ＰＲするのであれば、自分の持ち味・アピールポイントを積極的に訴える中身にしたほうが効果的です。

受験番号〔●●●●〕　氏名〔山本●●〕

英語資格加点（資格加点を申請した人で、第1次試験日当日に証明書の原本を提出した人のみ記載）

名称・級（スコア）	TOEIC 820	~~級~~・点	取得年月	●●●年　4月

特　技（検定その他特技に関する資格免許等がある場合は下欄に記入〔自動車運転免許等も含む。〕）

名称・種別	取得年月	資格免許等の取扱機関
フランス語検定2級	●●●年7月	（財）フランス語教育振興協会
小型船舶操縦士1級	●年8月	国土交通省
普通自動車免許	●年9月	●●県公安委員会
剣道2級	●年8月	全日本剣道連盟

性格について

自分で長所だと思う点	自分で短所だと思う点
1つ1つ目標を立て、一度決めたら最後までやり抜くことができる点です。	慎重すぎる面があることです。

趣味・娯楽等について

趣味	愛読書名又は最近読んで特に印象の深かった書名	好きな運動種目	自分でやる	見るだけ
街中探索（主に温泉めぐりと食べ歩き）	『国家の品格』藤原正彦	1 剣道	☑	□
		2 水泳	☑	□
		3 サッカー	□	☑

仕事の他にこれからやってみたいこと	最近、最も関心をもった事柄（身近なことや社会問題等について）
スクーバダイビング（海のない県に育ったからか、マリンスポーツに興味があります）	北朝鮮問題（拉致・核問題など、北東アジアの平和を真剣に考えなければいけないと思います）

他の試験の受験状況（試験名、受験（予定）年月日、合否）……すべて記入すること

試験名	年月	合否
国家Ⅰ種（行政）	●●●年6月	最終合格（内定なし）
国立国会図書館Ⅰ種	7月	2次合格
国税専門官	6月	1次不合格

●●県に関心を抱いた理由及び●●県の仕事を通じて成し遂げたいと考えていることを書いてください。

●●県に関心を抱いた理由は、3点あります。

1点目は、●●県は従来から「官民協働」の施策をとっていますが、私の育った地域の町内会が実際に県の職員のみなさんと「共働」する現場を見て、住民の目線で働く県職員のみなさんの考え方に共感できたからです。

2点目は、趣味の温泉めぐりから、●●の素晴らしい温泉を全国に紹介したいと思ったことと、その資源景観の保護の必要性を感じ、そのような仕事に携わりたいと考えたからです。

3点目は、●●県は、農薬の空中散布の一部自粛や「●●子育て塾」・子育て応援事業など、住民の意識と要請に根ざした施策を企画し実施していると感じました。

以上のことから、私も県職員として、地域住民にとって住みよい環境（自然環境、社会環境の両方を合わせて）づくりを実現させることに情熱を傾けたいと思い、志望いたしました。

線で消しているのは丁寧ですが、ここまでしなくてもよいです。

志望動機の欄で、「関心を抱いた理由」という設問に対し、まず「関心を抱いた理由は3点あります」と書いたうえで、1点目は、2点目は……と書くテクニックはうまいですね。

ただし、「仕事を通じて成し遂げたいと考えていること」に対する答えはちょっと物足りなさが残ります。面接で突っ込んで聞かれたとき用の想定問答をしっかり練り込んでおきましょう。

地方上級（都道府県）志望の山本さん

＊自筆で記入のこと　　●●県人事委員会

面接カード	試験区分	受験番号
	行政事務	●●●●

(フリガナ) ヤマモト ●●●● 氏名 山本 ●●	性別 男	生年月日 ●●●年●月●日 （●●●年4月1日現在満●歳）

現住所　東京都練馬区●●2丁目7番14号●●●●●103号室

帰省先　●●県●●市●●字●●番地

学生生活について（学歴区分は中学卒業後の該当学歴を○で囲んでください。）

学歴区分	学部・学科名	在学期間	修学区分
現在（最終） 大学院・(大学)・短大 専門学校・高校	法 学部 政治 (学科)課程	●年4月から ●年3月まで	(卒業)・卒見 （ ）学年{在学/中退
その前の学校 大学院・大学・短大 専門学校・(高校)	学部 普通 学科(課程)	●年4月から ●年3月まで	(卒業)・修了 （ ）学年中退
その前の学校 大学院・大学・短大 専門学校・高校	科	年　月から 年　月まで	卒業・修了 （ ）学年中退

得意な科目	不得意な科目
政治学、ヨーロッパ近代史、 語学（英語、仏語は日常会話が可能）	理科系の科目 （高校生時代は物理が不得意でした）

学生生活で最も印象に残っていること
サークルで行った富士登山で山が思いのほかゴミで一杯であることに驚き、翌年は学内の他のサークルにも呼びかけて「富士ゴミ拾い登山の会」を企画し、実現できたことです。

卒業研究又は演習テーマ（該当者のみ記入）	学校内外でのサークル・クラブ活動（役員名等も）
イギリス議会の立法過程について （日本の国会と比較検討しました）	法学研究会（代表幹事） バスケットボール・サークル

職歴（アルバイトを含め、最近のものから記入。卒見者は主なアルバイトについて、既卒者は最終学校卒業後のものを記入）

勤務先（部課名まで）	職務内容	所在地（市町村名まで）	在職期間（年月～年月）
●●●●●●●会	学習塾講師	東京都練馬区	●年9月～ ~~年 月~~ 現在
			年 月～ 年 月
			年 月～ 年 月

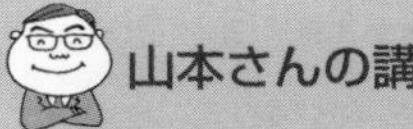

山本さんの講評

ヘタウマな字。とにかく丁寧に書き込まれている感じが見受けられるし、読みやすいので、好感が持てます。

得意科目、不得意科目については、カッコ書きまでしていて丁寧ではありますが、細かすぎるという評価の面接官もいるかもしれません。なお、一方は「～可能」他方は「～でした」というのは統一性が取れていません。

また、職歴、特技欄の空欄を斜

4　あなたの性格および友人関係について書いてください。

あなたが考える自分の性格			友人との思い出
	長所	自分の決めた事や目標に対して努力を惜しまない所です	お互い勝ちたい気持ちが強く良くぶつかり合ったが「絶対にその日のうちに解決する」を約束に4年間やっていき本当に良い仲間となれた。
	短所	ひとつの事に集中しすぎてしまうところです。	

5　趣味・志向

趣味等	料理 映画鑑賞	スポーツ	自分でするもの ラクロス 見に行くもの サッカー	特技等	具体的に パソコンのブラインドタッチ(タイピングが早い)

最近関心をもったことがら	最近読んで特に印象深かったものがあればその書名
「振り込め詐欺」です。世間にも随分浸透した犯罪だと思っていましたが最近身近に感じる出来事があり改めて恐怖を感じました。	1 博士の愛した数式 2 のだめカンタービレ 3 こころ

これまで経験したアルバイト		これまで経験したボランティア	
仕事の内容	期間	活動の内容(具体的に)	期間
ホールスタッフ	●●年11月～H●年2月		～
スーパーのレジ	●●年2月～現在		～
	～		～
	～		～

6　民間経験(今までの職務上の経歴を最近のものから順に書いてください。)

勤務先	職務内容	所在地(都道府県名)	在職期間(年月～年月)	退職理由

7　健康状態について書いてください。(□内にはレ印をつけてください。)

現在の健康状態　☑健康　□ 病気にかかっている　年　月から 病名(　　)	身体障害の有無 ☑ない　□ ある
今までに入院したり半月以上病気をしたことがありますか。 ☑ない　□ ある 病名または病状(　　) その時期　年　月ころ　その期間　日程度	外科的な手術を受けたことがありますか。 ☑ない　□ ある(　　) 理由または原因(　　) その時期　年　月ころ　その期間　日程度

健康上のことについて、留意していることがあれば書いてください。(就職にあたっての不安など)

特にありません

葉が並んではいますが、「だからどうなの？」という感じです。浅野さん自身の体験に根ざした何かが欲しいです。

抱負欄の「犯罪者に対して貢献」はおかしいですよね？　もう一度中身を練り直しましょう。

就職活動の状況の欄、志望順位が書かれていません。また「衆議院」の「衆」のところに修正テープを使っています（正式な文書に修正テープはご法度です）。

警察官の採用試験ということもあって、体育会系の部活で中学・高校・大学と頑張ってきてそれなりの実績を上げてきたということを高く評価する面接官もいるかもしれませんが、この面接カードを見る限り、いいかげんな性格が透けて見えるので、私なら積極的に採用はしません。

警察官［大卒］志望の浅野さん

面　接　カ　ー　ド

●●県人事委員会

試験職種	警察官A（男性・女性）	受験番号	●●●●	ふりがな 氏　名	あさの 浅野 ●●

1　受験の動機等について書いてください。

警察官についてのイメージ・やりがい

平和を守るために組織的に活動しているのが警察官だと感じています。正義感と使命感がなければ出来ない厳しい仕事だと思いますが市民が安全に暮らすための活動にやりがいを感じます。

●●県警察官志望の動機・理由

部活動で培った精神力と体力を活かして社会に貢献したいと思いました。私ひとりの力は小さくても警察の一員となって犯罪に立ちむかう大きな力になりたいと思いました。

警察官としての抱負（採用された場合どのような仕事をしてみたいか、興味をもっているか）

コミュニケーション能力を活かして、市民や仲間に信頼される存在になり、時に女性被害者や犯罪者に対して貢献が出来る警察官になりたいです。

2　あなたの学校生活について書いてください。

卒論テーマまたは所属ゼミの研究テーマ（卒論、所属ゼミがない場合は専攻分野）	加入したクラブ活動・サークル活動
卒論テーマ「観光政策論」	中学・高校とソフトボール部で（県ベスト4）大学ではラクロス部の主将を努めました。（2部リーグ3位）
学生時代に打ち込んだこと（具体的に）	**中学校からも含めてこれまで経験した役員・委員等**
高校では厳しい部活動と学業（特待生）を両立させ、大学ではキャプテンとしてチームに貢献しました。	中学：学級委員（3年間）体育委員 文化祭実行委員・副主将 高校：学級委員、副主将 大学：主将

3　就職活動の状況（今年度の内容について記入してください）

受験した（予定の）職種 <例> ○○県警察官 ○○県警察事務上級 等	結果及び予定 <例> 1次合格（不合格），2次受験，最終合格 内定 等	志望順位	受験した（予定の）職種 <例> ○○県警察官 ○○県警察事務上級 等	結果及び予定 <例> 1次合格（不合格），2次受験，最終合格 内定 等	志望順位
◇地方公務員			◇国家公務員		
［●●県警察官］	1次合格		［衆議院衛士］	1次合格	
［東京消防］	1次不合格		［　］		
［　］			［　］		
［　］			◇民間・進学・その他		
［　］			［　］		
［　］			［　］		

浅野さんの講評

　枠からはみ出しているところも多く、「何も考えずイキオイで書いたな？」という印象です。

　また、全般的に書いてある内容が大学生にしては幼いのも気になります。たとえば、最近読んだ本の欄にマンガは書くべきではありません。また、性格および友人関係の欄で、常体と敬体が混交していて、誤字もかなりあります。こういうところからその人の知性が判断されています。

　志望動機欄の3行目が途中からというのはよくないです。3行になるなら、最初からそのように配分して書くべきです。

　警察官のイメージ欄も志望動機欄も、なんとなしにそれらしい言

職歴書

試験の種類	受験番号	氏名
経験者採用試験（事務）	●●●●	田中　●●

年号	年	月	職歴（ただし，受験資格の基準となる大学卒業より後の学歴も含める。）
●●	●	10	●●●●病院　入社（受付事務）
	●	11	●●●●病院　退社
	●	4	●●大学大学院公共政策研究科　入学
	●	5	（株）●●●●●●●　●●●店　入社（コンビニのレジ担当・アルバイト）
	●	3	●●大学大学院公共政策研究科　卒業
	●	7	（株）●●●●●●●　●●●店　退社
	●	7	（株）●●●　入社（ドラッグストア・販売）
	●	8	（株）●●●　退社
	●	12	（株）●●商事　入社（営業）
	●	4	同社●●●営業所営業主任に昇進
			現在に至る
			以上

（注）１　様式に入力して印刷したもの（又は手書きで書いたもの）を第１次試験日に**２部**持参してください。
２　受験資格の基準となる大学の卒業より後の職歴を簡潔に記載し，上記の行内に収めてください。
３　職歴書は，経験論文試験の評定に当たり，参考資料として利用します。

経験者なので、前職での努力・頑張りや成果、とりわけチームワークでのエピソードがほしいです。

自己PRも具体例に欠けます。今のままだと、面接官は、やってみたい仕事の多さや転職の多さなども合わせて「"多面的"というのは転職を繰り返すことの裏返し。1箇所に落ち着けない性格」と判断してしまうでしょう。

【職歴書について】

「令和」は最初だけでなく、すべての項目にきちんと書くべきです。空白の期間がある場合には、その間どのように生活していたのか必ず聞かれます。職歴書に書く必要はないですが、面接での答えを準備しておきましょう。

就職先の会社名は正式名称を書きます。「○○病院」→「医療社団法人○○会○○病院」、「（株）○○」→「株式会社○○」

通常は「入社」・「退社」ですが、就職先が会社でない場合（学校、病院、個人事業所（商店）、官公庁など）には「勤務」・「退職」、農業や家業を手伝っていた場合には「家業である○○業に従事（平成○年○月まで）」などと書きます。自身で起業した場合には「開業」・「廃業」あるいは「設立」・「解散」です。

通常は、勤務先の次に事業内容や職務内容を簡単に（仕事内容がわかる程度）書きます（別に欄が設けられていることも）。要求されない場合もあるので、記入例をよく見て判断します。

退職理由も、通常は「勤務先の業績不振により希望退職」「結婚により退社」などと手短に書きます。「都合により」はダメです。退職理由は面接で聞かれることを覚悟しましょう。

通常は学歴については別の学歴欄に書く場合が多いですが、この例のような指示がある場合は、暦年で職歴と合わせて書きます。なお、大学院は「卒業」ではなく「修了」です。

アルバイトは、指示がある場合以外は書かないで指示があるときもアルバイトと明示してください。「コンビニ」ではなく「コンビニエンスストア」です。

同じ会社の中でも異動（特に転勤を伴う）、昇進があった場合には分けて書きましょう。

最後は必ず「現在に至る」「以上」を書き添えます。「以上」は欄の右端です。

なお、田中さんの職歴の全体的な印象から、面接官は「おそらく、大学時代から公務員になりたかったんだろうけど、なかなか試験にパスしなかったのかな？」と感じ、そのような質問をしてくる可能性があります。

市役所経験者採用志望の田中さん

面接カード

試験の種類	経験者採用試験	受験区分	事務	受験番号	●●●●●
ふりがな 氏名	た なか 田中 ●●	生年月日（年齢）	●●●●年 ●●月 ●●日（●●歳）		

学歴	学校名	学部名	学科・専攻	在学期間	修学区分（○で囲む）
最終	●●大学大学院	公共政策研究科		●●●年4月から ●●●年3月まで	卒業（○） 卒業見込
その前	●●大学	法学部	政治学科	●●●年3月から ●●●年3月まで	卒業（○）

志望動機・理由

●●市の「自治体力」向上に貢献・・・●●市内に20●●年に予定されている環状自動車道の整備で人の流れ，物流が活発になり，住環境や各種産業が注目を集めることが想定されます。「自治体力」の向上が期待される中で，私は●●市の職員として「高いレベルを維持した住み良い市」を目標とした市民サービスを展開していこうと考えました。アクセスが便利になって観光等で訪れる人たちには見所満載の観光スポットと特産品を楽しんでいただく「五感を満たす感動」を行政側の立場から提供していきたいと思い，志望に至りました。

採用されたらやってみたい仕事

私は登山が趣味なのですが高山帯から里山に至るまで近年は野生鳥獣の農林業への被害が拡大しています。●●市の林政課には野生鳥獣に関する部署があるということなので，林政課で仕事をしてみたいと思います。さらに特産品である柿やウリを広く市外へアピールしたいことや，近頃話題となっているバイオマス資源も市内には豊富に存在することから，林政と農政の分野を希望しております。また，東日本大震災後に報道機会の多かったライフラインの一つ，上下水道の業務を通じての市民への貢献も経験したい業務です。

今までに最も力を入れて取り組んだこと

大学の卒業論文で「●●地方の湿原の保護」というタイトルで論文を執筆したことです。高校時代に家族旅行で見学したある湿原の美しさに魅了されて以来，個人的に見学や研究を行ってきたものをそのまま大学での研究分野としたのですが，現地調査と多くの資料提供なども加わって完成した論文はとても満足のいくものとなりました。卒業論文は提出後に二人の先生から諮問を受けるのですが，評価が非常に高かったことは確かな自信となりました。

自己PR

物事を多面的に考えるように心掛けていることです。大学の部活動で登山部の部長を務めていたのですが，部員をまとめたり，運営方法の方向づけをする時に，自分の考えを押し通そうとするとうまくいかないことがあり，多面的に物事をとらえることの大切さを痛感しました。現在でも仕事で行き詰まった時に，多面的に考えることを実践しています。また自分の興味のあるニュースは新聞を複数紙，目を通すことで様々な情報の見方をして，自分の意見を深められるようにしています。

田中さんの講評

経験者でも、基本は同じです。ただし、即戦力性、すなわち経験者として相応の知識・能力・スキルをより一層明確にアピールする必要があります。また、学生とは違った落ち着き、成長度合い、社会性も判断されます（経験者の場合、誤字は大幅減点）。

「自治体力」が何をさすのか不明。定義と具体的な対応策の提示が必要です。

観光は夢のある話ですが、現実的な利害得失を多角的な視野から見る能力をアピールすべきです。

やってみたい仕事がバラけ過ぎです。経験者の場合、経験を生かして１つの道を極める人材が望まれます。

何度受けても受からない！キミたちへ

このポイントがつかめないと合格はできない

どうでしたか？　実際の受験申込書、面接カードを見て、みなさんも「この受験者はＯＫ」「この人は……？」とか、「ここの部分はいいけどこっちとはなんだか矛盾するし、イマイチだよね」などと思ったと思います。ね？なんとなしに、面接官や人事の気持ちがわかったでしょう？

とはいうものの、みなさんにはどうしても最終的に理解できない部分があると思います。それは、「どうしてAさんは合格して、Bくんは落ちるのだろう？」その明確な基準ですよね。

みなさんがこれまで経験してきた高校受験、大学受験や各種の資格試験では、成績第一主義。とにかく点数が高ければ合格するわけです。しかもその試験問題の採点も、これは○、これは×とハッキリしています。でも、面接試験の場合、何が○で、何が×なのか……？

これは、何をどうやっても、どんなに科学的な面接手法を導入したって、ハッキリできません。どんどん突き詰めていけば、面接官や人事の「感覚」の問題になってしまいます。でも、それじゃあ、なんら解決策にはなりませんよね。

そこで本書のシメとして、**イマイチ面接のコツをつかみきれない**というみなさんを対象に、どうすれば内定を勝ち取ることができるのか、（今までにお話ししたことの繰り返しになる部分もありますが）改めてお話ししましょう。最後の秘策「**奥の手**」です。

●理解力の差

なかなか最終合格・内定がもらえない人は「自分をいかに伝えるか」ばかりに集中してしまっていますが、最終合格・内定がもらえる人は「いかに相手が求める能力・人物像を理解するか」に重きを置いているようです。この違いが大きいんですね。

●面接中の面接官のホンネ

①導入部：まずは、受験者の外見を観察。第1に眼。力があるか、キラキラしてるか。その次に姿勢がちゃんとしてるか。身だしなみはできているか。答えの内容なんてドーでもいい。でも、言葉遣いがキチンとしているかだけはチェック。この段階で、採点表に仮の点数を付ける。

②共通質問

●志望動機&自己ＰＲ：ほとんどの受験者が、白書やネットの情報のツギハギで準備した志望動機や、どこからかコピペ

面接官の意識を知ろう

面接官は、こんなふうに面接を組み立てようと思っています。以下は個人面接の例です。

1 導入部の質問

受験者の緊張を解きほぐして、話しやすい環境を作ることが主眼。ちょっと笑ってくれるぐらいがベスト（1分・1問）。

2 各人共通の質問

●**志望動機**（2～3分・原則1問）面接カードに沿って定型的質問。わからないとき、要領を得ないときはさらに複数問。状況次第ではコンピテンシー質問に切り替え。

●**自己ＰＲ**（2～3分・原則1問）面接カードに沿って定型的質問。わからないとき、要領を得ないときはさらに複数問。状況次第ではコンピテンシー質問に切り替え。

●**コンピテンシー系質問**（4～5分・2テーマ程度、各テーマごとに3～4問）面接カードの内容に応じて、個人の経験から得た人間特性を探るための質問を2テーマ程度。あとは受験者の答えに応じてどんどん深く追及する。

3 受験者個別の質問

面接カードに沿って、注目される点につき2～3問（6～7分）

4 その他

状況次第で＋αの質問（1～2分・1問程度）

以上だけでも、合計で16～21分になります。これでも受験者の入退場でかかる1～2分を加えると、受験者1人当たり20分～25分前後となってしまいます。ということは、若干サクサクって質

してきたような自己ＰＲ。自分の言葉になっていないので、あまり期待していない。「さぁ、暗記してきたもの吐き出しちゃってねー。本番はこれから」と思っている。ただ、ここで思っても見なかった切り口や平凡だけど体験を織り交ぜた「おおっ！」っという答えが返ってきたら、俄然乗り気になっちゃう。このときも、観察しているのは受験者の眼。それから、手、足。こういうところに集中度とかホントかウソかが現れる。

●**コンピテンシー系質問**：これまでに「おおっ！」ときた受験者には深く突っ込みを入れる。グーな受験者にはさらに厳しめの質問をする。「お呼びでない」系の受験者には淡々と。（なお、グーな受験者にはそれまでによい点を付けてここから雑談に入る一方、ダメな受験者には厳しいイジメ系の質問をする面接官もいる）いずれにしても「なぜ？」「どうして？」を繰り返していけば受験者のホンネが大体見えてくるもの。

③**個別質問**：一昔前の面接官はこっちを重視していた。今は②

問を切り上げるか、1～2問減らさないと1人20分（1時間当たり受験者3人。休みなく8時間やって24人）とならないわけです（面接官だってそんなに長く面接をやっているとヘトヘトになっちゃいますから、今日1日で何人受験者がいるか、何時に終わらそうかで逆算するわけです）。

効果的な面接にするために

ね？ こうやって見てみると、面接って意外に短いでしょ！ 実際に始まってみると、「あっ」という間に終わっちゃうんです。「こんなので、なんで人の一生が決まっちゃうの!?」っていうぐらい。だから、後悔しないためにも、この短時間で効果的にアピールできるよう、受験者である、そしてその場の主人公であるあなたのほうが、「見せる＝魅せる」努力をしなければならないことも、もうおわかりですよね。

何も準備をしなければたったの20分。でも、あなたがその20分のためにどれだけ準備をし、知恵を絞ってきたか。時間をかけたらかけた分だけ、ギュッと濃縮された20分になるわけです。面接官もそれを感じます。

それをわかってもらうためには、あなたのほうから仕掛けたほうが有効です。まずは**面接カードでレールを敷いて**あげること。そのあなたが敷いた**レール上を面接官という列車に走ってもらえれば**、面接官も気持ちよく面接を終わることができ、評価も「グー！」ってなるわけです。

それでは、実際に使われた市役所上級志望の高橋さんの面接カードを見つつ、何をどう変えていけば面接官が質問しやすく、評価が高くなるのかを具体的に見ていくことにしましょう。最初が、高橋さんが書いたオリジナル、次が面接官を意識して本人が書き直したものです。

と③の両方で判断。受験者個人のイイトコロのアピールチャンスなのに、なんで面接カードにチェックが入るような、面接官に訴えてくるような記載がないのかなーと常々思っているところ。答えの内容によっては、最後の一発大逆転！になりうるので、頑張ってほしい。

④**その他**：時間調整。ないこともある。採用したい受験者の場合は、扉が閉まるまですべての動作に注目。

●平凡の凡を重ねる

高橋さんを例に挙げたのは、これが特にイイからとか、特に悪いから、というのではありません。一番よく見かける、フツーの面接カードだったからです。ただ、このようなフツーの面接カードでも、ちょっと面接官の目線を意識して作り直せば、別にとびっきりよくなるわけじゃないけれど、面接官を誘導しやすい、いわば「レールを敷いた」ものになりますよという例として、高橋さんのカードを見てみてください。

「ただ凡心を尽くすのみ。別に勝解なし」（安岡正篤）

市役所上級志望の高橋さん（添削前）

●●市職員採用試験　面接カード

(試験区分)	(受験番号)	フリガナ / 氏名	(年齢)
事務	●●●●	タカハシ ●● ●● / 高橋 ●●	26歳

項目	記入内容
自己PR	私は他人とは「誠実」に接しています。 例えば、私はコンビニエンスストアに勤めており、現在店長を務めさせていただいているのですが、他店の従業員からその店の店長に対する不満について相談を持ちかけられた時がありましたが、とにかくまずは話を聞いてやり、偏見にとらわれることなく、アドバイスをしました。
●●市を志望した動機について教えてください	私は●●で暮らす中で、●●は町の一つ一つに個性と特色がある、とても魅力的な都市だと感じました。私自身はそのような「●●」という都市が大好きですが、住民のみなさんがだれしも「●●に住んでよかった」と思え、当地を訪れてくださる方みんなが「●●に来てよかった」と思ってくれるようなまちづくりをしたいと思いまして、●●市を志望しました。 私が●●市に採用になりましたら、「誠実」に仕事に当たりたいです。
あなたが今までに得た知識、経験を今後どのように活かしていきたいですか	私はコンビニエンスストアで店長として勤務していた中で、部下から不満を言われたり、お客様からクレームを受けたりしたことが何度もありますが、私は毎回、冷静かつ丁寧にコミュニケーションを取って、「誠実」に対応してきました。 私が　市に採用になりましたら、「冷静」さと「丁寧」さを心にとめて、「誠実」に仕事に当たりたいです。
今までにチームで（他者と）協力して成し遂げた出来事について教えてください	昨年の夏、各従業員の旅行や帰省の時期が重なってしまったため、当店の勤務体系上必要な人員がいなくなってしまったことがあったのですが、その時に同僚や部下であるアルバイトと協力して、なんとか店舗運営を成し遂げたことがありました。 連絡を密に取り合うことで、情報交換の重要さを実感し、また、このことによって、メンバー同士の絆が強くなったと思います。
学生生活（直近のもの）	専攻学科（記入できる方のみで結構です）：法学部　法律学科 最終学歴と卒業年（見込みを含む）：高校・高専・専門学校・短大・大学・大学院（大学に○）　●●●●年3月卒業
職歴（アルバイトは除く）	業種・仕事内容【例：建設業（営業職）】：小売業（販売職）　在職期間：●●年4月～●●年3月 業種・仕事内容：小売業（販売職）　在職期間：●●年4月～●●年6月

他人に誠実に接するのは当たり前。こんな短い文に「他店の従業員（X）」「店長（Y）」と2人も登場人物を入れるとわけがわからなくなってしまいます。もっと抽象的に表現しましょう。また、公務員はサービス業ですから、他店の従業員や店長といった内部のもめ事よりも外部（お客）とのエピソードにするべきです。

第1文、第2文、第3文のそれぞれがつながってません。また、第3文で自己PRと結びつけたつもりでしょうが、「とってつけた」感が否めません。

まちづくりがしたいとアピールするならば、自分が住民となって行事に参加してみた体験から説き起こすという方法に方針転換したほうがいいです。具体的にどんな体験か聞かれたら、地域の盆踊り大会の体験でもいいし、コミュニティセンターのカルチャー講座に参加した体験でもいいわけです。そこでの職員の方々の努力の姿に感銘を受けて……という流れで答えていきましょう。

コンビニの話でも問題はないですが、本当は自己PRのところでコンビニの話を使っているので、違う例を出したいところです。第1文の中で「私は……私は……」というのは練れていない感じを強めてしまいます。この面接カードで聞かれているのはあなただけなのですから、「私は」という一人称は思い切って取ってしまってかまいません。

「小売業（販売職）」と2つ並べて書いてありますが、これだけでは、その違いがわからないので、もっと詳しく、たとえば「小売業（販売・百貨店）」「小売業（販売・コンビニエンスストア店長）」などと書き分けておきましょう。

またもやコンビニの話？？面接カードの中にも、2～3つの別のエピソードから抽出しないと、面接官はこう思ってしまいます。ここでは高橋さんの文章を直すということを前提に話を進めますが、本来は別のエピソードから見つけてほしいところです。

「昨年の夏、旅行や帰省のため」というのは、不要な情報なので省いて、むしろ、どうしてそうなったのか（原因）→みんなで協力し→何を行い→結果どうなったのかという流れがスムーズになるように構成しましょう。

市役所上級志望の高橋さん（添削後）

●●市職員採用試験　面接カード

<table>
<tr><td>（試験区分）
事務</td><td>（受験番号）
●●●●</td><td>フリガナ
氏　名</td><td>タカ ハシ ●● ●●
高橋 ●●</td><td>（年齢）
26歳</td></tr>
<tr><td>自己PR</td><td colspan="4">私は何事にも、だれに対しても「誠実」に接することができるようになったと思います。それは、コンビニエンスストアに勤めていたときに、お客様からさまざまなクレームをいただきながら学んだことです。
どう対応すればご満足いただけるか、試行錯誤を繰り返しましたが、結局は誠実に対応することが一番だということがわかって以来、努力しています。</td></tr>
<tr><td>●●市を志望した動機について教えてください</td><td colspan="4">地方出身の私にとって、一つ一つの街に特色と個性がありつつも、互いにつぶし合うことなく調和し、むしろ魅力を増していく「●●」という都市には驚きを感じます。住民となってさまざまな行事に参加してみた結果、この魅力は住民の方々の努力だけではなく、そこで働く市の職員の方々の努力によって支えられているものだと実感しました。
私もそのような魅力づくりの一環となる仕事で汗をかき、だれにでも「住んでよかった」と思ってもらえるまちづくりをしたいと思い、志望いたしました。</td></tr>
<tr><td>あなたが今までに得た知識、経験を今後どのように活かしていきたいですか</td><td colspan="4">コンビニエンスストアの店長をしていて、お客様からのクレームや部下からの不満に対応する中で、「何の偏見も持たずに、まずは徹底的に相手の話を聞く」ということが最も重要なことだと気が付きました。そうすれば、何が問題だったのか、どう改善していけばよいのかがわかるようになったからです。
このことから私は、コミュニケーションは冷静かつ丁寧にとったほうがいいということを学びました。この経験を踏まえ、●●市の職員となっても、「冷静」さと「丁寧」さを心にとめて、仕事に当たりたいと思っています。</td></tr>
<tr><td>今までにチームで（他者と）協力して成し遂げた出来事について教えてください</td><td colspan="4">店長をしていて、毎回苦労したのは人員のやりくりでした。必要な人員が確保できなくなりそうなことも何度かあったので、私が提案して同僚やアルバイト全員が集まる会議の場を設けました。みんなで協力して、今までなかった長期的なシフト表と緊急連絡網を作り上げ、急に欠勤する人が出たときでも瞬時に対応できる体制を構築しました。
連絡を密に取り合うようになったことで、メンバー同士の絆が今まで以上に強くなり、仕事の効率も上がるようになったと思います。</td></tr>
<tr><td>学生生活
（直近のもの</td><td colspan="2">専攻学科（記入できる方のみで結構です）
法学部　法律学科</td><td colspan="2">最終学歴と卒業年（見込みを含む）
高校・高専・専門学校・短大・（大学）・大学院
●●●●年　3月　卒業</td></tr>
<tr><td rowspan="3">職歴
（アルバイトは</td><td colspan="2">業種・仕事内容【例：建設業（営業職）】</td><td colspan="2">在職期間</td></tr>
<tr><td colspan="2">小売業（販売・百貨店）</td><td colspan="2">●●年 4月 ～ ●●年 3月</td></tr>
<tr><td colspan="2">小売業（販売・コンビニエンスストア店長）</td><td colspan="2">●●年 4月 ～ ●●年 6月</td></tr>
</table>

コンピテンシー型質問を意識したものに変えています。「どんなクレームがあったの?」「どんな失敗をしたの?」という質問のほか、「キミのいう誠実とか誠実な対応って、具体的にはどんなこと?」という質問が予想されます。この最後の質問こそがポイント。これに対する回答を十分に準備しておきたいところです。

「住民の方々の努力だけではなく」はいらないようにも思えるかもしれませんが、「まずは住民が第1で職員はそれを支えるべきもの」という公務員観を持っていることを面接官に伝えるためにあえて入れています。だから自分も公務員となってそのような「支える仕事」に「汗をかき」たいという書き方になるわけです。

また、「だれにでも住んでよかったと思えるまちづくりって、具体的には何?」って質問に答えられるようにしておきましょう。その答えの中で「誠実」という言葉をうまく使うようにしておけば、嫌みなく自己PRとリンクすることができるようになります。

自己PRのところで落とした「偏見にとらわれることなく」という部分を生かして再構成したものです。また、この書き方によって、自己PRのところで語った「誠実」ということの一つの現れが、実は「何の偏見も持たずに、まず、徹底的に相手の話を聞く」ことであったという回答を自ら示しているわけで、設問ごとの回答が有機的にリンクしていることになるわけです。

「部下から不満を言われ」と書くと、あなたがなんだかそのことに不満を持っているように見えてしまいます。また、部下→お客という順ではなく、第1とすべきはお客なので、お客→部下の順にすべきです。このようなところにも、あなたが何を重視しているのか、ということが見られているのです。

この設問のキモは「あなたの集団における立ち位置、貢献度」。同年代の店員をまとめ上げるのは大変なことです。そんな店長をしたという貴重な経験談なのだから、面接で質問に答える際にもこれを生かせるように想定問答を作っておきましょう。店長としてのリーダーシップは具体的にどうとったのか、集団をまとめ上げるためにどんな工夫をしたか、相手方への配慮はどうやってしたのかなどを織り交ぜて答えましょう。

さらなる注意点として、各行を等間隔に、もっと字を丁寧に書くなど「見た目の工夫」が欲しいところです。

面接試験は「仲間探し」であることを忘れるな！

とにもかくにも、みなさんは「試験に合格する！」というほうにアタマが行きがちですが、何度もいいますけれど、もう一度面接官や人事の気持ちを思い出してください。面接官や人事は、自分たちと一緒に汗を流して働いて、この国を、この地域をよくしていこう！っていう「仲間」を探しているんです。明日からの自分の部下が欲しいんです。

だから、採用内定を出すかどうかは、**「コイツと仕事したいか？」「コイツは仕事ができるのか？」**という点から最終判断をしているのです。みなさんが面接官や人事だったとしたら、どんな人に対してこう思いますか？

おそらく、話が通じて、コミュニケーションが取れて、それ相応の知的基盤があって、かつ職務に対応できる能力があって、同じ理念・理想（＝この国を、この地域をよくしていこう！）に向かって歩める人、こういう人がいいと思いませんか？　こういう人だったら、一緒に働いてもいいと。

筆記試験では、こんなことなんてわかりませんよね。しょせん、筆記試験なんて、面接試験に呼べる受験者の数を絞り込むだけなんです。そこから先が問題。面接官や人事はジックリ時間をかけていろいろな角度から受験者を分析して、こういう点を見極めようとしているのです。

だとすれば、みなさんがもし面接官や人事になったとしても、やっぱり面接に呼ぶ受験者一人ひとりの情報はなんでもかんでも、徹底的に収集して、分析したくなるでしょ？　そこなんです。この面接官や人事の気持ちを、まず、よくわかってください。

私なら話が通じ、コミュニケーションが取れ、知的基盤があり、職務に対応できる能力があるので同じ理念と理想に向かって歩んでいけます！
だから、そういう短絡的なアピールは無意味だってさっきからいってるでしょうよ・・・・

プロの面接官や人事を甘く見るな！

組織にとって、どういう人材を迎え入れるかは、組織の生死にかかわる重大問題です。だから、そもそも面接官や人事を任命するにも、その官公庁の中で、評価の高い職員の中から、さらに適性のある人を選抜しています。さらに、内部および外部のかなりハードなトレーニングを積んでからでないと実際の面接試験の場には立たせないようにしています。彼らは、採用のプロなんです！　今度は、そのプロを甘く見ちゃいけない！ということをお話しておきましょう。

受験申込書・面接カードを見てピン！とくる

何年も人事をやっていると、受験申込書や面接カードを見ただけで「ピン！」とくることがあります。「この子は最終面接まで残るな」「この子を採用することになるのかな」って。その一方、「これはダメ！」「きっと筆記の成績はよさそうだから、そこそこまでは残るかもしれないけど、採用まではいかないよねー」というピン！もあります。

もちろん、実際に面接試験をしているときには、そのような他事を考慮して評価するようなことはありません。それに面接の採点はほかの複数の面接官と合わせてするものですし、事前にそういうことを面接官や人事どうしで話し合っているわけでもありません。でも、結果として、非常に高い確率で私の直感どおりになっちゃうんです。

では、私が受験申込書・面接カードのどんなところで「ピン！」ときたかというと、「一目で見てウツクシイ」「元気（エネルギー）を感じる」ということです。非常に抽象的な表現です

●まるで心理学の授業

面接官の研修は、カウンセリングと心理学の授業の合体みたいなものです。人から話を聞き出すには、どういうふうな聞き方がいい？とか、ウソをつくときのしぐさはどう？とか。

そうそう、せっかくですから、そのときノートに書いたことから、ちょっと拾ってみましょう。

● ウソをつくときには大きなストレスがのしかかるので、7割の人が、声が甲高くなる。また、話し方も早口になる。

● 疑いや不安を抱いていたり、話を大げさにしたかったり、ウソをついているときは、手を顔にやるしぐさが増える。

● 真実の笑顔は素早く表れて、しかも左右対称。だが、偽りの笑顔はゆっくり浮かび上がり、左右が対称でない「ゆがんだ」笑顔になる。

などなど。面接官や人事は、みなさんのこんなところまで見ているんですねえ。

ので、ちょっと具体的に、お話ししてみましょう。

字が丁寧

字は下手でもいいんです。丁寧に書き込まれているかどうか。

レイアウトがきれい

用紙がクチャクチャになったり折れたりしていないこと。文字や行の縦横のラインが乱れていないこと。適度な大きさの字で書いてあること。消しゴムで消した跡がそのままだったり、書き損じをグチャグチャ消してあったり、欄の枠からはみ出して書いてあるような部分がないこと。

誤字・脱字がない

一見してわかる程度の誤字・脱字がゴロゴロあるのは論外。

空欄がない

各欄の8割程度までは確実に埋めてあること。

写真がキチンとしている

表情・髪形・服装などから受ける清潔感と明るさ。ドロ～ン、どよ～んとした生気のない表情は×。写真の切り方、貼り方。

ね？　これ、まったく中身（内容）の話ではないでしょ。まだ中身はぜ～んぜん読んでないんです。「今年はどんな感じかな～？」ってパラパラめくって眺めている、1枚当たりほんの数秒の間に、直感ピン！がくるんです。

でも、なんで私がこれらの項目に注目していたかをよ～く考えてみてください。これらの項目の中から、私は、

◎自分の仕事を丁寧にしているかどうか
◎自分の仕事に責任を持つ人であるかどうか
◎要求されていることを確実に成し遂げられるかどうか
◎仕事に対する熱意があるかどうか
◎若者らしい明るさ、元気さがあるかどうか

ということを判断しているんです。

●字が汚かったり殴り書きをしているような人、写真の切り方・貼り方がいい加減な人は、任された仕事も乱雑にするんだろうな。きっと、机の上も汚い人になるよね。

●写真の顔つき（もっというと目つき）を見れば、その人のエネルギーがわかるし、服装を見れば、ＴＰＯをわきまえた人か、常識・教養の程度がどうなのかという推測もつくよね。

●自分の仕事に責任を持っていたら、誤字・脱字のあるものやヨレヨレの用紙なんかでは提出しないよね。

●「これだけ書きなさい」というこちらの要求どおりの仕事ができない人は、実際に働いてもそうなんだろうね。

●そもそも、うちの官庁に来たいっていう熱意があるなら、空欄なんてあるわけないし。

●キミらの能力は未知数。でも、わてらオジサン族にはない、若者らしい明るさ、元気さがある。それが特権じゃないの。てか、それだけだよね、面接でアピールできるポイントなんて。

ということなんです。これ、実際問題としては、多肢選択式の第1次試験をやるよりも、ずっと精度が高いと思います。この面接官や人事の「直感」にピン！とくるような受験申込書・面接カードが書けているか、第3章に立ち返って、見直してみましょう。

●字から感じるオーラ

みなさんも、面接カードの実例を見てみて、その書類の書き方とか字を見ていると、なんとなくその人がどんな人かイメージできるなって思いませんでしたか？

同じような内容でも、それ以外の「見た目」の部分で「この人イイ感じ」って感じることありませんでしたか？

書類からにじみ出てくる「オーラ」、これを感じさせるような書き方ができるとグッと評価が高まります。

その詳細はもう一度第3章を読んでいただくこととして、簡単にお話ししておきますと、乱雑に書いた字からは、いいオーラを感じません。自信のなさそうな薄い字、小さな字、線がヨレヨレの字からもプラスのオーラは感じません。ゆっくり、丁寧に、自信を持って書いた字、こういう字に引き付けられるものなんです。

●たとえば

先ほどの先輩たちの面接カードの実例のうち、239ページ

受験申込書・面接カードを読んでグッ！とくる

さて、それからいよいよ中身を読むわけです。中身の判断においても、**まずは形式から入り、中身の詳細へ**とだんだん深く見ていきます。

一読してスッとわかる文章か

主語述語の対応、係り受けの関係がハッキリしていて、サッと見ただけでもつかえずに読むことができ、意味をくみ取ることができる文章。どこがポイントなのか読み手（面接官や人事）もすぐに把握できて、そこをマーキングしやすいような文章。

➡公務員の仕事の大半は事務。ということは文章書き。何をいっているか意味不明の文章しか書けない人は、公務員の仕事をちゃんとできるわけがないし、そもそも他人とコミュニケーションも取れないんじゃないの？

論旨、筋道に矛盾はないか

➡いっていることはわかるんだけど、読み続けていくと、視点がブレたり、矛盾があるような文章を書く人は、仕事をしても、やっぱり視点がブレたり、矛盾を引き起こしたりして、破綻してしまうんだろうなぁ。

的確なアピールとエピソード選択をしているか

何をアピールすれば、読み手（面接官や人事）がグッとくるか、それを証明するにはどのエピソードを用いるのが適当か、ということを的確に判断して書いているか。

➡これがわかっているということは、仕事の「カンドコロ」もすぐにつかめるはずだ。人に説明する、人を説得するということにもたけているんじゃないか？

の小林さんの例などは直感ピン！のいい例です。

●社会人基礎力

経済産業省の有識者会議では、「職場や地域社会の中で多様な人々とともに仕事を行っていく上で必要な能力」を「社会人基礎力」と定義づけ、学生時代にこの社会人基礎力を身につけるように、国としても力を入れていくべきとしています。

この社会人基礎力は、12の要素に分析されており、具体的には、

①前に踏み出す力（アクション）

- 主体性
  物事に進んで取り組む力
- 働きかけ力
  他人に働きかけ巻き込む力
- 実行力
  目的を設定し確実に行動する力

②考え抜く力（シンキング）

- 課題発見力
  現状を分析し目的や課題を明らかにする力
- 計画力
  課題の解決に向けたプロセスを明らかにし準備する力

元気と熱意を感じるか

積極性、前向きさ、ひたむきさが感じられる文章。

⬇読んでいて、こっちまで暗くなっちゃう、落ち込んじゃうような文章を書く人は、きっと、心のどこかで他人を拒否しているんだろう。対人適応性がないんだろうな。

受験申込書も面接カードも、基本的には1回しか読まれません。しかも、短時間でサッと読まれるだけ。そういう特殊な文章なんです。でも冒頭のほうでもお話ししましたように、みなさんは面接試験で初めての顔合わせと思っているかもしれませんが、実はこれらの書類こそが面接官や人事と受験者のみなさんとのファーストコンタクト。**ここで第一印象が形成**されてしまっているんです。お忘れなく。

面接試験でオオッ！とくる

さあ、ここで本番の面接試験です。面接試験では、われわれ面接官や人事も真剣です。2次面接（官庁訪問）、最終面接（採用面接）など全部ひっくるめても、受験者のみなさんと直接顔を合わせる機会は、ほんの数回だけ、合計しても1～数時間程度で、十数年、二十数年生きてこられたみなさんの人生を決めなければいけないわけですから。

ともかく、面接試験では、というより、人と人との出会いではいつでも、第一印象が肝心です。第一印象は、ものの数十秒、ちょっとした会話の中身の判断まで入れても数分で形成されてしまうといいます。**最初の3分間**が重要なんです。

その最初の3分間で私が「見ている」のは、実は、話の中身・内容ではありません。見ているのは、あなたの**立ち居振る舞い、表情**のほうなんです。

- 創造力
  新しい価値を生み出す力

③**チームで働く力（チームワーク）**

- 発信力
  自分の意見をわかりやすく伝える力
- 傾聴力
  相手の意見を丁寧に聴く力
- 柔軟性
  意見の違いや立場の違いを理解する力
- 情況把握力
  自分と周囲の人々や物事との関係性を理解する力
- 規律性
  社会のルールや人との約束を守る力
- ストレスコントロール力
  ストレスの発生源に対応する力

であるとしています。今まで私がお話ししてきたことと、だいぶかぶってますね。

なお、民間企業を対象に行われた調査では、大手企業では「前に踏み出す力」を、中小企業では「チームで働く力」を重視しがちだそうです。

扉の開け方、礼のしかた、歩き方、座り方

これらの動作の中に、あなたが生まれてからこれまでに教えられてきた、身につけてきた礼儀作法、躾（しつけ）を見ます。

⬇キチンとした礼儀作法を身に付けている人なら、そのまま人前に出すことができる。それに、そのような（家庭）教育をしっかり受けているということは、それ以外の基本的な社会常識についても身に付けているはずだ。

表情と目

●まずは陽の気が出ているかを見ます。陽の気、というのは、簡単な言葉でいえば明るさですが、さらに、雰囲気から受けるプラスイメージというような（なんとも表現できないんですが）そういうものも加わっています。逆に、陰の気を発している人は、どんなに中身のいい発言をしていても受かりません。これは、緊張して顔がこわばっているかどうかということとは違います。多少緊張しているのは、面接試験では当然のことでしょうから、それ自体はまったくマイナス材料ではありません。

⬇社会人というのは、すべて他人とのかかわりで仕事をするもの。周りの人まで暗くするような人では、とても仕事にならない。それに、積極性、前向きさというのも、表情と目に表れるからね。

●次にオドオド、キョトキョトしていないかを見ます。

⬇挙動不審な人というのは、きっとアブナイ。対人適応性がないかもね。それに、第一志望じゃないのに「とりあえず」で来ているとき、自分の本心じゃないことをしゃべっているときなど、ウソは表情と目にハッキリ出るものだし。

●**面接試験いざ本番！**

答えの中身・内容については本書で触れてきましたが、本番の面接試験での「それ以外」の部分の詳細については、『面接試験・官庁訪問の本』のほうで詳しくお話ししておきましたので、ご参考になさってください。

●**ダメな人ほど優しく帰す**

実際の面接で質問してみて、「コイツは見込みがあるな！」と思った受験者には、あえて厳しい質問をしたり、圧迫質問をしたりします。

どんなふうに工夫して困難な場面を切り抜けるのか、ストレス耐性はあるのか、というところを見たいからです。これって、将来一緒に仕事をすることになるときにも通用する能力ですからね。

一方、「こりゃあダメだ！」という受験者には、最後までやさしく和やかなムードで面接することにしています。だって、面接会場では二度とお会いすることはないんですもん！　厳しい質問や圧迫面接をして落とさ

しゃべり方

どんな言葉を使うか、どんなイントネーションか、どんな発音か。

➡一言聞けば、その人の生まれ育ち、背景といったものが一発判明。さらに、声色やトーンから、誠実そうということとか、真実味もわかるし。

実は最初の3分間で、こんなことを考えながら質問しているのです。この段階で、第一印象は決まり、採点用紙にチョチョッと印象を書きとめておいたり、場合によっては、もうここで点数を付けています。エッ！と思うでしょうが、これが真実なんです。

みなさんが「これぞ面接」と考えている部分、この本やほかのマニュアル本を読んでシャカリキになって対策してきた部分に入る前の段階で、実は、もう、ここまで評価は進んでしまっているんです！　従来のマニュアル本や予備校での面接指導で扱っているのは、ここから先の部分でしたよね。実は、**「その前」の段階がこんなにも重要！**なんです。

じゃ、残りの時間、何をしているの？　というと、この第一印象を受けて、さらに、熱意や職務適性（能力）を突っ込んで聞いていこうとしているわけです。ここでは、

●**本当にウチの仕事が務まるの？**

●**本当にウチに来る気があるの？**

を中心に、いろいろな角度から質問をし、さらなる判断をしていくのです。ここで第一印象のよさが揺らぐような学生なら、不合格に変更します。

どうですか？　思った以上にシビアでしょ！　でも、私がこの本などでお話ししてきたことを十分理解して、対応していただければ、必ず合格できるはずです！

またの お越しを お待ちして おります。

れたら、その官公庁の悪い印象だけが残りかねませんからね。

というわけで、実は終始和やかムードのまま帰された場合のほうが、あなたにとってはピンチだったりして!?

自分に自信を持とう！

●面接や書類に臨む姿勢でキミの仕事に対する姿勢が評価されている！

実際の仕事だって、実は「総力戦」なんです。だから、どこかで手を抜こうとする人とか、ズルしようとする人を採用するわけにはいかないんです。

新人クンには失敗がつきものだけれど、それを克服しようと努力をするからこそ、かわいげがあるんであって、最初っから手を抜くような人じゃあ、イイ仕事はできないんです。

面接試験や提出書類という「仕事」にキミがどういう姿勢で臨んでいるか、そこが評価されているんですよ。

すべての道は人物評価に通ず

結局のところ、公務員試験って、筆記試験だってあなたの知識と学力を見ているわけだし、提出書類だって、実際の面接だって、その他もろもろまで、ぜーんぶひっくるめて人物評価なんです。ちょっとした書類の提出とかそういうところにも**手を抜かず、しっかり頑張ってきた**人が、やっぱり面接試験でも評価されるし、最終的に内定を勝ち取ることになります。

とにかく、総力戦。「あなた」が徹底的に分析され、まるハダカにされる、それが就職活動であるということを、アタマにたたき込んでおいてください。いろんな場面で、いろんな方法で、「自分」というものをプロデュースし、アピールしなければならないのです。

自信を持った者勝ち！

でも、面接試験ってとっても不安！　どこでどう評価されているかわからないんで、何がどうして何点になるのか、わからないですものね。

だから、面接試験の直前になると、何だかソワソワ、何も手に付かなくなっちゃう。当然しなければならない試験対策までも放棄して遊んじゃう。——こんなふうに、試験の結果が悪かったときの言い訳のため、既成事実を作り上げていくような行動を取りがちな受験者が多いようですよ。心理学では、こういう行動は「セルフ・ハンディキャッピング」と呼ばれ、直面している事柄に自信がないときには、あらかじめ自分にハンディを付け、不利な条件があるのだと強調する心理が働くものだといっています。これが「逃げ」というものですよね。本当に、この場から逃げ出したくなっちゃう……。

でも、「**成功を邪魔するものは、結局自分自身である**。世間は誰一人として邪魔しない」（松下幸之助）んです。そう、逃げちゃダメ！「もうこれ以上わずかでも耐えられないと思うとき、そのときが決してあきらめてはいけないときです。なぜなら、それが物事の流れが変わるときであり場所だからです」（オグ・マンディーノ）。

こんなときは、とにかく自分で自分を励ましてください！「1日に1回、自分自身を激励するのは、馬鹿げた浅薄な子供騙しに過ぎないことだろうか？　とんでもない！　これこそ正しい心理学の応用の核心である」（デール・カーネギー）。

「成功した者の多くは、**常に自分の価値を信じ**、たとえ不遇な場に置かれた時でも、希望に満ちた**夢だけは捨てなかった**。多分、他のどんな要因よりも、健全な自己評価こそが、自己実現と幸福をもたらす鍵となるだろう」（D・ウェイトリー）。

最後の最後、この子にしようか？　こっちの子にしようか？　となったとき、面接官や人事は、面接試験のような緊張感を持った場でも**ニコッとした笑顔ができる人**、それだけ**自分に自信を持って臨める人**、そういう受験者に**将来の可能性を感じ**、○を付けるのです。

採用試験は全部が真剣勝負！　大変だとは思いますが、キミの努力はきっと報われるはず！さあ！頑張って立ち向かおうじゃありませんか。自分自身の明るい未来のために！

<編著者紹介>

大賀 英徳（おおが ひでのり）
都内の大学院を修了後、某中央官庁にⅠ種職員として採用され、数か所の異動の後、人事課に配属、任用係長を経て、任用担当の課長補佐となる。
人事課では、職員の採用から昇任昇格・配置換まで全般を担当し、採用においては、事務系から技術系、選考採用、非常勤まであらゆる職種の採用に携わってきた。この経験を生かし「現職人事シリーズ」３冊を執筆、本音のアドバイスが受験者から好評を得ている。

公務員試験
現職人事が書いた「自己PR・志望動機・提出書類」の本

2024年11月25日　初版第1刷発行　＜検印省略＞

著　者	大賀英徳	**DTP組版**	森の印刷屋
発行者	淺井　亨	**本文イラスト**	とみたみはる
発行所	株式会社　実務教育出版		

〒163-8671　東京都新宿区新宿1-1-12
振替　00160-0-78270
編集　03-3355-1812　販売　03-3355-1951

印　刷　文化カラー印刷
製　本　東京美術紙工

ISBN 978-4-7889-7800-3 C0030